숨은 이야기

MIT GOTT UNTERWEGS
by
Regine Schindler and Štěpán Zavřel

성경 이야기

레기네 쉰들러 지음 슈테판 자브르젤 그림 조원규 옮김

마르틴 클로펜슈타인(베른 대학 교수), 알프레트 쉰들러(취리히 대학 교수) 감수

열린책들

구약 이야기

신약 이야기

구약 이야기

태초에 관한 이야기

낙원

하나님은 세상보다 오래 사신 분.
누구보다도 먼저 살아 계셨네.
하나님은 하늘과 땅을 만드시고 모든 것을 만드신 분.
사람들은 언제나 그분에 대해서
이야기하고 또 글로 써서 남겨두었지.
그 이야기들이 오늘날 『성경』으로 남아 있네.

사람들은 하나님과
직접 이야기를 나눌 수도 있었지.
하나님께 기도를 하고
하나님께 바치는 노래를 만들어
「시편」이라고 불렀네.
하나님이 세상을 창조하신 일을
사람들은 이렇게 노래하였네.

하나님, 나의 하나님,
당신은 한없이 크신 분.
빛은 당신이 입으시는 옷.
당신은 하늘을
천막의 지붕처럼 땅 위에 덮으셨지요.
아주 오랜 옛날 땅 위엔
오직 물뿐, 커다란 바다만 출렁였을 뿐,
그런데 당신은 거센 바람을 몰고 오셨지요.
그러자 물은 도망쳐
얌전히 한 곁으로 물러섰지요.
산들이 일어서자
그 사이로 계곡이 생겼지요.
이렇게 땅이 생겨났습니다.
땅 위에는 동물들이,
나귀와 새들, 염소들이 살기 시작했고
땅 위엔 식물들이,
풀과 나무들이 자라기 시작했지요.
당신은 태양을 만드신 하나님.
달도 만드셨지요.
이 세상에, 낮과 밤을 만들고,

사람을 살게 하셨지요,
언제나 새롭게 살게 하셨지요, 저 역시도.
당신의 세상 한가운데서
우리는 기뻐합니다.
하나님 당신을 찬양합니다!
아멘.

시편 104장

사람들은 이렇게 노래를 불렀고, 하나님이 어떻게 세상을 만드셨는지를 이야기했습니다. 그리고 세상의 처음에 대한 이야기를 두 편으로 써두었습니다. 그 이야기들은 성경의 첫 부분에 실려 있습니다.

세상의 첫 일곱 날에 관한 이야기

처음에 하나님은 하늘과 땅을 만드셨습니다. 하지만 땅은 캄캄했고 온 사방이 물로 덮여 있었습니다.

그러자 하나님이 이렇게 말씀하셨습니다. 「빛이 생겨라!」 그러자 빛이 왔습니다. 하나님은 그것을 보시고 〈빛이 있으니 좋다. 참 아름답구나〉 하셨습니다. 하나님은 어둠에서 빛을 갈라내셨습니다. 하나님은 빛을 낮이라고 하시고 어둠을 밤이라고 하셨습니다. 그러자 날이 저물고 또 아침이 찾아오게 되었습니다. 이것이 세상의 첫번째 낮과 밤이었습니다.

그 다음에 하나님은 이렇게 말씀하셨습니다. 「하늘이 생겨라!」 그러자 커다랗게 휜 하늘이 모든 것 위로 펼쳐졌습니다. 위로는 드높은 하늘이, 아래로는 드넓은 물이 펼쳐졌습니다. 이것이 하나님이 만드신 세상의 두 번째 날이었습니다.

그 다음에 하나님은 이렇게 말씀하셨습니다. 「물은 모든 것을 덮어서는 안 된다. 물은 함께 흘러서 한 곳으로 모여야 한다.」 그러자 마른 땅이 드러나면서 육지가 되었습니다. 물은 바다와 호수와 강이 되어서 제자리를 지켰습니다. 땅에선 풀들이 자랐고, 나무와 꽃이 자랐습니다. 하나님이 이것을 보시고는 〈참 좋구나, 아름답다〉고 하셨습니다. 이것이 하나님이 만드신 세상의 세 번째 날이었습니다.

그 다음에 하나님은 이렇게 말씀하셨습니다. 「빛이 생겨라! 사람이 땅에서 올려다보도록 하늘에서 빛나라. 태양은 이리 와 환한 빛으로 낮을 밝히고 달은 이리 와 은은한 빛으로 밤을 밝혀라! 그리고 너희 별들도 이리 오너라! 별들은 사람에게 저녁과 밤이 오는 것을 알려 주어야 한다.」 그리고 하나님이 보시니 온갖 빛들은 참 아름답고 보기에 좋았습니다. 이것이 하나님이 만드신 세상의 네 번째 날이었습니다.

그 다음에 하나님은 이렇게 말씀하셨습니다. 「짐승들아, 너희는 물속을 헤엄치고 하늘을 날아 다니거라! 반짝이는 비늘 물고기들아, 뾰족한 집게발 게들아, 색색깔의 깃털 가진 새들아, 모두 오너라.」 하나님은 수많은 짐승들의 모습을 다르게 정해 주시고 이렇게 말씀하셨습니다. 「너희는 새끼를 낳아 바다와 하늘을 채우도록 해라.」 그리고 나니 하나님이 보시기에 참 아름답고 좋았습니다. 하나님이 짐승들을 만드시니, 이것이 세상의 다섯 번째 날이었습니다.

그 다음에 하나님은 이렇게 말씀하셨습니다. 「오너라, 너희 미끈거리는 벌레들과 등껍질 딱딱한 딱정벌레, 털이 부드러운 토끼와 고양이들아!」 하나님은 수많은 짐승들의 모습을 다르게 만드셨습니다. 짐승들도 하나님이 보시기에 참 좋고 아름다웠습니다.

그 다음에 하나님이 〈이제 사람을 만들겠다〉고 하셨습니다. 「사람은 나와 거의 같아야 한다. 사람은 내게 아주 가까이 있어야 한다. 또 내가 사람의 곁에 있을 것이다. 나는 짐승들을 사람에게 주겠다. 하지만 사람은 물고기와 하늘의 새들, 땅의 짐승들을 돌보아야 한다. 그렇게 사람은 내 세상 안에서 나를 도와야 한다.」

하나님은 남자와 여자를 만드셨습니다. 남자와 여자는 하나님이 보시기에 참 좋고 아름다웠습니다. 하나님이 말씀하셨습니다. 「나는 너희를 남자와 여자로 만들었고, 또 어머니와 아버지로 만들었다. 너희는 서로 사랑해라. 너희는 아이를 낳아서 갈수록 많은 사람들이 생겨나게 해라. 먹을 것은 충분하니 둘러보아라, 너희 주위에서 자라는 모든 것을. 너희는 저 곡식과 콩과 기름진 녹색 잎사귀를 먹어도 된다.」

그리고 하나님은 만드신 것을 모두 한꺼번에 바라보셨습니다. 「모든 것이 참 아름답고 좋구나.」 이것이 하나님이 만드신 세상의 여섯 번째 날이었습니다.

그런데 그 다음날 해가 뜨자 하나님은 이렇게 말씀하셨습니다. 「나는 온 세상을 만들었다. 이제 다 되었다. 오늘 나는 쉬려고 한다. 오늘은 특별한 날이고 하루를 쉬는 날로 내가 만든 것이다.」 이날도 참 좋고 아름다웠습니다. 이것이 하나님이 만드신 세상의 일곱 번째 날이었습니다.

이것이 하늘과 땅에 대한 첫번째 이야기입니다. 이것이 세상의 처음 일곱 날에 대한 이야기이고, 성경의 첫번째 이야기입니다.

창세기 1장

낙원, 세상의 처음에 관한 또 다른 이야기

땅에는 아직 나무도 풀도 없었습니다. 온 사방이 허허벌판이었습니다. 하나님은 땅의 부드러운 흙을 집어 드셨습니다. 그 흙은 진흙 같았습니다. 하나님은 그 흙으로 사람을 만드셨습니다. 하나님은 사람이 당신의 마음에 들게 만드셨습니다. 하나님이 사람의 코로 생명을 불어넣으셨습니다. 그러자 사람이 숨을 쉬었습니다. 사람은 곧바로 서서 두 발로 걸으며 살아가기 시작했습니다.

하나님은 사람에게 정원을 하나 꾸며 주셨습니다. 이 낙원에는 여러 가지 꽃과 나무와 맛있는 열매가 가득했습니다. 하나님은 낙원에 냇물이 흘러 물이 충분하게 하셨습니다. 모든 것이 잘 자라고 아름다웠습니다. 하나님은 사람에게 이렇게 말씀하셨습니다. 「이 정원은 너의 것이다. 잘 보살피도록 해라.」

그런데 낙원에 있는 한 그루의 나무 열매만은 따먹을 수 없었습니다. 하나님이 허락하지 않으셨기 때문입니다. 「이 나무는 나밖에는 아무도 갖지 못한다. 이 나무 열매를 먹으면 모든 걸 알게 된다. 사람아, 네가 그 열매를 먹으면, 너는 죽어야만 한다.」

사람은 낙원에서 혼자 살고 있었는데, 하나님이 말씀하셨습니다. 「사람은 혼자여선 안 되겠구나. 내가 사람에게 어울리고 도움이 되는 생명들을 만들어 주겠다.」 하나님은 흙을 집어 드시고 짐승들을 만드셨습니다. 새와 젖소, 말과 개와 고양이, 토끼와 사슴을 만드셨습니다. 그리고 사람에게 짐승들의 이름을 붙여 주라고 하셨습니다. 하지만 어떤 짐승도 사람에게 어울리지는 않았습니다. 짐승은 사람과 말을 나눌 수가 없었습니다.

그러자 하나님은 사람을 깊이 잠들게 하셨습니다. 사람은 깊이 잠들어, 자기에게 어떤 일이 일어나는지 느끼지 못했습니다. 그러자 하나님은 사람의 몸에서 갈비뼈 하나를 꺼내서 사람 하나를 새로 더 만들었습니다. 새로 만들어진 사람은 첫번째 사람과 아주 비슷했습니다. 새로운 사람은 여자였습니다. 남자는 잠에서 깨서 여자를 보고 크게 기뻐했습니다. 「이 사람은 내게 잘 맞는구나. 어떤 짐승보다도 훨씬 나아. 꼭 나처럼 생겼구나.」 남자는 여자와 말을 나눌 수 있어서 크게 기뻤습니다.

남자와 여자는 낙원에서 살았습니다. 그들은 벌거벗은 채로 살았습니다. 하지만 부끄럽지 않았습니다.

낙원의 한가운데는 하나님의 나무가 서 있었습니다. 두 사람은 알고 있었습니다. 「이 나무의 열매를 먹으면 안 돼. 먹으면 죽어야 한다고 하셨어.」 두 사람은 죽는다는 게 뭔지 몰랐지만, 그 나무의 열매만은 먹지 않았습니다.

어느 날 갑자기 뱀이 나타났습니다. 뱀은 여자에게 말했습니다. 「저 나무의 열매를 먹어 봐. 죽는다는 건 거짓말이야. 열매를 먹으면 모든 걸 알게 되지. 하나님만큼 많이!」

여자는 갑자기 금지된 나무의 아름다운 열매들을 먹고 싶어서 견딜 수가 없었습니다. 〈하나님처럼 모든 것을 알게 된다니!〉 여자는 그러고 싶었습니다. 그래서 여자는 남자에게 열매를 건네주었습니다. 남자도 열매를 받아 베어먹었습니다.

두 사람은 죽지 않았습니다. 하지만 이제는 모든 게 전과 달랐습니다. 남자와 여자는 자기들이 벌거벗은 것을 깨닫고 부끄러웠습니다. 그래서 무화과 나무 잎사귀로 몸을 가렸습니다. 저녁이 되어 서늘해지자 하나님이 낙원의 정원을 지나가시는 소리가 들렸습니다. 두 사람은 숨어 있었습니다. 불안했던 것입니다. 전에는 불안이 무엇인지 전혀 알지 못했습니다.

하나님이 두 사람을 부르셨습니다. 하나님은 남자와 여자가 어디에 숨었는지 아셨습니다. 「너희는 내 나무의 열매를 먹었구나. 그래서 너희가 벌거벗은 것을 아는 것이다. 그래서 너희는 겁을 내는 것이다.」 하나님은 여자에게 말씀하셨습니다. 「네가 저지른 일이니 너는 아이를 낳을 때 고통을 겪게 되리라. 너는 남자를 사랑해도, 남자는 너를 다스릴 것이다.」 그러고는 남자에게 이렇게 말씀하셨습니다. 「너는 내 나무의 열매를 먹었으니, 내가 너의 밭에 가시 돋친 잡초가 자라게 하리라. 너는 그 잡초를 뽑으며 이마에 땀이 흐르도록 일해야 한다. 그러다가 늙고 죽으리라. 그래서 다시 흙으로 돌아가리라.」 그러고는 뱀에게는 이렇게 말씀하셨습니다.. 「너는 여자한테 열매를 먹으라고 했으니까 언제까지나 바닥에서 기어다녀야 한다! 흙먼지 위에서 기어다녀라. 너에게는 다른 동물들처럼 다리를 주지 않으리라.」

두 사람은 금지된 나무의 열매를 먹었습니다. 그래서 하나님은 남자와 여자를 낙원에서 쫓아냈습니다. 두 사람은 모든

것이 저절로 자라는 뜰이 없는 곳으로 쫓겨났습니다. 두 사람은 땅을 갈고 씨를 뿌려 힘들게 가꾸어야 했습니다. 낙원으로 들어가는 문에는 두 명의 천사가 불로 된 칼을 들고 서 있었습니다. 사람은 낙원으로 돌아갈 수가 없었습니다.

하나님은 두 사람이 낙원을 떠나기 전에 따뜻한 털옷을 만들어 주셨습니다. 그래서 두 사람은 이렇게 생각했습니다. 〈하나님은 우리를 돌봐주신다. 하나님은 아직도 우리를 사랑하시는 거야.〉

첫번째 사람은 아담이었고, 여자의 이름은 하와였습니다.

창세기 2장, 3장

가인아, 네 동생은 어디 있느냐?

아담과 하와는 언제나 함께 지냈고 서로 사랑했습니다.

하와는 곧 아이를 낳게 되었습니다. 그 아이는 아들이었습니다. 아담과 하와는 아들에게 가인이라는 이름을 주었습니다. 가인은 세상에서 처음으로 태어난 아이였습니다. 하와는 크게 기뻐하며 하나님께 감사했습니다. 「하나님. 저를 도와주셨군요. 아이를 받다니, 정말 좋아요. 감사합니다.」 얼마 지나지 않아서 하와는 둘째 아들 아벨을 낳았습니다.

두 아들은 자라서 힘이 세어졌습니다. 아벨은 아버지의 양떼를 몰고 풀밭을 옮겨 다녔습니다. 아벨은 양을 치는 목자였습니다. 가인은 밭에서 일을 했습니다. 가인은 밭을 갈고 씨를 뿌려 곡식을 거두었습니다. 가인은 농부였습니다.

가인과 아벨은 하나님이 지켜 주신다는 것을 알고 있었습니다. 두 형제는 하나님께 모든 것을 감사하였습니다. 「하나님. 도와주셔서 감사합니다. 당신께 제물을 가져왔습니다.」 아벨은 말했습니다. 「이 양 떼를 보십시오. 그중에서 한 마리를 바치려고 합니다. 하나님을 위해서 불에 태우겠습니다.」 가인도 하나님께 말했습니다. 「하나님. 도와주셔서 감사합니다. 이 밭을 보십시오. 제가 거둔 곡식의 일부를 당신께 바치려고 합니다. 곡단을 불에 태우겠습니다.」 이렇게 두 형제는 모두 하나님께 제물을 바쳤습니다.

형제가 제물을 바친 뒤 아벨의 양들은 수가 늘어났습니다. 양들은 새끼를 낳았고 새끼들은 튼튼하게 자랐습니다. 「하나님께서 내 제물을 보신 모양이야. 내 말에 귀를 기울여 주셨어.」 아벨은 이렇게 말하며 기뻐했습니다.

그런데 가인은 올 해 밭에서 곡식을 별로 많이 거두지 못했습니다. 가인은 화가 났습니다. 「왜 하나님은 아벨의 제물만 보신 거지? 나를 잊어버리셨나? 내 제물은 거들떠 보지도 않으셨다니! 이건 불공평해.」 가인은 소리쳤습니다.

하나님은 가인의 일그러진 얼굴을 보셨습니다. 「가인아, 내 말이 들리느냐? 나는 너를 잊지 않았다. 그러니 어서 기운을 내고 성을 거두어라!」

하지만 가인은 하나님을 이해할 수가 없었습니다. 〈왜 아벨의 양 떼만을 늘려 주시고 튼튼하게 키워 주시는 걸까? 내 밭에서 곡식이 자라지 않아도 하나님은 걱정도 안 되시나?〉 가인은 생각했습니다. 가인은 질투가 났습니다. 〈내 동생이

16

나보다 잘사는구나.」 가인은 화가 나서 견딜 수가 없었습니다. 가인은 아벨에게 이렇게 말했습니다. 「아벨. 나와 함께 내 밭으로 좀 가보자.」 그리고 가인은 밭에서 있는 힘껏 아벨을 때렸습니다. 아벨이 쓰러져 더 이상 움직이지 않을 때까지 내려쳤습니다. 아벨은 죽고 말았습니다.

그러자 가인에게 하나님의 음성이 들렸습니다. 「네 동생 아벨은 어디 있느냐?」 가인은 이렇게 대답했습니다. 「저는 모릅니다. 제가 동생을 지키고 있어야 합니까?」 그러자 하나님은 이렇게 말씀하셨습니다. 「네가 동생을 죽였구나. 질투한 나머지 동생의 목숨을 끊었구나. 이제 너의 밭과 들에서는 아무것도 자라지 않을 것이다. 여기서 떠나거라. 도망쳐라! 너는 동생을 죽인 땅에서 살아갈 수는 없느니라!」

가인은 놀라서 온몸이 얼어붙었습니다. 〈정말로 내가 알던 모든 것을 떠나야 할까? 세상을 정처없이 떠돌아야만 하나? 부모님과 들과 밭 그리고 내 가축들을 더 이상 볼 수가 없다니!〉 가인은 겁이 났습니다. 게다가 동생 아벨을 죽인 것처럼 누군가 자기를 죽일지도 몰랐습니다. 하지만 하나님은 이렇게 말씀하셨습니다. 「내가 너를 지켜 주겠다. 아무도 너를 죽이지 못하게 하겠다. 네 이마에 표시를 찍어 두겠다. 이 표시가 있으면 너는 안전하다. 아무도 너를 죽이지 못할 것이다.」

이 말을 듣고 가인은 생각했습니다. 〈하나님이 나를 지켜 주신다. 하나님은 화가 나셨지만, 아직도 나를 사랑하시는구나.〉

창세기 4장

노아의 방주와 무지개

어두컴컴한 배 안에서 아이들은 부모님과 할아버지 할머니 곁에 앉아 있습니다. 엄청나게 커다란 배 안에는 나뭇살로 구분해 놓은 작은 방들이 아주 많았습니다. 배의 지붕을 두드리는 빗소리가 들려왔습니다. 비가 내리고, 쉬지 않고 또 내렸습니다. 곧 사십 일째가 됩니다. 배 위쪽도 아래쪽도 오른쪽과 왼쪽도 온통 물 천지였습니다. 〈세상이 온통 물이야〉 하고 아이들은 말했습니다.

가두어진 짐승들이 나무 창살 너머에서 울음소리를 냈습니다. 바닥을 긁거나 불안하게 풀쩍거리는 짐승들도 있었습니다. 아이들은 겁이 나는지 부모님 곁에 꼭 붙어서 천장의 창가에 앉아 계신 노아 할아버지만 쳐다보았습니다. 노아 할아버지는 가끔씩 창문을 열었다가 바로 닫으셨습니다. 창문을 열 때마다 굵은 빗방울이 배 안으로 떨어져 내렸습니다. 「아직도 비가 오네.」 여자들이 한숨을 내쉬며 말했습니다.

「절망하지 말아라.」 노아 할아버지가 차분한 음성으로 말했습니다. 「하나님은 우리 가족과 이 모든 짐승들을 지켜 주실 거다. 우리가 배를 만든 것도 모두 하나님의 뜻을 따른 것이니라.」

아이들도 어른들이 서로 도우며 배를 만드는 걸 다 지켜 보았습니다. 어른들은 나무를 베어 대들보를 세우고 나무로 만든 벽의 안팎에는 역청을 발랐습니다. 어른들이 벌판에다 커다란 상자를 만들어 놓은 것 같았습니다. 이때까지만 해도 노아 할아버지가 뭘 하려는지 아는 사람은 아무도 없었습니다.

그런데 비가 내려 홍수가 나고 계곡에 물이 넘치자 벌판의 상자는 배가 되었습니다. 「이젠 산도 물에 잠겼다.」 어느 날 노아 할아버지가 말했습니다. 그 말에 배 안에 있던 사람들은 오직 자기들만이 살아남았다는 것을 알 수 있었습니다.

이제 배 안의 사람들은 알게 되었습니다. 「하나님이 노아 할아버지와 말씀을 나누셨던 거야. 하나님은 우리를 생각해 주시는 분이구나.」 하지만 이런 의문도 들었습니다. 「다른 사람들은 뭘 잘못해서 물에 빠져 죽어야 하죠? 동물이나 식물들은 어떻게도 할 수 없잖아요?」 아이들이 물었습니다. 노아 할아버지는 이렇게 대답했습니다. 「사람들은 나쁜 짓을 했단다.」 「어떤 나쁜 짓을 했어요? 사람들은 도둑질을 하고

살인을 했나요? 친구를 버려 두었나요? 하나님을 더 이상 생각하지 않았나요? 그리고 우리는 그러지 않았나요?」 아이들의 질문은 끝이 없었지만, 더 이상 대답을 들을 수는 없었습니다.

노아 할아버지는 이렇게 말했습니다. 「하나님은 우리가 살아남기를 바라신다. 우리와 모든 짐승들 가운데 암컷과 수컷 한 쌍씩만 말이다.」 그리고 할아버지는 몇 번이나 비는 곧 그칠 테니 안심하라고 말했습니다. 하지만 비는 그치지 않고 거세게 내렸습니다. 파도가 배를 철썩철썩 때렸습니다. 이러다간 하나님이 만드신 온갖 아름다운 생명들이 대홍수에 모조리 사라지지 않을까요? 아이들은 홍수의 뜻을 이해할 수가 없었습니다.

사십 일이 지나서 노아 할아버지가 천장의 창문을 열자 비가 그쳐 있었습니다. 이제 창문을 열어 두어도 괜찮았습니다. 배 안이 환해졌습니다. 햇빛이 비쳐 들었습니다. 그 빛에 사람과 짐승 모두 눈이 부셨습니다. 모두 기뻐했습니다.

노아 할아버지는 까마귀 한 마리를 손에 얹고 이렇게 말했습니다. 「네가 우리를 도울 수 있겠구나. 날아서 주변을 둘러보고 오너라!」 노아 할아버지가 천장의 창문 밖으로 팔을 내뻗자 까마귀는 날아갔습니다. 해가 질 무렵 까마귀는 지쳐서 돌아왔습니다. 「어디에도 앉을 데가 없더냐?」 노아 할아버지가 물었습니다. 「아직은 물밖에 보지 못했구나. 이제 푹 쉬어라.」 노아 할아버지는 까마귀를 먹이고 잠을 자게 했습니다.

일주일이 지나서 노아 할아버지는 비둘기 한 마리를 날려 보냈습니다. 비둘기는 저녁 무렵에 되돌아왔습니다. 비둘기는 주둥이에 올리브 잎사귀 하나를 물고 있었습니다. 비둘기는 물 바깥으로 삐쳐 나온 나뭇가지를 발견했던 것입니다. 배 안의 사람들은 이제 곧 사정이 나아질 거라고 생각했습니다. 이때부터 나뭇가지를 입에 문 비둘기는 희망을 뜻하게 되었습니다.

물은 호수와 강을 이루었습니다. 마른 바람이 불었습니다. 곧 맨땅이 드러나 보일 것 같았습니다. 하지만 비둘기는 다시 배 안에서 일주일을 쉬었습니다. 그리고 다시 한 번 날아간 뒤에는 돌아오지 않았습니다. 비둘기는 내려앉아 쉬고 먹을 수도 있는 자리를 발견했을 것입니다.

이번에는 노아 할아버지가 직접 창문 밖으로 나가서 사방을 둘러보았습니다. 어느새 땅은 말라 있었고, 배는 산기슭

에 얹혀 있었습니다. 노아 할아버지가 배 문을 열었고 모두들 밖으로 내렸습니다. 남자와 여자와 아이들, 쥐와 고양이와 호랑이, 딱정벌레와 뱀과 다른 짐승들이 모두 땅으로 내려섰습니다. 그들은 사방으로 흩어져 나아가며 물이 휩쓸고 간 벌판과 숲을 보았습니다. 하지만 사방에는 벌써 땅에서 초록빛 새싹이 돋아나고 있었습니다. 곧 세상은 다시 생명으로 가득 차게 되었습니다.

노아 할아버지는 배 옆에 돌로 된 제단을 만들었습니다. 그리고 하나님께 자신과 가족을 지켜 주셔서 감사한다는 뜻으로 짐승을 불에 태워 바쳤습니다. 이것은 하나님께 드리는 희생의 제물이었습니다.

갑자기 아이들과 여자들이 놀라 외쳤습니다. 눈앞에는 구름들이 떠 있고 거대한 무지개가 섰습니다. 무지개는 하늘과 땅을 이어 주며 색색깔로 찬란하게 빛났습니다. 「무지개를 타고 하늘의 하나님께 갈 수 있나요?」 한 아이가 물었습니다. 「저 무지개가 바로 하나님이신가요?」 다른 한 소년은 이렇게 물었습니다. 하지만 아무도 웃어 넘기지 않았습니다. 마침내 노아 할아버지가 이렇게 말했습니다. 「저 무지개는 하나님이 아니란다. 우리 눈으로는 하나님을 볼 수가 없지. 하지만 무지개는 하나님이 보내 주시는 표시이다. 하나님은 우리가 모두 하나라고 말씀하고 싶어하신다. 하나님과 우리

인간들이 말이다.」 이렇게 노아 할아버지는 하나님의 뜻을 설명해 주셨습니다. 「하나님인 내가 인간인 너희와 약속을 맺겠노라. 다시는 대홍수를 일으켜 모든 것을 파괴하지 않겠다. 대신 너희 사람도 사람을 죽이지 말고 도둑질하지 말며 서로 괴롭히지 말거라. 너희 사람과 마찬가지로 짐승과 식물들도 나에게 속한다. 모든 생명은 소중히 지켜야 한다. 너희는 무지개를 볼 때면 반드시 나의 말을 기억하라.」

아이들은 자라고 짐승들은 새끼를 낳았으며 숲은 넓어졌습니다. 하나님의 무지개는 오늘날까지도 거듭해서 구름에 걸쳐져 나타납니다. 그러면 사람들은 이렇게 생각을 합니다. 「무지개는 하나님과 인간을 이어 주는 다리와 같은 것. 세상이 어둡고 위험할 때라도 하늘나라는 열려 있고 하나님은 우리와 함께 계신다.」

창세기 6~9장

거대한 도시와 탑 이야기

서쪽에서 동쪽으로, 북쪽에서 남쪽으로 그리고 추운 지방에서 더운 지방으로 길이 나 있습니다. 그리고 길가에는 여관이 있습니다. 여관에서 사람들은 쉬어 갑니다. 나라와 나라를 여행하는 사람들이 이곳에서 쉬어 갑니다. 빗물을 받는 통이 있고, 사람들은 그 물을 마시고 그 물로 몸을 씻습니다.

주인이 사람들을 돌봅니다. 그때 한 작은 소년이 묻습니다. 「아빠, 왜 난 저 여행자들이 하는 말은 알아들을 수가 없지요?」 소년은 슬펐습니다. 「왜 저 사람들은 우리가 못 알아듣는 말을 해요?」 아버지는 말합니다. 「얘야, 사람들이 잠들 때까지 기다리자꾸나. 그럼 아빠가 설명해 줄 테니, 왜 사람들이 저마다 다른 말을 쓰게 되었는지를.」

아주 옛날에는 모든 사람들이 하나의 말을 썼단다. 산을 넘고 사막을 건너와 사람들은 넓은 계곡에 도시를 건설했고, 〈이제 여기서 살자!〉 하고 외쳤단다. 사람들은 집을 짓고 거리와 광장과 다리를 만들었지. 무엇으로 도시를 만들었냐고? 사람들은 진흙으로 빚어서 오랫동안 말린 벽돌을 썼지. 너도 알다시피 그 벽돌들은 돌로 만든 게 아니었단다.

사람들은 거대한 도시의 한복판에다가는 탑을 쌓아 올리기 시작했단다. 모두들 함께 일을 했지. 그 탑도 역시 진흙벽돌로 만들었단다. 탑은 점점 높아졌고 또 높아졌지. 「이 탑은 하늘까지 닿을 거야.」 사람들이 말하곤 했단다. 「온 세상 어디서도 보일 만큼 높아야 해. 이 탑은 우리 모두가 모여 사는 중심이니까.」

사람들은 벽돌을 말리고 또 말렸단다. 탑을 쌓을수록 일은 점점 힘들고 위험해졌어. 그리고 사람들이 사는 도시도 점점 크고 넓어졌지.

탑의 꼭대기는 구름에 가려 안 보일 때도 많았단다. 하지만 사람들이 사용하는 말은 여전히 하나였지.

하나님은 커다란 도시에 수많은 사람들이 모여 사는 모양을 보셨단다. 그리고 이렇게 말씀하셨지. 「인간들이 모든 걸 할 수 있다고? 인간들이 너무 힘이 강해지도록 놔두는 건 안 좋겠는걸. 인간들의 도시가 점점 커지고 또 커지는 건 좋지 않아. 인간들은 내가 그들의 중심이라는 사실을 잊어버렸는가?」

높은 탑과 커다란 도시는 하나님의 마음에는 들지 않았던 거란다. 그래서 하나님은 사람들이 서로 다른 말을 쓰게 하셨단다. 그러자 사람들은 혼란에 빠져서 서로 무슨 말을 하는지 이해할 수 없게 되었단다. 마침내는 함께 일하지도 함께 모여 살지도 않으려고 했단다.

사람들은 제각기 서쪽으로, 동쪽으로, 북쪽으로, 남쪽으로 뿔뿔이 흩어졌단다. 어떤 사람들은 더운 나라로, 또 어떤 사람들은 추운 나라로. 이것이 사람들이 서로 다른 말을 쓰게 되고, 더 이상 서로의 말을 이해할 수 없게 된 이야기란다.

「그럼 그 커다란 도시와 탑은 어떻게 되었나요?」 소년이 물었습니다. 「탑이 있던 그 도시는 아직도 어딘가에 남아 있나요?」 아버지가 대답했습니다. 「그 도시의 이름은 바벨이라고 했단다. 하지만 그 도시는 더 이상 건설되지 않았단다. 그 도시는 여기서 멀리 떨어진 곳에 있었고 아마 탑도 무너졌을 테지. 아주 오래전의 일이니까!」

여관은 어둠에 잠겼습니다. 모두들 잠을 잡니다. 동서남북 모든 방향에서 온 사람들도 모두 잠을 자고, 소년도 잠이 들었습니다. 언제나 그렇듯 넓고 넓은 하늘이 지붕처럼 모든 사람들 위에 둥글게 펼쳐져 있습니다. 「우리 인간은 서로 다른 말을 쓰지만 여전히 같은 하나이다. 우리의 하나님은 하나이다.」 어떤 사람들은 이 사실을 알고 있습니다.

창세기 11장

아브라함과 그의 후손

아브라함과 사라

긴 여정

아브람은 천막 앞에 서 있었습니다. 그리고 아브람은 귀를 기울였습니다. 하나님의 음성이었을까요? 「하나님이 내게 말씀하셨어.」 아브람은 아내 사래에게 말했습니다. 「하나님이 무슨 뜻을 갖고 계신 걸까? 하나님이 내게 고향인 하란을 떠나라고 하셨어. 내가 알던 모든 것을 떠나라고. 그리고 그분이 보여 주실 땅에서 살아가라는 거야.」

사래는 크게 놀랐습니다. 「알지도 못하는 먼 땅에 가서 살라고요?」 「그래요, 여보.」 아브람이 대답했습니다. 「하나님이 원하시는 거야. 우리에게 은총을 내려 주시는 거야. 우리를 특별히 지켜 주시면서 그분의 생명의 힘을 주시려는 거야. 들어 봐요, 사래. 당신도 그분의 뜻을 따라야 해. 하나님이 우리의 자식과 손자와 그 손자들로 위대한 민족을 만들겠다고 하셨어. 당신과 나로부터 시작해서 말이야.」

사래는 생각에 잠겼습니다. 「내가 아이를 낳게 될까?」

아브람은 일꾼과 하녀를 데리고 양과 나귀를 몰아 길을 떠날 채비를 했습니다. 또 기름과 물도 준비해 항아리에 담도록 했습니다. 「어쩌면 아주 오랫동안 샘물이나 우물이 없을지도 몰라. 우리는 아주 먼 길을 떠난다. 하나님이 우리에게 보여 주실 땅을 찾아서. 그 땅이 우리의 터전이 될 것이다.」 아브람은 이렇게 말했습니다.

드디어 아브람 일행은 남쪽으로 길을 떠났습니다. 그리고 천천히 앞으로 나아갔습니다. 가는 도중 자주 풀밭에서 쉬어야만 했습니다.

오랫동안 헤맨 끝에 아브람 일행은 새로운 땅 가나안에 도착했습니다. 「여기에 머물 수 있을까요?」 사래는 아브람이

커다란 상수리나무 아래 돌로 제단을 쌓는 것을 보며 이렇게 물었습니다. 아브람은 하나님을 위한 제단을 만들었습니다.

「하나님이 내게 또 말씀하셨소.」아브람이 말했습니다. 「이 땅이 우리의 후손들이 살아갈 곳이라고. 그래서 제단을 쌓는 거요! 나는 하나님이 내게 말씀을 하신 이 장소를 잊지 않으려고 해.」

그 말을 듣자 사래는 슬퍼졌습니다. 「우린 자식이 하나도 없는데 어떻게 이 땅에서 우리의 자손이 살아간다는 걸까요?」〈왜 하나님은 아브람에게만 말씀을 하실까?〉 사래는 이렇게 생각하기도 했습니다.

양을 먹이려면 물과 목초지가 필요했습니다. 그런데 아브람 일행에게 처음 보는 양치기들이 나타났습니다. 「우리가 당신들보다 먼저 이곳에 살았소.」양치기들이 말했습니다.

그래서 아브람은 다시 길을 떠나야 했습니다. 짐승들과 일꾼과 하녀들을 이끌고 사래와 함께. 하나님이 아브람에게 약속하신 땅은 아직 나타나지 않았습니다. 아직은 자리를 잡을 수가 없었습니다.

한번은 아주 오랫동안 비가 내리지 않았습니다. 들판에는 더 이상 풀도 자라지 않았습니다. 온 사방이 메마른 땅이었습니다.

그래서 아브람은 사람들을 이끌고 더 남쪽으로, 부유한 이집트까지 내려갔습니다. 거기서는 짐승들을 먹일 수가 있었습니다. 사람이 먹을 것도 있었습니다. 이집트의 왕인 바로는 아브람에게 일꾼과 하녀들 그리고 나귀와 낙타를 선물로 보내 주었습니다.

하갈이라는 젊은 이집트 여인이 사래의 몸종이 되었습니다.

창세기 12장

하녀의 아들

아브람은 계속해서 옮겨 다녔습니다. 아브람이 이끄는 사람들의 무리는 점점 커졌습니다. 남자 일꾼과 여자 시녀들은 아이를 낳고 또 낳았으며, 짐승들도 새끼를 낳았으며, 이렇게 오랜 시간이 흘렀습니다.

그렇지만 아브람은 여전히 옮겨 다녔습니다. 아브람은 부유해져서 아내 사래와 함께 전에 없이 좋은 시절을 보냈습니다. 사래는 남편에게서 값진 장신구를 선물받았고, 그녀는 여전히 아름다웠습니다.

하지만 사래에겐 아직 아이가 없었습니다.

아브람은 다시 하나님의 음성을 들었습니다. 한밤중에 하나님은 아브람에게 이렇게 말씀하셨습니다. 「일어나라, 아브람. 천막 밖으로 나가 하늘을 보고 별들을 헤아려 보아라. 너의 자손들은 장차 저 하늘의 별들만큼 많아져 그 수를 헤아릴 수 없게 될 것이다.」

아브람은 놀라지 않을 수 없었습니다. 하나님은 아브람에게 자손을 보게 될 거라고 약속하셨으며, 그 자손들로 하나의 민족이 생길 거라고 말씀하셨습니다. 하지만 사래와 아브람에겐 단 한 명의 자식도 없었고, 하나님의 말씀이 이루어지기는 불가능해 보였습니다.

사래는 날이 갈수록 슬픔이 깊어졌습니다. 그러던 어느 날 이렇게 말하고 말았습니다. 「아브람, 들어 봐요. 난 아이를 낳지 못해요. 그러니 내 몸종인 이집트 여자 하갈을 두 번째 부인으로 맞아들이세요. 하갈은 내 친구이기도 해요. 어쩌면 하갈이 아이를 낳아 줄 거예요. 나를 위해서 말이에요.」

이런 일이 있고 나서 하갈은 아이를 뱄습니다. 하갈은 크게 기뻐했고 자랑스러워했습니다. 「이 아이는 내 아이에요. 내가 아브람의 아이를 낳았어요.」

그 모습을 보고 사래의 슬픔은 더욱 깊어졌습니다. 사래는 질투심에 사로잡혔습니다. 사래는 하갈을 더 이상 친구로 생각할 수 없었습니다.

결국 하갈은 아브람의 천막에서 쫓겨났습니다. 그래도 하갈은 남자아이를 하나 낳았고, 그 이름은 이스마엘이었습니다.

창세기 15장, 16장

아브라함과 사라에게 찾아온 기쁨

아브람 일행의 여행은 계속되었습니다. 그리고 보이지 않는 하나님은 다시 아브람에게 말씀하셨습니다. 사래는 남편이 바닥에 무릎을 꿇고 기도 드리는 모습을 보았습니다. 사래가 보는 앞에서 아브람은 하나님의 말씀에 귀를 기울이고 있었습니다. 그런데 갑자기 아브람이 웃는 것이었습니다.

아브람이 말했습니다. 「여보, 하나님이 내게 말씀하셨소. 올해엔 우리가 아이를 하나 낳게 될 거라는군. 그래서 난 웃음을 참을 수 없었다오. 우리 두 사람은 이미 다 늙지 않았소? 우린 손주를 둔 할아버지 할머니가 될 나이도 훨씬 전에 지났잖소. 그런데 하나님께서는 당신과 나 두 사람에게 약속을 하시겠다는 거요. 하나님은 우리의 아들 딸들이 그분께 아주 가까이 있기를 바라신다오. 그 증표로 하나님은 우리에게 새로운 이름을 주셨소. 이제 나는 아브람이 아니고 〈모든 민족의 아버지〉라는 뜻으로 아브라함이고 당신은 사래가 아니고 사라요. 사라는 〈여왕〉이라는 뜻이지. 하나님께서는 우리 두 사람에게 새로운 생명의 힘을 주려 하신다오.」

얼마 지나지 않아 아브라함과 사라는 뜻밖의 방문을 받았습니다. 뜨거운 열기가 달아오른 한낮에 홀연 세 명의 나그네가 아름다운 천막 문 앞에 서 있었습니다. 〈친구들이여, 머물다 가시구려. 우리의 손님이 되어 주시오〉 하고 아브라함이 인사를 건넸습니다. 허허벌판에서 누군가 찾아오는 일은 매우 드물었습니다. 길에선 위험한 일들이 일어나곤 했고 해는 뜨겁게 이글거렸습니다.

아브라함과 사라는 서둘러 낯선 손님들이 쉴 수 있게 준비했습니다. 일꾼들은 빵을 굽고 송아지를 잡았습니다.

세 명의 낯선 남자들은 상수리나무 발치에 앉아 있었습니다. 아브라함은 몇 년 전 바로 그 나무 앞에 제단을 쌓아 올렸습니다. 왜냐하면 그곳이 하나님께서 아브라함에게 말씀을 거신 장소였기 때문입니다. 이제 아브라함은 손님들에게 음식과 신선한 우유를 대접했습니다. 아브라함은 주인으로서 손님인 나그네들을 대접했습니다.

하지만 사라는 천막의 휘장 뒤에서 기다렸습니다. 그녀는 모든 소리를 들을 수 있었습니다. 나그네들이 묻는 소리가 들렸습니다. 「아브라함이여, 부인 사라는 어디에 계신가요?」 사라의 심장이 마구 뛰었습니다. 「내 얘기를 하고 있구나! 내 이름을 어떻게 알지? 난 여자에 불과한데, 저 나그네들은 나를 중요하게 생각하는 걸까?」 다시 남자들의 목소리가 들려왔습니다. 「일 년 안에 다시 오겠습니다. 그때는 사라가 아들을 하나 낳았을 것입니다. 직접 낳은 아들 말입니다.」

사라는 고개를 저었습니다. 그리고 휘장 너머에서 웃었습니다. 「그래, 나도 아이를 갖고 싶긴 하지! 하지만 벌써 늦은 일이야! 저 사람들은 내가 너무 늙었다는 걸 모르는구나. 난 더 이상 열매를 맺지 못하는 마른 나무와 같은데.」

그런데 다시 한 나그네가 이렇게 말하는 게 아니겠습니까? 「사라는 왜 웃지요? 왜 부인은 아이를 낳기엔 너무 늙었다고 생각하시는 거죠? 하나님께서 이루지 못하시는 일이 있다는 말인가요? 아브라함, 믿으세요. 일 년 안에 사라는 아이를 낳을 겁니다.」

사라는 어깨를 으쓱했을 뿐이었습니다. 그리고 천막의 휘장을 젖히고 이렇게 말했습니다. 「아뇨. 난 웃지 않았어요.」

바로 그 순간 그녀는 느낄 수 있었습니다. 하나님께서 세 나그네를 통해서 그들 부부에게 왔다는 사실을. 「아, 이렇게 해서 나도 하나님의 음성을 들은 셈이구나.」

아브라함이 세 나그네를 전송하러 간 사이에 사라는 이런 생각을 했습니다. 「하나님께서 나를 도우시는구나. 내게 아이를 선사하시려나봐. 난 여자이지만 하나님께 속한다. 하나님께서 아브라함과 맺으신 약속에는 나도 속하는구나. 하나님께서는 내게도 은총을 주신 거야.」

천막으로 돌아온 아브라함에게 사라는 나직하게 말했습니다. 「틀림없이 하나님이셨어요. 아브라함.」

1년이 지나서 사라는 정말 아이를 낳았습니다. 아이는 아들이었고, 그 이름을 이삭이라고 했습니다. 모두가 기뻐했습니다.

이삭이란 〈하나님이 웃으신다〉는 뜻입니다.

창세기 17장, 18장, 21장

이삭과 이스마엘

어느 날 사라는 어린 이삭이 천막 앞에서 큰 소년과 노는 것을 보았습니다. 처음에 사라는 반가운 마음이 들었습니다. 두 아이는 평화롭게 놀고 있었습니다. 그런데 자세히 보니, 이삭과 노는 다른 소년은 바로 이스마엘이었습니다.

사라는 마음이 상했습니다. 「이스마엘은 내 아이 이삭과 놀아선 안 돼! 아브라함의 아들은 오직 이삭이야. 이삭이 아브라함으로부터 모든 것을 물려받아야 해.」 사라는 아브라함에게 가서 이렇게 말했습니다. 「하갈을 아이와 함께 쫓아보내세요! 하갈은 우리의 몸종일 뿐이잖아요. 하갈은 원래 이집트 여자로, 우리에겐 낯선 사람이지요. 하갈과 아이는 여기 머물러서는 안 돼요!」

아브라함은 슬펐습니다. 이스마엘도 그의 아들이었던 것입니다. 아브라함은 이스마엘을 좋아했습니다. 아들을 쫓아내고 싶지 않았습니다. 하지만 아브라함은 다시 하나님의 음성을 들었습니다. 「네 아내인 사라가 하는 말을 듣고 그대로 해라. 내가 이스마엘을 지켜 줄 것이다. 이스마엘에게서도 한 민족이 생겨나게 할 것이다.」

하갈은 커다란 바위로 갔습니다. 그녀는 그늘에 앉아 쉬면서 물을 마셨습니다. 이스마엘에게도 마시게 했습니다. 그리고 아이를 데리고 다시 길을 떠났습니다.

하갈은 갈수록 걸음이 더뎌졌습니다. 어디로 가야 할까? 날은 갈수록 더워졌습니다. 하늘 한복판에 걸린 태양은 뜨겁기만 하고 물주머니는 벌써 비었습니다. 이스마엘은 목이 마르다고 하고, 하갈은 기운이 다 빠졌습니다.

하갈은 아이를 작은 덤불 그늘에 앉혔습니다. 그늘이라고는 그 작은 한 점밖에는 없었습니다. 하갈은 화살을 쏘면 미칠 만큼의 거리를 더 걸어 나아갔습니다. 「내 아이가 죽는 걸 두 눈으로 지켜볼 수는 없어.」 하갈은 이렇게 중얼거렸습니다. 아이가 물을 마시지 못해 죽을 거라고 생각했습니다.

아이가 큰 소리로 울기 시작했습니다.

그런데 하갈은 갑자기 어떤 목소리를 들었습니다. 아무도 보이지 않았습니다. 하지만 하갈은 하나님의 천사가 그녀에게 말하고 있다는 걸 느꼈습니다. 천사가 말했습니다. 「돌아가라, 하갈아! 네 아이에게 돌아가 손을 잡고 마실 것을 주

어라.」

다음 순간 하갈은 아주 가까운 곳에 샘물이 솟는 것을 발견했습니다. 하갈은 뛸 듯이 기뻤습니다. 하갈은 아이에게 물을 마시게 했습니다. 그리고 물주머니를 가득 채워 다시 앞으로 발걸음을 옮겼습니다.

하갈과 이스마엘은 걷다가 또 다른 샘물과 그늘을 발견했습니다. 그리고 함께 살 수 있는 다른 사람들도 만났습니다.

이스마엘은 무럭무럭 크고 강해졌습니다. 이스마엘은 사냥꾼이 되었습니다. 그리고 나중엔 한 여자와 결혼했습니다. 수년 전에 어머니가 아브라함과 사라와 함께 떠나온 나라인 이집트에서 온 여자였습니다.

한편 이삭도 자라났습니다.

이삭의 어머니 사라는 더 이상 살아 있지 않습니다.

아브라함은 더 나이를 먹었고, 이제 아들이 결혼하기를 바랐습니다. 아브라함은 아들 이삭이 자신의 고향인 하란 여자와 결혼하기를 바랐습니다. 그래서 아브라함은 가장 나이가 많은 일꾼 한 명을 하란으로 보냈습니다. 하란은 몇 년 전에 아브라함과 사라가 떠나온 고향이었습니다.

나이 든 일꾼은 값비싼 선물인 나귀와 양탄자, 보석을 갖고 떠났습니다. 그는 떠나고 나서 꽤 오랜 시간이 지난 뒤에 돌아왔습니다. 그는 리브가라는 여인과 함께 돌아왔습니다.

리브가는 아브라함의 친척이었습니다. 그리고 이제 이삭의 아내가 되었습니다.

리브가는 마침내 아이를 가졌습니다. 리브가는 태어날 아이가 쌍둥이라는 것을 알아차렸습니다. 쌍둥이는 어머니의 뱃속에서부터 서로 싸웠습니다. 쌍둥이는 같은 날에 태어났지만, 서로 전혀 닮지 않았습니다. 먼저 에서가 태어나고, 다음에 야곱이 태어났습니다. 에서와 야곱은 이삭과 리브가가 낳은 두 아들의 이름입니다.

창세기 21장, 24장

30

야곱과 에서

두 형제

「어머니는 나를 더 사랑하시지.」 야곱이 말했습니다. 그러고는 곁에 있는 에서를 쳐다보았습니다. 야곱은 형을 화나게 하고 싶었습니다. 하지만 에서는 꿈쩍도 하지 않았습니다. 야곱은 또 이렇게 말했습니다. 「난 훌륭한 양치기가 되고 정원사가 될 거야. 천막 속에선 여자들이 나를 원하겠지.」 그 말을 듣자 에서는 자리에서 벌떡 일어서며 큰 소리로 웃었습니다. 「하하. 난 여자들이 나를 원하기를 바라지도 않아. 나는 자유롭고 싶다. 그래서 사냥꾼이 될 거야. 난 너보다 훨씬 힘이 세니까.」

이번엔 야곱이 자리를 박차고 일어섰습니다. 「형은 머리칼이 붉고 피부도 거칠거칠해. 물론 형이 나보다 힘은 더 셀지도 모르지. 하지만 더 똑똑한 건 나라고. 그걸 모르는 사람은 없지. 게다가 내 피부는 아주 매끄러워. 어머니도 나를 쓰다듬으실 때마다 그렇게 말씀하시지.」 야곱은 에서에게 자기의 매끈한 팔을 뻗어 보였습니다.

에서는 털이 부숭부숭하고 거친 팔을 내려뜨리며 두 주먹을 꽉 쥐었습니다. 팔뚝에 근육이 불끈 솟았습니다. 그러더니 에서는 다시 웃음을 터뜨렸습니다. 「피부가 여자처럼 고와서 뭐에 쓰려느냐? 난 너보다 나이가 많다. 중요한 건 그 사실이야.」 야곱이 발을 굴렀습니다. 하지만 아무 대꾸도 하지 못했습니다. 쌍둥이였지만 형인 에서는 과연 나이가 더 많았습니다. 겨우 몇 분이라도 말입니다.

모든 사람들이 나이 많은 형을 더 중요하게 생각했습니다. 첫째는 언제나 첫째였습니다. 나중에 천막을 물려받을 사람도 바로 에서였습니다. 야곱은 그 사실이 못마땅했습니다. 게다가 아버지 아브라함도 에서를 더 아꼈습니다. 그것도 에서가 형이기 때문이었을까요? 아니면 에서가 사냥을 잘해서일까요? 야곱은 슬프고 화가 났습니다. 야곱은 여자들이 모여 있는 천막 안으로 들어가 버렸습니다. 에서는 활을 들고 갈라진 바위들 너머로 사라졌습니다. 에서는 혼자 있기를 좋아했고, 사냥하기를 좋아했습니다.

저녁 무렵에 에서가 산에서 돌아왔습니다. 에서는 피로하고 땀에 젖어 있었습니다. 그런데 뭔가 맛있는 냄새가 났습니다. 에서는 배가 고팠습니다. 에서는 천막들 사이에 불을 피우고 솥을 젓고 있는 동생 야곱을 보았습니다.

에서는 서슴없이 야곱에게 다가갔습니다. 「솥에 든 붉은 죽을 좀 다오. 어서. 배가 고파 죽을 지경이다.」 에서는 당장이라도 불 위의 솥을 잡아당길 듯했습니다. 하지만 야곱은 털이 부숭부숭한 형의 팔을 붙잡았습니다. 「내가 형이 되게 해주면 이 콩죽을 먹게 해주겠어. 사람들에게 야곱이 형이라고 말을 해. 그러면 난 형보다 더 중요해질 거야.」

에서는 크게 웃었습니다. 에서는 배가 고픈 것밖에는 생각할 겨를이 없었습니다. 「몇 분 늦고 일찍 태어난 게 무슨 상관이겠냐? 결국 다 죽게 마련인걸. 좋다. 이제 네가 형을 하거라.」 야곱은 에서에게 손을 들고 맹세를 하도록 했습니다. 야곱은 형의 말이 진심이라는 확인을 받으려고 했습니다. 그제서야 콩죽을 받은 에서는 단숨에 먹어치워 그릇을 비웠습니다. 에서는 허겁지겁 먹고 난 다음 포도주까지 마셨습니다. 에서는 배가 부르고 기분이 좋아져서 이렇게 말했습니다. 「고맙다. 아주 맛있었네.」 그러더니 에서는 천막 사이 어둠 속으로 사라졌습니다.

창세기 24장

축복받은 이삭

에서와 야곱은 성장하였습니다. 에서는 아내가 둘이었고 사냥꾼이 되었으며, 야곱은 양치기이자 정원사가 되었습니다. 에서는 가족과 함께 커다란 천막에서 살았습니다. 야곱도 자기 천막을 갖고 있었습니다.

아버지 이삭은 어느새 늙어 눈이 어두워지고 잘 듣지 못했습니다. 그는 자신이 죽을 날이 멀지 않았다는 걸 알았습니다. 그는 대개 천막 한구석에 혼자 누워 있었습니다. 값비싼 양탄자가 바닥에 깔려 있었습니다. 그의 천막은 가장 좋은 것이었습니다.

어느 날 에서는 아버지가 부르는 소리를 들었습니다. 「에서야.」 이삭이 말했습니다. 「이리 와서 내 말을 들어라. 내가 늙어서 언제 죽을지 모른다. 그러니 내 장남에게 축복을 내려주고 싶구나. 너는 내 뒤를 이어 우리 일꾼과 하녀들, 가축들과 천막을 돌봐야 할 것이다. 네가 가장이 되어라. 네 활과 화살을 집어라. 바위산으로 가서 산양을 한 마리 잡아 정성껏 요리해라. 그것을 함께 먹은 뒤에 내가 너에게 축복을 내리겠다.」 니, 기뻐 어쩔 줄 모르겠습니다.」

잠시 후 천막 안에서 비통한 목소리가 들렸습니다. 에서는 소리를 지르며 아버지의 천막에서 뛰쳐나왔습니다. 무슨 일이었을까요? 일꾼과 하녀들이 달려왔습니다. 그리고 모든 일이 밝혀졌습니다. 에서가 사냥을 하러 산에 간 사이에 둘째 아들인 야곱이 눈먼 아버지의 축복을 가로챈 것입니다. 어머니 리브가도 이 일을 도왔습니다. 「몇 분 먼저 태어났다고 해서 장남에게 축복을 내린다는 건 옳지 않아.」 이렇게 리브가는 말했습니다. 리브가가 야곱을 에서보다 더 아낀다는 것은 잘 알려진 사실이었습니다. 리브가는 야곱에게 산양구이를 들려서 이삭에게 보냈습니다. 리브가는 야곱이 에서처럼 보이도록 에서의 예복을 입히고 팔은 털가죽으로 감게 했습니다. 눈먼 이삭은 에서가 앞에 와 있는 줄로만 알았습니다. 그래서 이삭은 야곱에게 축복을 내렸습니다.

에서는 비통하게 울부짖었습니다. 그리고 점점 더 큰 소리를 냈습니다. 이삭은 한 번밖에는 축복을 내릴 수 없게 되어 있었습니다. 에서가 받을 축복은 남아 있지 않았던 것입니다. 에서는 화가 나서 펄펄 뛰었습니다.

이삭은 큰 충격을 받았습니다. 이삭은 쉰 음성으로 소리쳤습니다. 「내가 야곱에게 축복을 내렸구나. 난 야곱에게 말했다. 너는 네 동생에게 명령을 내릴 수 있노라. 그러고는 입을 맞추었다. 난 너 에서에게 축복을 내린다고 생각했다. 야곱이 날 속였구나.」 이삭은 눈물을 흘렸습니다.

에서는 이렇게 다짐했습니다. 「아버지가 돌아가시면 난 야곱을 죽이고 말 테다. 기다려라, 사기꾼 야곱아. 너는 앙갚음을 당할 것이다.」

야곱은 에서에게 겁을 집어 먹었습니다. 어머니 리브가도 야곱이 걱정되었습니다. 「도망가거라. 내 고향인 하란으로 가서 라반 아저씨를 찾거라.」

그날 밤 야곱은 길 떠날 준비를 했습니다. 리브가가 야곱을 도왔습니다. 「네 어미를 잊지 말아라, 야곱.」 리브가는 야곱을 껴안았습니다. 그리고 짐을 챙겨 주었습니다. 모두 잠들고 밖은 캄캄했습니다. 야곱은 길을 떠났습니다. 아무도 없이, 혼자서 말입니다. 동틀 무렵 뒤를 돌아보니 아버지의 천막이 가물가물하게 눈에 들어왔습니다. 또 야곱은 잠들어 있는 가축들의 무리를 보았습니다. 그곳은 바로 야곱이 태어난 곳이었습니다. 발걸음이 잘 떨어지지 않았습니다. 등짐도 무겁게만 느껴졌습니다. 바위투성이의 사막은 에서라면 잘 알았겠지만 야곱에겐 낯설기만 했습니다. 하지만 야곱은 리브가가 일러 준 방향으로 발길을 재촉했습니다. 점점 해가 높이 떠올랐습니다.

창세기 27~29장

꿈

야곱은 벌써 며칠 동안이나 길 위에 있었습니다. 낮은 덥고 밤은 차고 위험했습니다. 숨어들 동굴이나 땅굴을 찾는 일도 쉽지 않았습니다. 밤마다 늑대 울음소리와 새 소리가 들려와 겁이 났습니다.

어느 날 밤 야곱은 언덕 위에서 이상한 돌무더기를 보았습니다. 「이곳은 성스러운 장소야. 전에는 여기서 사람들이 하나님께 기도를 했지. 밤을 보내기에 좋은 장소구나.」 야곱은 돌 하나를 베고 누웠습니다. 금방 해가 졌습니다. 야곱은 고향이 그리웠습니다. 야곱은 얼굴도 모르는 친척 아저씨를 뵐 일이 걱정이 되었습니다. 그래도 야곱은 잠이 들었습니다.

야곱은 꿈에 사다리를 보았습니다. 긴 사다리는 야곱 곁에서 하늘로 뻗어 있었습니다. 하늘은 열려 있었고, 사다리에는 천사들이 오르내리고 있었습니다. 그리고 하나님 자신은 야곱 앞에 서서 이렇게 말씀하셨습니다. 「나다. 네 아버지 이삭의 하나님이며 네 할아버지 아브라함의 하나님이다. 나는 너의 하나님이기도 하다. 네가 지금 누워 있는 그 땅 위에 나는 네 자손들이 있게 하리라. 너는 많은 자손을 볼 것이다. 온 세상의 모래알처럼 많은 자손들을 보게 되리라. 지금 네가 가는 길을 내가 함께 가겠노라. 내가 네 곁에 머물며 안전하게 고향에 돌아가게 하리라.」

야곱은 이른 아침 잠에서 깨어 몸을 떨며 생각했습니다. 「꿈에 하나님을 뵈었어. 하나님이 이 장소에 계신 걸 나는 몰랐구나.」 그는 기뻤습니다. 야곱은 하나님이 그의 어려운 여정을 함께해 주실 것임을 깨달았습니다. 「하나님이 나와 함께하신다. 그저 꿈에만 나타나신 게 아니야.」 야곱은 베고 잔 돌에 여행을 떠날 때 준비한 기름을 부었습니다.

「하나님, 이곳이 당신의 집입니다. 여기서 저는 하나님을 보았습니다. 감사합니다. 당신은 제 아버지와 할아버지의 하나님일 뿐만 아니라, 저의 하나님이십니다. 저와 함께 계셔 주십시오.」

야곱은 새롭게 용기를 내어 길을 갈 수 있었습니다. 몇 주가 지나서 야곱은 하란에 도착했습니다. 그는 삼촌 집에 머물며 일을 도왔습니다. 야곱이 훌륭한 양치기인 것을 알고

라반은 기뻐했습니다. 라반의 양과 염소는 튼튼해졌고 새끼를 많이 나았습니다.

창세기 27~29장

레아와 라헬

어느덧 7년이 지났고 야곱에게는 기쁜 일이 생겼습니다. 라반의 딸 라헬과 결혼해도 좋다는 허락을 받은 것입니다. 라반 삼촌을 위해 오랫동안 일한 대가였습니다. 야곱은 하란에 도착했을 때부터 라헬이 마음에 들었습니다. 그때 라헬은 아직 어린아이였고 아버지의 양들을 돌보고 있었습니다. 야곱은 기뻐서 눈물이 날 지경이었습니다. 그토록 라헬을 사랑했던 것입니다. 야곱이 기다려야 했던 7년 동안 라헬은 더욱 아름다워졌습니다. 라헬이 있었기에 야곱에게는 7년이라는 세월도 그다지 긴 것만은 아니었습니다. 야곱은 결혼식 날만을 기다렸습니다. 「라헬이 내 아내가 되면 난 더 이상 슬프지 않을 거야.」 그는 생각했습니다.

마침내 결혼식이 치러졌습니다. 그것도 일주일 내내. 성대한 음식과 음악과 춤이 곁들여졌습니다. 밤이 되자 라헬은 야곱의 천막으로 인도되었습니다. 드디어 라헬은 야곱의 아내가 될 것이었습니다. 신부는 여러 겹의 얇은 천을 두르고 있었습니다. 그리고 주위는 어두웠습니다. 그래서 야곱은 아내로 들여보내진 것이 라헬이 아니라, 그 언니인 레아라는 것을 알아채지 못했습니다.

야곱은 불같이 화를 냈습니다. 「제가 원한 사람은 레아가 아니라 라헬이었어요. 눈이 별처럼 빛나는 라헬 말이에요. 레아는 언제나 운 것처럼 슬퍼 보이죠. 전 레아가 마음에 들지 않아요.」 라반은 야곱을 달래려고 했습니다. 「언니보다 동생이 먼저 결혼하는 것은 순리가 아니지 않은가? 그리고 레아는 남자가 없다네. 이번 결혼식 주간이 지나면 동생 라헬도 아내로 맞아들이게나. 그러려면 날 위해 7년을 더 일해야 하네.」 야곱은 라반의 말대로 하겠다고 대답했습니다.

야곱은 혼자서 곰곰이 생각했습니다. 「이번엔 내가 속았구나.」 야곱은 아버지 이삭을 속인 일을 잊지 않았습니다.

이제 야곱은 그의 형 에서와 마찬가지로 아내가 두 명이었습니다. 레아와 라헬. 사람들은 야곱을 부러워했겠지요. 하지만 야곱은 자유의 몸이 아니었습니다. 야곱은 천막을 소유하지도 못했습니다. 야곱이 돌보는 짐승들도 그의 것이 아니었습니다. 모든 것이 라반의 것일 뿐이었습니다. 야곱은 고향이 그리웠습니다. 야곱은 아버지 이삭과 어머니 리브가를 생각했고, 고향의 자기 집을 생각했습니다. 그리고 아버지가 자기에게 축복을 내려 주신 일도 떠올렸습니다. 고향을 등지고 멀리 떠나왔으니 아버지의 축복이 무슨 소용인가? 하나님이 여기서도 나와 함께하실까?

그리고 레아와 라헬, 우리는 자매인 그대들에게도 묻고 싶다! 정말로 그대들은 야곱, 힘써 일하는 그대들의 남편과 함께 행복하였는가? 레아, 그대는 아들을 많이 낳았다. 첫째로 르우벤을 낳고, 다음으로 시몬과 레위와 유다를 낳았다. 그대는 야곱의 아내, 자매 가운데서 맏이였다. 하지만 야곱은 언제나 그대보다 아름다운 라헬을 더 아꼈다. 그래서 그대는 슬퍼했고, 우리는 그 사실을 안다.

그리고 라헬, 아름다워 사랑받았던 그대는 남편의 선물을 받곤 하였고, 또 남편의 천막 안에 머물 수 있었다. 하지만 그대는 아이를 낳지 못해서, 그대의 몸종 빌라를 남편에게 보냈다. 오늘날의 우리는 그런 일을 상상하기가 어렵다. 지금은 그대도 아들이 있다. 단과 납달리. 하지만 그들을 낳은 건 그대의 몸종. 그대는 레아의 아들인 르우벤이 발견한, 사랑을 불러일으킨다는 사과나 아이를 낳게 해준다는 약초를 써보기도 하였다. 하지만 아무런 효과도 없었다. 라헬, 그대는 언제나 자신이 낳은 아이를 갖길 원했다. 하지만 그대는 끝내 아이를 낳지 못했다. 오랜 세월 동안. 그대는 레아가 두 아들 잇사갈과 스불론 그리고 딸 디나를 낳는 것을 바라보기만 해야 했다.

레아, 라헬, 그대 자매는 슬픈 생을 살았다. 그대들은 언제나 아버지 라반에게 종속되었다. 그대들은 라반이 소유한 천막에서 살았고, 그대들의 남편인 야곱은 아버지의 일을 돕는 사람이었으니, 언젠가 한 번은 그대들도 자기만의 가족을 이루고 싶었으리라. 그대들도 알고 있었으리라, 야곱이 피땀 흘려 일했기에 가축들은 튼튼하게 번성하였고, 그대들의 아버지는 부자가 되었다는 사실을.

라헬, 몇 해가 지나서야 우리는 그대를 위해 기뻐해줄 수 있게 되었다. 그대는 아들을 하나 낳았으니까. 얼마나 오래

기다린 아들이었을까? 그 아이의 이름은 요셉이라고 했다. 그대는 기쁨에 넘쳤다. 야곱도 기뻐했다. 「내 사랑 라헬이 낳은 첫 아들이구려.」 야곱은 그대가 낳은 아들을 다른 어떤 자식보다 사랑했다.

이제 그대들의 남편 야곱에게선 새로운 힘이 솟았다. 야곱은 그대들의 아버지에게 말하였다. 「이제 절 가도록 놔두십시오, 라반. 이제는 제발 내 고향으로 돌아가게 허락하십시오. 오랜 세월 동안 저는 당신을 위해 일했습니다. 아내와 아이들을 데리고 고향으로 가고 싶습니다.」 하지만 레아 그리고 라헬, 그대들에겐 아직도 기다릴 세월이 남아 있었다. 그대들의 아버지와 야곱은 아직도 협상을 했다. 야곱이 어떤 양과 염소들을 가져가도 좋은가 하는 문제였다. 야곱은 어느 누구보다도 가축을 잘 다룰 줄 알았다. 라반은 야곱을 가게 놔두고 싶지 않았다. 그래서 그대들은 야곱과 몰래 도망쳐야만 했다. 그대들의 아버지 라반은 들판에 있었을 것이다. 그대들은 야곱과 함께 가축과 일꾼 그리고 하녀와 그대들의 자식들을 데리고 야곱의 고향으로 출발하였다.

하지만 레아 그리고 라헬! 그대들은 또다시 슬펐다. 그대들은 야곱과 함께 떠나려고 부모님께 작별 인사도 없이 고향을 떠나야 했으니. 또 그대들은 알고 있었다. 야곱의 고향까지 가려면 오랫동안 고단한 여행을 해야만 한다는 것을.

그대들은 몰랐던가, 야곱의 하나님이 그대들과 함께하신다는 것을? 야곱이 그대들에게 꿈속의 사다리 이야기해 주었던가? 라헬, 그대는 어쩌자고 아버지의 작은 우상을 훔쳐 왔는가? 아버지를 성나게 하려던 것인가? 아니면 나무로 만든 그 작은 물건이 여행길에 도움이 될 거라고 생각했던가?

레아와 라헬이여! 그대들의 아버지가 사람들을 풀어 뒤쫓아 왔을 때, 그대들은 기뻤는가 아니면 두려웠는가? 아버지는 그대들을 되찾고 싶었던 것일까? 아니면 단지 마지막 작별의 인사를 하려고 했을까? 다행히도 그대들의 아버지 라반은 야곱과 화해를 하였다. 그대들 모두는 함께 화해의 식사를 하였다. 아버지는 그대들과 작별하며 축복을 내렸다. 그는 그대들과 아이들에게 입을 맞추었다. 그리고 그대들은 다시 길을 떠나 걷고 또 걸었다. 남자와 여자들, 아이들과 양들과 염소와 낙타들 ― 그대들의 행렬은 길었다.

그대들이 걷는 길은 오래전에 야곱이 혼자서 온 길이었다. 길 위에서 그대들의 발걸음은 더디다. 라헬, 그대가 기

쁜 것은 곧 두 번째 아이를 낳기 때문이다. 그 아이는 야곱의 작은 아들이 될 것이며, 이름은 베냐민이라고 할 것이다. 야곱에게 그 이름은 〈이 아들이 나의 행복〉이라는 뜻이다. 하지만 라헬, 그대에게 그 이름은 〈이 아들은 나의 고통〉이라는 뜻이 될 것이다. 왜냐하면 그대는 아이를 낳다가 죽게 될 것이기 때문이다. 길 위에서. 그대는 남편 야곱의 고향을 보지 못하리라.

창세기 29~31장

야곱의 싸움

야곱은 고향으로 돌아오는 도중에 종종 말이 없었습니다. 부모님 생각을 했던 것입니다. 부모님인 이삭과 리브가는 아직 살아 계신지, 그분들의 천막은 여전히 그 자리에 있는지, 야곱은 알지 못했습니다. 야곱이 아는 것은, 하나님이 그와 함께하신다는 사실뿐이었습니다. 하나님은 야곱의 꿈에 나타나서 이렇게 말씀하셨습니다. 「고향으로 돌아가라!」 하지만 야곱의 얼굴은 걱정이 가득해 보였습니다. 「형 에서는 아직도 화가 났을까? 나를 보면 죽이려고 들까?」

그러자 대답이 왔습니다. 「에서가 400명의 남자들과 함께 너를 향해 온다.」 야곱은 하인 몇 명을 앞서 보냈습니다. 야곱은 하인들에게 염소와 양, 닭과 나귀와 낙타들과 그 새끼들을 몰고 가도록 시켰습니다. 이것은 야곱이 에서에게 먼저 보내는 선물이었습니다.

그리고 야곱은 두 아내와 아이들과 짐승들과 함께 얍복 강에 이르렀습니다. 야곱은 깊지 않은 곳을 찾아내 모두 물을 건너게 했습니다. 하지만 야곱은 혼자 뒤에 남았습니다. 밤이 되었습니다.

라헬만이 깨어 있었습니다. 라헬은 아침이 되어서야 야곱이 일행에게 돌아오는 것을 보았습니다. 라헬은 야곱이 다리를 절어서 깜짝 놀랐습니다. 라헬은 멀리서 야곱이 오는 것을 보며 나무 아래서 기다렸습니다. 야곱이 다가오자, 라헬은 남편의 얼굴에서 걱정이 사라진 것을 보고 또 놀랐습니다. 야곱의 두 눈은 빛나고 있었습니다. 「야곱, 무슨 일이 있었어요? 얘기해 보세요!」

야곱은 라헬 곁에 앉았습니다. 야곱은 처음엔 말이 없었고, 숨을 가쁘게 쉬었습니다. 사방은 조용했습니다. 아직 모두 잠들어 있었습니다. 마침내 야곱이 입을 열었습니다.

「저 아래 강가에서 웬 낯선 사람이 나를 붙들잖아. 한밤중에 말이야. 난 뿌리치려고 했는데, 그 사람은 나와 싸우겠다는 거야. 끝도 없이 말이야. 그러다 산 너머에 아침노을이 처음으로 빛을 조금 비출 때였어. 그 남자가 내 엉덩이 뼈를 쳐서 난 더 이상 제대로 움직일 수가 없었지. 하지만 난 그 남자를 꽉 붙들고 이렇게 말했어. 나에게 축복을 주세요. 그러잖으면 당신을 놔드릴 수가 없어요. 그러자 그 사람이 내게

물었어. 〈네 이름이 무엇이냐?〉 내가 야곱이라고 했어. 그러니까 그 사람이 이렇게 말했어. 〈너는 하나님과 싸웠으니, 이제부터 너의 이름은 이스라엘이다.〉 내가 그분의 이름을 물었지. 하지만 대답을 하지 않으시더군. 그래도 그분은 나를 축복했어. 이젠 알겠어. 나는 하나님과 싸웠던 거야. 난 하나님을 보았고, 이제는 그분이 나를 지켜 주신다는 것을 확실히 알게 되었어. 에서 형은 내게 더는 화를 내지 않을 거야. 하나님이 나와 함께 계셔. 언젠가 내 꿈속에서 약속하셨듯이 말이야.」

라헬은 열심히 귀 기울여 들었습니다. 레아와 하인들도 들었습니다. 이제는 짐승들도 잠에서 깨어났습니다. 그들은 모두 야곱이 달라진 걸 알았습니다. 야곱의 얼굴에선 걱정이 사라져 있었습니다.

야곱 일행은 계속해서 앞으로 걸었고 에서를 만났습니다. 멀리서 에서의 모습이 보였습니다. 야곱이 먼저 형을 향해 나아갔습니다. 야곱은 에서의 앞에 도착하기 전에 일곱 번 땅바닥에 엎드렸습니다. 두 형제는 서로 껴안았습니다. 두 형제는 오랫동안 서로 바라보았습니다. 서로 만나지 못하고 오랜 세월이 흘렀던 것입니다. 두 형제는 기쁘고 흥분해서 눈물을 흘렸습니다. 여자와 아이들은 이제 모든 일이 잘되었다는 걸 알아차렸습니다. 에서는 화가 나 있지 않았습니다.

야곱은 자기 가족을 데리고 고향에 돌아와 머물 수 있다는 사실에 기뻐했습니다. 야곱은 살 집을 짓고 짐승들의 우리를 지었습니다. 야곱 곁에는 딸 디나와 열두 아들이 있었습니다. 르우벤, 시몬, 레위, 유다, 잇사갈, 스불론, 단, 납달리, 갓, 아셀, 요셉 그리고 막내 베냐민이 그들이었습니다.

라헬은 야곱의 고향에 도착하기 직전에 죽어서 베들레헴에 묻힐 수밖에 없습니다. 하지만 야곱의 아버지는 그토록 나이가 많아도 아들을 기다리며 여전히 살아 계셨습니다.

창세기 32장, 33장

요셉과 베냐민

고귀한 옷

야곱의 아들들이 양과 염소 떼를 몰고 목초지에서 돌아왔습니다. 아들들은 아버지를 찾았습니다. 아버지 야곱은 어디 계셨을까요? 아들들은 천막 안을 들여다보았습니다. 거기엔 아버지가 안 계셨습니다. 〈침대에는 뭐가 놓여 있지?〉 아들 형제들이 차례로 천막의 휘장을 젖혀 보았습니다. 형제들은 안에서 옷을 발견했습니다. 「소매가 긴 훌륭한 웃옷이구나.」 형제 가운데 가장 어린 베냐민이 말했습니다. 「내 옷은 아니야. 내가 입기엔 너무 큰걸.」 「아버지한테도 맞지 않겠는걸.」 다른 형제가 말했습니다. 「나한테는 맞겠어.」 한 명이 이렇게 말했습니다. 「내 마음에도 드는걸.」 세 형제가 동시에 말합니다. 가장 나이 많은 르우벤은 뭔가 생각하고 나더니 이렇게 말했습니다. 「저렇게 소매가 길고 고운 옷 말이야? 너희 누구든 저렇게 좋은 옷 입고 일하는 걸 본 적이 있니? 저건 우리 같은 양치기가 아니라 신분이 높은 사람들이 입는 옷이라구.」

그때 아버지가 돌아왔습니다. 그리고 모두 옷이 누구의 것인지 알게 됩니다. 「저건 요셉의 옷이야. 아버지가 가장 사랑하는 아들!」 단이 비웃듯이 외쳤습니다. 「아버지는 요셉만 사랑하시나 보지.」 유다가 슬픈 어조로 말했습니다. 「요셉은 언제나 아버지에게 달려가 우리에 대해 안 좋은 얘기를 한다지.」 레위가 덧붙였습니다. 형제 가운데 둘이 주먹을 불끈 쥐었습니다. 「요셉이 싫어. 아버지에게 아첨하는 녀석은.」

하지만 가장 어린 베냐민은 요셉의 천막에서 잠을 잤습니다. 베냐민은 요셉을 좋아했습니다. 요셉의 고운 옷이 천막 안에 걸려 있었습니다. 베냐민은 가끔씩 그 옷을 쓰다듬어 봅니다. 베냐민은 아직 어렸습니다. 하지만 형들이 하는 말은 무엇이든 귀 기울여 들었습니다. 아버지가 요셉이 태어나기를 오래 기다리셨다는 것을 베냐민도 알고 있었습니다. 요셉은 아버지가 가장 사랑한 라헬이 낳은 아들이었습니다. 야곱이 요셉을 아끼는 이유가 그것이었습니다. 베냐민도 라헬의 아들인 건 마찬가지였습니다. 베냐민은 엄마를 보지 못했습니다. 엄마는 베냐민을 낳다가 돌아가셨기 때문입니다.

베냐민과 요셉은 같은 편이었습니다.

어느 날 아침 베냐민은 늦게 잠에서 깨어났습니다. 옆자리는 벌써 비어 있었습니다. 요셉이 천막 앞에 서서 말하는 소리가 들려왔습니다. 열린 문 사이로 형들이 요셉의 말을 듣고 있는 모습이 보였습니다. 요셉이 꿈 이야기를 했습니다. 「우리 모두 들판에 나가 있었어요. 그리고 볏단을 묶었지요. 저마다 한 단씩을 묶었는데, 내 볏단만은 저절로 우뚝 서지 않겠어요? 형들의 볏단은 내 볏단을 향해 마치 절을 하는 것처럼 쓰러져 있었고요.」

베냐민은 형들의 성난 눈빛을 보았습니다. 형들이 말하는 소리가 들렸습니다. 「요셉, 네가 우리보다 훌륭하다는 얘기냐? 우리가 네게 절을 하고 시중을 들어야 하냐?」 형들은 더 이상 요셉과 말을 하지 않았습니다.

하지만 어느 날 아침에 요셉은 또 다른 꿈 이야기를 했습니다. 「해와 달과 열한 개의 별들이 내게 절을 했어요.」 이번에는 아버지도 요셉의 말을 들었습니다. 아버지는 심각한 표정을 지었습니다. 베냐민은 크게 걱정이 되었습니다. 아버지는 엄한 목소리로 이렇게 말했습니다. 「요셉, 우리가 네 앞에 모두 무릎을 꿇어야 한다는 말이냐?」

아버지는 오랫동안 요셉의 꿈에 대해서 생각했습니다. 베

냐민은 형들의 눈빛이 사나워지는 것을 느꼈습니다. 그리고 요셉에게 무슨 일이 생길까 걱정이 되었습니다.

얼마 후 아버지는 나이 많은 형들을 들판으로 보냈습니다. 「세겜으로 가보거라. 그곳은 짐승들에게 풀을 뜯기기 좋을 것이다.」

베냐민은 기뻤습니다. 요셉과 지내는 것이 좋았기 때문입니다. 그런데 어느 날 아버지가 요셉을 불러 이렇게 말했습니다. 「요셉, 네 형들에게 가보고 오너라. 어서 다녀와서 형들이 잘 지내는지, 가축들은 어떤지 내게 얘기해 다오.」 베냐민은 슬퍼졌습니다.

요셉은 아버지의 말씀에 귀를 기울였습니다. 그리고 떠날 준비를 했습니다. 요셉은 소매가 긴 고운 옷을 꺼내 입었습니다. 여행길은 멀고 위험했습니다. 요셉은 한 주 내내 집을 떠나 있을 것이었습니다. 베냐민은 너무 어려서 따라갈 수가 없었습니다.

베냐민은 일주일을 기다리고, 또 기다렸습니다. 베냐민은 요셉이 떠나간 길에 나가 기다렸습니다. 형을 마중나간 것입니다. 하지만 저녁이 되면 베냐민은 혼자 돌아와야 했습니다. 베냐민은 아버지 야곱도 걱정을 하는 것을 보았습니다. 야곱과 베냐민은 속을 태우며 하루, 또 하루를 기다렸습니다.

마침내 누군가 저편에 모습을 드러냈습니다. 그런데 그들은 두 남자였습니다. 그리고 요셉은 보이지 않았습니다. 두 남자는 요셉의 형들 가운데 두 사람이었습니다. 형들은 서두르는 기색이었고, 도착하자마자 곧바로 아버지 야곱에게 갔습니다. 베냐민은 궁금증이 일었습니다. 아버지가 손에 받아든 물건은 무엇이었을까요? 베냐민은 놀라서 얼어붙었습니다. 그것은 요셉이 입고 간 소매가 긴 옷이었습니다. 옷은 피가 묻고 갈갈이 찢겨 있었습니다. 형들이 말했습니다. 「이걸 발견했어요.」 야곱은 몸을 부들부들 떨었습니다. 「사나운 맹수가 요셉을 잡아먹었구나.」

야곱은 자신의 옷을 찢었습니다. 커다란 슬픔의 표시였습니다. 한동안 야곱은 아무하고도 말을 하지 않았습니다. 아무도 야곱을 위로할 수는 없었습니다.

베냐민은 때때로 천막에서 혼자 울었습니다. 그는 혼자였습니다.

창세기 37장

이집트로 간 요셉

그러나 요셉은 죽지 않았습니다. 형들은 들판에서 동생 요셉을 보자 그가 입고 있던 고운 옷을 잡아찢었고, 심지어는 죽이려고 했습니다. 그만큼 형들은 요셉을 미워했던 것입니다. 하지만 형들은 요셉을 죽이지는 않고 빈 구덩이에 던져 넣어 버렸습니다. 그 구덩이는 겨울에 빗물을 받아두는 깊은 우물이었습니다. 그런데 지나가던 상인들이 요셉을 발견했습니다. 상인들을 요셉을 꺼내 준 다음 데리고 갔습니다. 상인들은 여러 날 동안 남쪽으로 남쪽으로 줄을 지어 이동했습니다. 「저 젊은이를 이집트에 가서 노예로 팔아 버리자.」한 상인이 말했습니다. 「몸도 튼튼하고 잘생기지 않았나? 멍청해 보이지도 않고 말이야.」

이렇게 해서 요셉은 이집트로 가게 되었습니다. 이제 요셉은 보디발이라는 이집트 귀족의 노예가 되었습니다.

보디발은 요셉이 영리하고 일을 잘하는 걸 알아보았습니다. 곧 요셉은 노예들 가운데 우두머리가 되었습니다. 얼마 있다가 요셉은 집 관리인이 되었습니다. 요셉은 보디발의 집안 일을 모두 알아서 처리했고 돈과 땅도 관리했습니다. 요셉은 주인을 위해 일을 열심해 했기 때문에 보디발은 점점 형편이 좋아졌습니다. 보디발은 갈수록 부자가 되었고 또 게을러졌습니다. 보디발은 무얼 먹을까, 하고 생각할 때 말고는 머리를 쓰지 않았습니다.

보디발의 아내는 요셉이 일할 때 자주 쳐다보았습니다. 「요셉은 내 마음에 드는구나. 젊고 멋지고 영리하잖아.」그녀는 이렇게 생각했습니다. 보면 볼수록 요셉이 좋아졌습니다. 그래서 몇 번이나 그녀는 요셉에게 말했습니다. 「요셉, 난 네가 마음에 들어. 이리 와서 내 곁에 좀 누워 봐!」하지만 요셉은 그럴 때마다 머리를 흔들며 이렇게 대답했습니다. 「어떻게 그럴 수가 있겠습니까? 전 당신 남편이 아닌걸요!」

어느 날 보디발의 아내는 기둥 뒤에 숨어서 요셉을 기다렸습니다. 그리고 요셉이 오자 그의 겉옷을 붙들고 팔을 꼭 잡으며 말했습니다. 「이리 와. 보는 사람은 아무도 없어. 집에는 우리 둘밖에 없다고.」요셉은 깜짝 놀랐습니다. 요셉은 겉옷이 벗겨지도록 놔둔 채 도망쳤습니다. 보디발의 아내는 화

가 났습니다. 그녀의 손에는 요셉의 겉옷이 남았을 뿐이었습니다. 그녀는 소리를 질렀습니다. 그리고 남편에게 이렇게 말했습니다. 「그 요셉이란 놈이 내 옆에 와서 누우려고 했어요. 겉옷까지 벗더군요. 내가 소리를 지르니까 도망쳤어요. 요셉이란 그 외국인 노예 말이에요. 아주 건방지고 덤비는 성질이 있더군요. 당신은 왜 그 요셉이란 자를 집의 관리인으로 삼으셨어요?」

보디발은 아내의 말을 믿었습니다. 그래서 화가 머리끝까지 치솟았습니다. 보디발은 요셉을 감옥에 갇히도록 했습니다.

감옥의 간수도 요셉이 일을 잘한다는 걸 금방 알아보았습니다. 그래서 간수는 요셉을 조수로 삼았습니다.

감옥에서 요셉은 신분이 높았던 두 죄수의 시중을 들어야 했습니다. 그들은 이집트 왕 바로를 위해 일하던 사람들이었습니다. 한 사람은 지하저장소를 맡아 보던 포도주 담당관으로, 바로의 술통을 훤히 알아서 식사 때마다 어울리는 술을 고르는 일을 했습니다. 또 다른 사람은 빵굽는 일을 지휘하던 주방장으로, 바로를 위해 곡식을 찧고 반죽을 만들어 빵과 과자를 굽는 사람들은 모두 그의 말을 따랐습니다.

어느 날이었습니다. 포도주 담당관과 주방장은 기분이 별로 안 좋아 보였습니다. 두 사람 다 기분 나쁜 꿈을 꾸었습니다. 「우리에게 뭔가를 알려 주는 꿈 같은데, 무슨 뜻인지 모르겠군. 여기엔 해몽가도 없고 말이야.」그 말을 듣고 요셉이 나섰습니다. 「저는 해몽가는 아니지만, 하나님의 도움으로 꿈을 풀이할 수 있습니다. 그러니 제게 꿈 이야기를 해보시지요.」

그러자 포도주 담당관이 꿈에 본 포도나무와 그 가지를 설명하기 시작했습니다. 「가지가 셋인데 쑥쑥 자라더군. 순식간에 포도나무 가지에 꽃이 달리더니 싱싱한 포도가 열리는 거야. 바로께 바치면 좋을 것 같았어. 난 포도주를 만들어 잔 가득히 따라서 바쳤지.」

요셉이 그 꿈을 듣고 이렇게 풀이했습니다. 「가지 세 개란 사흘을 뜻하는 겁니다. 사흘이 지나면 왕은 어르신이 잘못한 게 없다는 걸 깨닫고 부르실 겁니다. 어르신은 다시 포도주 담당관이 되어서 왕께 술잔을 올리게 됩니다. 그러니 제 말대로 감옥에서 나가시면, 제발 저를 기억해 주십시오. 저도

죄 없이 감옥에 갇힌 몸입니다. 왕께 잘 말씀드려서 저도 풀려나게 도와주십시오.」

주방장은 머리에 빵 광주리 세 개를 인 꿈을 얘기했습니다. 제일 윗광주리에는 맛있는 빵들이 담겼는데 새들이 날아와 모조리 먹어치웠습니다.

요셉은 이 꿈도 풀이해 주었습니다. 「좋은 꿈이 아니군요. 머리에 인 광주리의 개수처럼 사흘 안에 안 좋을 일이 생길 겁니다. 왕은 당신이 죄를 지었으니 사형에 처하라고 하실 겁니다.」

과연 모든 일이 요셉의 말대로 이루어졌습니다. 주방장은 사형을 당했고, 포도주 담당관은 다시 바로의 높은 신하가 되었습니다. 하지만 그는 요셉을 까맣게 잊어버렸습니다. 요셉은 감옥에 그대로 갇혀 있었고, 그렇게 2년의 세월이 흘러갔습니다.

야곱과 베냐민은 자주 요셉을 떠올렸습니다. 그들은 요셉이 죽었다고 믿었습니다. 겉옷에 피가 묻어 있었으니까요. 형들이 요셉의 옷에 양의 피를 문지른 사실을 그들은 몰랐습니다.

요셉의 열 형제들도 요셉을 잊지 않았습니다. 하지만 아무도 요셉에 대한 말을 꺼내지는 않았습니다. 그들이 다시 가 보았을 때 요셉을 빠트린 구덩이는 텅 비어 있었습니다. 그렇다면 요셉은 어디로 갔을까, 형제들은 알 수 없었습니다.

창세기 39장, 40장

왕의 꿈

이집트의 왕 바로의 궁전은 흥분으로 술렁였습니다. 나라 안의 해몽가들은 모두 모였습니다. 바로가 이상한 꿈을 꾸었기 때문입니다. 바로는 두려웠고, 꿈의 뜻을 알고 싶었습니다. 하지만 어떤 예언자나 현자도 그를 도와줄 수는 없었습니다.

그제서야 포도주 담당관은 2년 전에 감옥에서 자기의 시중을 들어주던 한 노예를 떠올렸습니다. 「감옥에 외국 노예 하나가 갇혀 있습니다. 그자가 저와 주방장의 꿈을 풀이했는데, 모두 맞았습니다.」

요셉은 바로의 궁정으로 불려 나왔습니다. 요셉은 목욕을 하고 머리를 단정히 깎은 뒤 깨끗한 겉옷을 입었습니다. 그리고 바로 앞에 섰습니다. 「네가 무슨 꿈이든 풀어낼 수 있다고 하더구나.」 바로가 말했습니다. 예언자와 현자들이 그 말을 듣고 웅성거렸습니다. 「외국에서 온 이자가 우리보다 낫다는 말인가?」 요셉은 이렇게 말했습니다. 「저는 해몽가가 아닙니다. 하지만 저는 하나님께서 바로께 꿈을 보내 주셨다는 걸 압니다. 하나님은 제가 그 꿈을 이해하도록 도와주십니다. 그러니 꿈을 말씀해 보십시오.」

그러자 바로는 꿈 얘기를 시작했습니다. 보기 좋게 살찐 암소 일곱 마리가 나일 강에서 기어올라 왔습니다. 그 뒤에 흉하게 여윈 암소 일곱 마리가 따라왔습니다. 그러더니 여윈 암소들이 살찐 암소들을 잡아먹었는데, 그래도 살이 찌지는 않았습니다.

바로는 두 번째 꿈도 얘기해 주었습니다. 들판에 잘 여문 이삭 일곱 갈래가 서 있었습니다. 그런데 그 다음에 자라난 일곱 갈래 이삭들은 알이 딱딱하고 바람에 말라붙어 있었습니다.

요셉은 바로에게 이렇게 말했습니다. 「하나님이 두 가지 꿈으로 한 가지를 말씀하시려는 겁니다. 하나님은 온 이집트를 도우려 하십니다. 일곱 마리 살찐 암소와 일곱 갈래의 여문 이삭들은 칠 년 동안 풍년이 들 거라는 뜻입니다. 일곱 마리 여윈 암소와 말라 비틀어진 일곱 갈래의 이삭들은 풍년이 든 다음 칠 년 동안은 흉년이 들 거라는 뜻입니다. 그때는 아무것도 자라지 못할 것입니다. 그러니 바로께서는 가장 현명한 자를 뽑아서, 그에게 칠 년 동안 풍년이 들 때 곡식을

충분히 모으게 해야 합니다. 그러면 칠 년 동안 흉년이 들어도 모두가 충분히 먹을 수 있을 것입니다.」

바로는 기뻐했습니다. 그리고 자신을 도와줄 현명한 자는 바로 요셉이라고 생각했습니다. 바로는 이 젊은이가 하나님 가까이에 있다는 것을 알았습니다. 그렇지 않다면 하나님이 보내 주신 꿈들을 어떻게 그토록 잘 설명할 수 있었을까요?

이렇게 해서 요셉은 이집트의 가장 높은 관리가 되었습니다. 온 나라에서 곡식 모으기가 시작되었습니다. 새로 지은 창고와 지하 저장소 그리고 동굴 가득히 곡식들이 쌓였습니다. 요셉은 저장소를 설계하여 그려 보였습니다. 저장된 식량들은 점점 많아졌습니다.

이집트에서 곡식을 저장한다는 소문은 나라 밖에까지 퍼져나갔습니다. 요셉의 고향에서도 상인들은 이집트에서 본 거대한 저장소들에 대한 이야기를 했습니다. 상인들은 모랫바닥에 저장소의 모양을 그려 보였습니다. 그리고 강력한 권한을 가진 현명한 관리에 대해서도 얘기했습니다.

베냐민은 놀라운 생각이 들었습니다. 이집트에 가서 그 집들을 보고 싶었습니다. 그러나 나이 많은 형은 웃기만 했습니다. 「곡식을 그렇게 많이 저장해서 어쩌겠다는 거지?」

베냐민과 형들 가운데 누구도 상인들이 얘기해 준 바로의 최고 관리가 누구인지 몰랐습니다. 하지만 그는 바로 요셉이었습니다.

창세기 41장

흉년

마침내 7년 동안의 흉년이 닥쳤습니다. 이집트가 아닌 다른 나라들은 모두 굶주림에 시달렸습니다. 멀리서부터 곡식을 사기 위해 사람들은 요셉이 사는 나라로 몰려들었습니다.

야곱은 아들들을 이집트로 보냈습니다. 이집트엔 거대한 곡식 저장소가 있다는 얘기를 기억했던 것입니다. 하지만 베냐민은 형들과 같이 보내지 않았습니다.

베냐민은 속이 상했습니다. 「난 더 이상 어린아이가 아닌데, 아버지는 여전히 내 걱정을 하신단 말이야!」

몇 주가 지나도록 야곱과 베냐민은 형제들이 돌아오길 기다렸습니다. 천막 안에 앉아 있어도 날은 더웠습니다. 아이들이 울고 여자들이 한탄하는 소리가 그치질 않았습니다. 모두 굶주렸기 때문이었습니다. 베냐민은 몇 번이고 커다란 천막 한구석으로 가서 남쪽 하늘을 바라보았습니다.

그러던 어느 날 저녁이었습니다. 마침내 먼 곳에서 사람의 윤곽이 나타났습니다. 그 모습은 점점 가까이 다가오며 커졌습니다. 베냐민은 나귀의 등에 커다란 자루가 실린 것을 알아보았습니다. 「아버지, 형들이 와요. 와보세요. 어서 일어나세요!」 베냐민은 천막 안에서 잠든 아버지를 흔들어 깨웠습니다. 여자들은 치장을 했습니다. 그리고 아이들은 울음을 그쳤습니다.

지친 남자들이 나귀와 함께 도착했습니다. 큼직한 자루들도 잔뜩 실어왔습니다. 모두가 환호성을 질렀습니다. 여자들은 밀을 빻아서 금세 반죽을 만들었습니다. 빵 냄새가 사방에 진동했습니다.

그런데 이상했습니다. 형들 가운데 하나가 보이질 않았습니다. 베냐민은 덜컥 겁이 났습니다. 형들이 이집트에서 겪은 일들을 얘기하기 시작했습니다. 「곡식을 나눠 주던 이집트의 높은 관리는 우리에게 다른 나라의 왕을 섬기는 첩자가 아니냐고 물었어요. 그러더니 우리를 감옥에 가두더군요. 그래서 우리는 얘기했죠. 〈우리는 다른 나라의 첩자가 아닙니다. 우리는 아버지의 지시를 받고 왔을 뿐입니다.〉 그리고 그 관리가 믿게 우리 가족 얘기를 다 했지요. 이렇게 말했어요. 〈우리는 열두 형제입니다. 하지만 한 명은 더 이상 살아 있지 않고 가장 어린 동생은 집에서 아버지 곁에 머물러 있습니다.〉 그러자 이집트의 그 관리는 이렇게 말하더군요. 〈막내 동생을 데려오너라. 그러면 너희의 말이 사실이라는 것을 알수 있다. 그때까지 너희의 형제인 시몬을 여기 붙들어 두겠다. 너희가 베냐민을 데려오면, 시몬을 풀어 주겠다.〉」

그 말을 듣고 야곱은 크게 놀랐습니다. 〈안 돼.〉 그의 막내 아들인 베냐민을 이집트로 보내고 싶지 않았습니다. 그것만은 절대로 안 된다고 생각했습니다. 요셉이 죽은 후로 베냐민은 야곱에게 가장 위안을 주는 아이였습니다.

모두들 배불리 먹는 동안 야곱은 혼자 천막으로 돌아왔습니다.

형들은 이집트에서 가장 높은 관리가 된 동생 요셉을 알아보지 못했습니다. 하지만 요셉은 형들을 한순간에 알아보았습니다. 형들이 몸을 숙여 절할 때 요셉은 예전에 꾸었던 꿈을 떠올렸습니다. 형들의 볏단이 자신의 볏단에 절을 하던 그 꿈 말입니다. 또 달과 별들이 절을 하던 꿈. 그렇게 꿈은 현실이 되었던 것입니다!

요셉은 통역관을 통해서 형들과 얘기를 나누었습니다. 하지만 요셉은 형들이 서로 나누는 얘기를 다 알아들었습니다. 고향의 말을 잊지 않았던 것입니다. 형들은 자기를 잊지는 않았지만 죽은 줄로만 알았습니다. 요셉은 갑자기 자리를 떴습니다. 울음을 참을 수 없기 때문이었습니다. 자기가 우는 모습을 보이기 싫었던 것입니다.

요셉은 슬프고도 기뻤습니다. 요셉이 기뻤던 건, 아버지와 베냐민이 살아 있었기 때문입니다.

이제 요셉은 가족을 기다렸습니다. 그들은 다시 올 것이었습니다. 흉년은 계속되었기 때문입니다. 그들은 다시 올 것이 분명했습니다. 그러면 베냐민을 만날 수 있을 것입니다. 요셉은 차분히 기다릴 수가 없었습니다.

창세기 42장

두 번째 여행

야곱이 사는 땅은 흉년이 갈수록 심해졌습니다. 이집트에서 얻어온 곡식도 다 떨어졌습니다. 2년 동안이나 비가 내리지 않았습니다. 들판은 누렇게 말랐습니다. 「너희는 다시 이집트에 가서 곡식을 사와야겠다.」 야곱이 다시 아들들에게 말했습니다. 하지만 야곱은 베냐민은 보내지 않으려고 했습니다.

「왜 이집트에서 막내 동생인 베냐민 얘기를 했느냐? 이 아이는 늙은 내게 커다란 위안이다. 그러니 남겨두고 떠나거라.」 하지만 형들은 이렇게 말했습니다. 「베냐민 없이 다시 이집트의 그 높은 관리를 만날 수는 없습니다. 만일 그런다면 시몬은 언제까지나 감옥에 갇혀 있게 됩니다.」

흉년은 갈수록 견뎌내기 어려웠습니다. 그럴수록 형제들은 아버지게 사정을 했습니다. 결국 야곱도 아들들의 말을 들어주었습니다. 형제들은 베냐민을 데리고 길을 떠났습니다. 야곱은 형제들에게 충분한 돈을 주었고, 이집트의 높은 관리에게 줄 선물로 기름과 꿀, 아몬드와 송진, 고무 등을 준비해 주었습니다.

베냐민은 떠날 수 있다는 말을 듣고는 크게 기뻐했습니다. 그는 조금도 두렵지 않았습니다.

이집트에 도착한 야곱의 아들들은 곧장 요셉의 집으로 안내되었습니다. 순식간에 일어난 일이어서 형제들은 더욱 불안했습니다. 〈우린 먼 지방에서 온 양치기에 불과한데, 우리를 불러들여 뭘 하시려는 걸까? 시몬은 잘 지내고 있을까?〉 그랬습니다. 시몬도 형제들과 마찬가지로 요셉의 집으로 식사에 초대되었습니다.

형제들은 선물을 바쳤고, 나귀들은 사료를 받았습니다. 열한 명의 형제들은 모두 물대야를 하나씩 받았습니다. 그래서 긴 여행 끝에 발을 씻을 수 있었습니다.

이상한 일이었습니다. 엄한 주인이 매우 친절했습니다. 주인은 손님들을 맞아들였습니다. 「그대들의 아버지는 안녕하신가?」 그렇게 주인은 묘하게 떨리는 음성으로 물었습니다. 주인은 베냐민을 보고 난 뒤 갑자기 모습을 감추었습니다.

주인은 식사를 할 때 형제들에게 긴 탁자에 앉도록 했는데, 앉고 보니 정확하게 나이 순서대로였습니다. 르우벤에겐 첫번째 자리를, 베냐민이 맨 마지막 자리를 권했습니다. 「주인이 어떻게 우리의 나이 순서를 알고 있지?」 형제들은 놀라서 서로 얼굴만 쳐다보았습니다. 베냐민은 다른 형제들보다 다섯 배나 많은 음식을 받았습니다.

요셉은 어떻게 하고 있었을까요? 그는 베냐민을 바라보고 있었습니다. 요셉은 기쁜 나머지 눈물이 줄줄 흘러내렸습니다. 그 때문에 그는 황급히 자기 방으로 들어갔다 나온 것이었습니다. 그는 얼굴을 씻고 형제들이 앉은 식탁으로 돌아왔습니다. 요셉은 왜 자기가 누구라고 밝히지 않았을까요?

그 대신 요셉은 괴이한 지시를 내렸습니다. 그는 형제들이 돈을 내고 곡식을 산 것에 기뻐하면서 떠나기 전에, 하인에게 자기의 은잔을 베냐민의 곡식자루에 넣어두라고 시켰습니다.

형제들은 나귀와 수레에 곡식자루를 싣고 도시를 떠났습니다. 그런데 도시 밖으로 나오자마자 마차에 탄 이집트 병사 하나가 형제들을 불러 세웠습니다. 그러더니 그는 형제들에게 이렇게 호통을 쳤습니다.

「이 도둑놈들아! 너희는 식사를 하면서 우리 주인님의 은잔을 훔치지 않았느냐? 어찌 그렇게도 은혜를 모를 수가 있느냐? 어서 자루들을 바닥에 내려놓아라. 은잔을 훔친 자는 우리 주인님께 돌아가야 한다. 다른 사람은 고향으로 돌아가도 좋다.」

형제들은 기겁을 했습니다. 「저희는 분명 잔을 훔치지 않았습니다. 그랬을 리가 없습니다.」 형제들은 이 말을 하고 또 했습니다. 하지만 이집트 병사는 형제들의 자루를 모조리 뒤지기 시작했습니다. 그리고 베냐민의 자루에서 잔을 찾아냈습니다.

형제들은 슬픔에 겨운 나머지 옷을 찢었습니다. 형제들은 모두 이집트의 도시로 되돌아갔습니다. 베냐민을 남겨두고 아버지께 돌아갈 수는 없었습니다. 형제들은 다시 높은 이집트의 관리 앞으로 끌려갔습니다. 형제들은 몹시 두려웠습니다.

유다가 용기를 내어 높은 관리에게 모든 걸 설명하였습니다. 「저희는 잔을 훔치지 않았습니다. 저희는 도둑질을 하는 사람들이 아닙니다. 물론 저희가 나쁜 짓을 한 적은 있습니다. 아주 오래전의 일이지만. 그 일을 잊을 수는 없겠지요. 저희는 아버지이신 야곱이 슬퍼한 나머지 거의 돌아가실 뻔한 적이 있습니다. 언젠가 하면, 들짐승이 요셉을 잡아먹었다고 아버지께 말씀드렸을 때였지요. 저희 형제들은 베냐민만 빼고는 모두 죄를 지은 사람들입니다. 그러니 높으신 분이여, 저를 잡아 가두십시오. 우리 어린 동생 대신에 저를 감옥에 넣어 주십시오. 베냐민은 아버지께로 돌아가야만 합니다.」

이 말을 듣고 이집트의 높은 관리는 무어라고 했을까요? 그는 하인들에게 밖에 나가 있으라고 했습니다. 그는 몸을 떨었고 목소리엔 기운이 없었습니다. 형제들하고만 남게 되자 그는 큰 소리로 울었습니다. 그 소리가 얼마나 컸던지 하인들은 바로에게 그 사실을 전했습니다. 형제들은 높은 관리의 행동에 놀랐습니다. 그 관리는 형제들에게 이렇게 외쳤습니다. 「제가 바로 요셉입니다. 아버지께서는 아직 살아 계시다고요?」

형제들은 마음의 충격을 받아 한 마디도 할 수가 없었습니다. 「제게 오세요.」 요셉이 말했습니다. 「겁을 내지 마세요. 형들이 저를 이집트로 팔아치운 것이 아닙니다. 하나님이 우리 식구 모두가 굶주림을 이겨낼 수 있도록 저를 보내신 겁니다.」

그 말을 마친 뒤 요셉은 베냐민을 껴안았습니다. 베냐민도 흥분한 나머지 말을 하지 못했습니다. 베냐민도 형을 끌어안았습니다. 베냐민은 기뻐서 눈물을 흘렸습니다. 「형이 죽은 줄 알았어요. 하지만 이젠 알아보겠어요. 아, 이렇게 기쁜 일이.」

이제 형제들은 다시 고향땅 가나안으로 돌아갔습니다. 바로는 요셉의 가족을 모두 초대했습니다. 바로는 요셉의 가족들이 이집트로 올 때 모두가 함께 타고 올 마차들을 보내 주었습니다. 여자들과 아이들, 천막과 짐짝들 그리고 가축들까지 모두 싣고서 말입니다.

베냐민은 아버지와 함께 갈 수 있어서 기뻤습니다. 흉년은 아직도 계속되었습니다. 하지만 이집트에는 가족이 먹을 것이 충분했습니다.

아버지 야곱은 처음엔 베냐민의 말을 믿지 못했습니다. 그는 갈기갈기 찢긴 요셉의 옛 옷을 갖고와 이렇게 말했습니다. 「이 말라붙은 피가 보이지 않느냐? 요셉은 죽었다. 죽었단 말이다!」 하지만 야곱도 차츰 무슨 일이 일어났는지를 깨닫게 되었습니다. 그리고 베냐민이 가져온 화려한 옷을 보고 놀랐습니다.

늙은 야곱이 입을 떼었습니다. 「그래, 나도 함께 가마. 나도 함께 이집트로 가겠다. 죽기 전에 요셉을 보아야겠다.」

이렇게 해서 요셉 가족은 가나안을 떠나 남쪽으로 내려갔습니다. 마차와 나귀, 사람들, 가축들이 긴 행렬을 이루었습니다. 그들은 이집트로 옮겨가 살기로 했던 것입니다.

창세기 43~46장

모세와 미리암의 긴 여행

미리암과 동생

「우리는 야곱의 자손이란다.」

아버지가 하시는 말씀을 미리암은 몇 번이나 들은 적이 있었습니다. 「야곱이 우리의 선조란다. 하나님은 야곱 할아버지에게 이스라엘이란 이름을 지어 주셨지. 그래서 우리가 이스라엘 민족이 된 거란다. 우리는 하나님이 만드신 민족이다.」

미리암은 오래전 흉년이 들었을 때 아들들과 함께 이집트로 간 야곱의 이야기를 들었지만, 그 이야기는 들어도 자꾸만 또 듣고 싶어졌습니다.

미리암은 이집트에서 태어났습니다. 미리암의 부모님도 이곳에서 태어났고, 할아버지와 할머니도 마찬가지였습니다. 하지만 그들은 이집트 땅에서는 결국 이방인에 불과했습니다. 그 사실을 미리암은 알고 있었습니다. 아버지는 이집트의 왕 바로를 위해 고달프게 일을 해야만 했습니다.

미리암은 아버지를 거의 볼 수 없습니다. 아버지는 비돔과 라암셋의 공사장에 벽돌을 날라야만 했습니다. 도시 바깥에 이집트 인이 살 새로운 도시가 생겨나는 중이었습니다. 아버지는 어쩌다 한 번씩만 집으로 돌아오셨습니다. 아버지는 품삯도 별로 받지 못했습니다. 아버지는 주먹을 불끈 쥐시며 이렇게 말씀하시곤 했습니다. 「일을 해도 소용이 없어. 외국인이라고 품삯을 주지 않아.」 하지만 아버지는 어쨌든 무거운 벽돌을 공사장까지 날라야만 했습니다.

미리암이 노는 모습은 여느 아이들과 마찬가지였습니다. 미리암은 이집트 말을 했습니다. 자기가 외국인이란 걸 잊을 때도 많았습니다. 하지만 어머니가 밤늦게 일하시는 걸 보면 화가 났습니다. 「이집트 여자들은 힘든 들판 일을 하지 않아! 그런데 우리 엄마는 아이까지 가졌는데도 그런 일을 하시잖아. 이건 정말 너무해!」

미리암도 들판에 나가 일을 돕곤 했습니다. 하지만 미리암은 아직 어렸습니다. 미리암의 어린 관절에 밭의 흙은 너무 무거웠습니다.

밤이 되어 어린 동생 아론이 잠들고 나면, 미리암은 어머니의 잠자리 곁에 앉아, 어머니를 쓰다듬으며 이렇게 말했습니다. 「엄마, 아이 낳을 때가 되면 십브라와 부아가 올까요? 제가 가서 불러와도 될까요?」 미리암은 이렇게 묻고 또 물었습니다. 주위가 어둡지 않았다면 미리암은 엄마가 웃는 모습을 보았을 것입니다. 미리암이 이스라엘 여자들이 아이를 낳을 때 도와주는 두 산파의 이름을 소리내어 말할 때면, 미리암의 어머니는 미소를 지었습니다.

어머니는 미리암에게 몇 번이나 이런 이야기를 해주셨습니다. 「바로는 이스라엘 남자아이들을 낳자마자 죽이라고 명령했지만, 두 산파는 워낙 용감해서 바로에게 이렇게 거짓말을 했단다. 〈이스라엘 남자아이들은 너무 빨라서 우리가 도착해 보면 벌써 발을 구르고 큰 소리로 외치기 때문에 죽일 수가 없었습니다. 언제나 늦게 도착하게 되더라고요〉라고.」

「그런데 왜 바로는 이스라엘 남자아이들을 다 죽이려고 해요?」 미리암은 여러 번 물어보았습니다. 「바로는 우리한테 겁을 내고 있단다.」 엄마는 속삭이듯 대답했습니다. 「우리 민족은 갈수록 힘이 커져서 왕이 두려워하고 있는 거란다. 우리가 강해져서 이집트 인과 싸워 이긴 뒤 스스로 나라를 다스리게 될까 봐 그러지.」

바로의 병사들은 번쩍이는 칼을 들고 점점 더 자주 이스라엘 사람들이 사는 거리에 모습을 드러냈습니다. 커다란 발소리가 들리면 곧 그들이 도착한 것이었습니다. 그들은 문도 두드리지 않고 집 안으로 밀고 들어왔습니다. 그러면 집 안에선 여자들과 아이들이 울부짖는 소리가 들려왔습니다. 미리암은 병사들이 집 안에서 무슨 짓을 하는지 몰랐습니다. 하지만 무서웠습니다.

그러던 어느 날 밤이었습니다. 어머니가 미리암에게 작은 소리로 말했습니다. 「미리암, 곧 아이가 태어날 거야. 딸이면 좋지만, 아들이면 우리는 그 아이를 숨겨야만 한다. 내 말대로 하렴. 병사들은 남자아이가 태어난 걸 알면 집 안으로 쳐들어와 아이를 나일 강에 던져 버린단다.」

미리암은 몸을 떨며 울었습니다. 미리암은 이렇게 말했습니다. 「엄마, 제가 도울게요.」

얼마 후 남자아이가 태어났습니다. 식구들 모두 건강한 아이를 보고는 크게 기뻐했습니다. 「안 돼. 넌 절대로 죽어선 안 돼.」

여자들은 아이를 작은 골방에 숨겨 두었습니다.

바로의 병사들이 집 안으로 들이닥쳤습니다. 하지만 그들은 아이를 발견하지 못했습니다.

「저희 집엔 작은 남자아이가 없어요. 절대로요.」 미리암과 아론은 이렇게 말했습니다.

석 달이 지나자 아이의 울음소리는 너무 우렁차서 더 이상 숨겨둘 수가 없었습니다. 벽 너머에서도 아이 울음소리는 들렸습니다. 「병사들이 발견하고는 죽여 버릴 거야!」

미리암의 어머니는 갈대를 엮어 만든 작은 상자를 가져왔습니다. 어머니는 사람들이 배를 만들 때 물이 새들지 않게 틈을 메우듯이 상자 밑에다 역청을 발랐습니다. 그리고 상자 바닥에는 부드러운 담요를 깔고 어린 아들을 그 위에 눕혔습니다. 어머니는 아이를 나일 강으로 데려가 갈대수풀 사이 물이 깊지 않은 곳에 내려놓았습니다.

미리암은 놀란 눈으로 바라보고만 있었습니다. 하지만 어머니가 무슨 일을 하시는지 곧 깨달았습니다. 「어쩌면 누군가 우리 아이를 발견하고는 돌봐 줄지도 몰라. 우리가 이스라엘 사람이라서 병사들이 우리 아이를 죽일지도 몰라. 그러니까 아이를 데리고 있을 수가 없는 거야. 하나님, 저희 아이를 지켜 주세요.」

미리암은 상자 곁에 남아 있었고, 어머니는 집으로 돌아갔습니다. 미리암은 커다란 바위 뒤에 앉아 있어서 아무에게도 보이지 않았습니다. 미리암은 어린 남동생이 칭얼거리는 소리를 들었습니다. 「오늘은 아무도 나일 강에 목욕하러 오지 않는 걸까?」

갑자기 말소리가 들렸습니다. 미리암은 몸을 숨긴 채 한 무리의 소녀들이 가까이 오는 것을 보았습니다. 소녀 가운데는 바로의 공주가 있었습니다. 미리암은 값진 옷깃과 넓은 팔소매를 보고서 공주를 알아보았습니다.

공주는 나일 강에서 목욕을 하려다 작은 상자를 발견했습니다. 공주는 소녀들에게 상자를 손으로 가리켜 보였습니다. 시중 드는 한 소녀가 갈대를 헤치고 상자를 공주에게 갖다 주었습니다.

바로의 딸은 상자를 열었습니다. 이어서 공주의 웃음소리가 들렸습니다. 공주는 이렇게 소리쳤습니다. 「이것 봐. 얘들아. 남자아이네! 정말 예쁜 아이로구나! 분명 이스라엘 사람의 아이일 거야. 이 아이는 죽어서는 안 돼. 이 아이는 내 아이로 할 거야.」

공주가 가만히 생각에 빠졌습니다. 「그런데 이 아이는 누가 키우지?」 공주가 중얼거렸습니다. 「난 키울 수가 없잖아. 난 아직도 어린걸.」

그러자 미리암은 용기를 내 공주 앞에 나아가 몸을 숙이고 말했습니다. 「공주님을 위해서 아이를 키울 사람을 제가 찾아드려도 될까요? 공주님을 돕고 싶습니다.」 공주는 미리암의 얼굴을 보았습니다. 「그게 좋겠구나. 내 아이를 키워 줄 여자를 알고 있느냐?」 미리암은 고개를 끄덕이고 또 끄덕였습니다. 그리고 한 걸음에 집으로 달려가 어머니를 모셔왔습니다. 「공주님, 이분입니다. 이 여자분이 아이가 어린 동안 키워 줄 사람입니다.」

이렇게 해서 미리암의 어머니는 아이를 다시 집으로 데려올 수 있었습니다. 어머니가 아이에게 젖을 주고 기저귀를 갈아 주었습니다. 더 이상 아이를 숨길 필요가 없었습니다. 심지어 아이를 돌보고 키우는 대가로 공주님에게서 돈을 받기까지 했습니다. 어머니는 너무도 기뻐하셨습니다. 병사들은 미리암의 집만은 그냥 지나쳐 갔습니다. 「여긴 공주님의 아이를 키워 주는 여자가 사는 집이다.」 병사들은 이렇게 말하곤 집을 건드리지 않았습니다.

바로의 딸도 행복하긴 마찬가지였습니다. 공주는 아이에게 이름을 지어 주었습니다. 「아이의 이름은 모세라고 해라.」 모세란 〈물에서 건져냈다〉는 뜻입니다.

그런데 모세가 가족과 함께 사는 것은 겨우 몇 년 동안이

었습니다. 어머니는 언제나 모세와 기도를 했습니다. 어머니는 하나님에 대해서 이야기하셨고, 몇 년 전에 야곱이 온 가족을 데리고 이집트로 온 이야기도 일찌감치 해주었습니다. 「우리는 이집트 사람이 아니란다. 우리는 이스라엘 민족이다. 훗날 너는 공주님 곁으로 가게 될 거다. 하지만 네가 바로의 딸과 함께 살더라도 이 사실을 잊어선 안 된다.」

시간이 지나 어머니는 아들을 정말로 왕의 딸에게 데려갔습니다. 이때 모세는 겨우 네 살이었습니다. 모세는 이스라엘 사람들을 떠나 궁궐로 들어가게 되었습니다. 모세는 어리지만 의젓하게 성장했습니다. 미리암은 먼 발치에서 볼 때마다 동생의 옷에 감탄했습니다. 모세는 곧 큰누나보다도 키가 커졌습니다. 모세는 마치 이집트의 왕자처럼 보였습니다. 「그래도 넌 우리에게 속하겠지?」 미리암은 모세를 찾아갈 때마다 물었고, 그러면 모세는 고개를 끄덕였습니다.

이스라엘 사람들은 갈수록 고달프게 일해야만 했습니다. 벽돌을 반죽해 볕에 내놓고 말린 다음에는 공사장까지 운반했고, 그런 다음엔 이글거리는 태양 아래서 그들은 벽돌을 쌓아 올려야 했습니다. 잠시도 쉬어선 안 되었습니다. 이집트 감시인은 채찍을 들고 서서 일을 멈추는 사람들을 후려쳤습니다. 바로의 새 도시가 거의 완성되었습니다. 그런데도 바로는 아직도 새로운 건축공사를 벌일 생각을 하고 있었습니다.

어느 날 밤이었습니다. 미리암과 어머니는 화들짝 놀라 잠에서 깨어났습니다. 문을 두드리는 소리가 났습니다. 아버지만 그 소리를 듣지 못하고 계속 잠을 잤습니다. 그토록 깊이 잠들었던 거지요.

밖에는 모세가 서 있었습니다. 어머니와 미리암은 모세의 음성을 알아듣고 집 안으로 들어오게 했습니다. 모세는 간편한 여행복 차림이었습니다. 머리는 수건으로 감고 있었습니다. 누가 보아도 공주의 아들이라는 고귀한 신분을 알아차릴 수 없었습니다. 미리암은 등불에 비친 모세의 눈빛에서 두려움을 눈치챘습니다. 무슨 일이 있었는지를 다 말할 때까지 그는 몇 번이나 처음부터 다시 이야기를 해야만 했습니다. 「어제 제가 이집트 감시인을 죽였어요. 그를 쳐서 죽여 버렸어요. 화가 나서 그랬어요. 지쳐서 더 이상 움직일 수조차 없는 이스라엘 사람을 채찍으로 때리는 걸 보았을 때 전 어쩔

수가 없었어요. 아무도 본 사람이 없었다고 생각했지요. 저는 깊은 구멍을 파서 그 이집트 인을 묻었어요.

그리고 오늘 전 다시 공사장에 갔어요. 그런데 이스라엘 사람 둘이서 싸우고 있더군요. 서로 소리를 지르며 때리고 있었어요. 전 그들을 말리려고 했어요. 그래서 〈여보세요, 왜 이스라엘 사람들끼리 싸웁니까? 서로 힘을 합해야지요!〉 하고 말했지요. 그러자 그중 한 남자가 날 사납게 쳐다보더니 큰 소리로 말하는 것이었어요. 〈당신이 우리 싸움과 무슨 상관이오? 어제 이집트 감시인을 죽인 것처럼 나도 죽일 생각이오?〉

그때서야 어제 사람들이 절 보고 있었다는 걸 알았어요. 갑자기 겁이 나더군요. 바로도 제가 한 일을 알게 될 거예요. 그러면 절 죽이겠죠. 전 살인자예요. 그래서 도망가야만 해요. 전 도망치겠어요.」

모세는 말을 더듬으며 나지막한 목소리로 이야기를 끝낸 뒤 밤의 어둠 속으로 사라졌습니다.

미리암과 어머니는 아무에게도 모세가 밤에 왔었다는 말을 하지 않았습니다. 누군가 모세에 관해 물어보면, 미리암과 어머니는 모른다는 듯 어깨를 으쓱할 뿐이었습니다.

바로의 궁궐에서도 모세에 대해 말하는 사람은 없었습니다.

모세는 그렇게 사라져 버렸습니다. 오랜 시간 동안 사람들은 모세에 관해 아무런 말도 듣지 못했습니다. 모세는 아직 살아 있기는 했을까요?

미리암과 아론은 모세를 잊지 못했습니다. 어머니도 갓난 아기 적에 기적처럼 살아남았던 아들을 생각하고 또 생각했습니다.

출애굽기 1장, 2장 15절

왜 하필이면 저를?

모세는 멀리 떠나왔습니다. 며칠이나 걸리는 먼 곳이었습니다. 이제 그는 미디안 땅에 살고 있었습니다. 미디안 사람들은 목동들과 상인들이었습니다. 그들은 낙타를 타고 사막을 가로질렀습니다. 그들 가운데 제사장인 이드로는 모세를 받아들였습니다. 그는 또 모세에게 그의 딸을 아내로 삼게 했습니다. 그녀의 이름은 십보라였습니다.

모세는 미디안 사람들의 말을 배웠습니다. 하지만 그는 아들의 이름을 〈게르솜〉이라 지었습니다. 게르솜이란 〈나는 낯선 땅에서 손님이 되었다〉는 뜻입니다. 모세는 자신이 이 땅에 낯선 자라는 걸 잊지 않았습니다. 모세는 장인 이트로의 양을 돌보면서도 언제나 이집트 땅의 이스라엘 사람들을 생각했습니다.

어느 날 모세는 양 떼를 치는 곳에 있다가 불붙은 가시나무 덤불을 보았습니다. 「저 불이 어디에서 붙은 거지?」 모세는 불에 가까이 다가갔습니다. 가시덤불은 환하게 빛났고 불길은 수그러들지 않았습니다. 그리고 덤불은 타버리지도 않

았습니다. 모세는 놀랐습니다.

「모세야, 모세야!」 모세는 가시덤불에서 그의 이름을 부르는 목소리가 들려오자 더욱 크게 놀랐습니다. 「제가 여기에 있습니다.」 그러자 이런 소리가 들려왔습니다. 「나는 네 선조들의 하나님, 아브라함의 하나님, 이삭의 하나님, 야곱의 하나님이다.」 이 말을 들은 모세는 더 이상 두려워하지 않았습니다.

모세는 겉옷으로 얼굴을 가렸습니다. 그리고 하나님의 목소리를 들었습니다. 「나는 보았다. 이집트에서 나의 백성이 얼마나 고통받고 있는지를. 나는 이스라엘 사람들을 구원하리라. 나는 너를 선택하였다. 너는 이스라엘 백성을 이집트에서 구해 내 젖과 꿀이 흐르는 땅으로 이끌어라. 가거라! 내가 너를 바로 왕에게 보낸다. 이스라엘 사람들을 이집트에서 구해 내어라!」 「제가요?」 모세는 고개를 가로저었습니다. 「왜 하필이면 저입니까? 제가 무엇인데 감히 그럴 수 있겠습니까?」 「내가 함께하기 때문에 너는 강하다.」 「그런데 하나님은 누구십니까?」 모세는 겁먹은 목소리로 물었습니다. 「나는 나다. 그것이 나의 이름이다. 나는 지금도, 앞으로도 언제나 함께할 것이다. 나는 너희 백성과 함께할 것이다. 가서 이렇게 말하라. 이집트로 가거라!」

모세는 다시 고개를 저었습니다. 「불타는 가시덤불 속의 하나님이시여, 아무도 당신께서 저를 보내신다는 걸 믿지 않을 것입니다.」

그러자 하나님은 모세에게 명령하셨습니다. 「네 지팡이를 땅에 던져라.」 모세는 귀를 기울였습니다. 그의 나무 지팡이가 뱀으로 변했습니다. 하나님이 말씀하셨습니다. 「뱀의 꼬리를 잡아라.」 그러자 뱀은 다시 지팡이가 되었습니다. 「사람들에게 그대로 보여 주어라. 이집트로 가거라. 내가 너를 보내노라.」

모세는 여전히 고개를 저었습니다. 「저는 말을 잘하는 사람이 아닙니다. 하나님도 아실 겁니다. 입이 잘 떨어지질 않는 데다가 고향의 말도 잊어버렸습니다.」 이제 하나님의 목소리엔 노여움이 담겨 있었습니다. 「내가 네 곁에 있겠다고 하는데도 믿지 못하느냐? 너에겐 너를 위해 말하고 함께해 줄 형이 하나 있지 않느냐? 아론이 이미 이집트에서 널 향해 오고 있다. 이제 가거라, 어서! 내가 너를 보내는 것이다. 나는 나이고, 너의 하나님이다.」

정말로 그랬습니다. 아론은 모세를 향해 출발했던 것입니다. 둘은 함께 이집트로 돌아갔습니다. 미리암은 말할 수 없이 놀랐습니다. 미리암은 오랫동안 동생 모세를 생각했습니다. 모세가 돌아오기를 오랫동안 간절히 기다렸습니다. 하지만 아무리 기다려도 모세의 소식은 들려오지 않았습니다. 결국 그녀는 희망을 버렸습니다. 그런데 모세가 눈앞에 나타난 것입니다! 오랜 세월이 지난 뒤에 말입니다. 처음에 미리암은 모세를 알아보지 못했습니다. 하지만 미리암은 곧 모세가 하나님의 커다란 뜻을 받들고 왔음을 느꼈습니다. 하나님의 뜻은 위험한 사명이었습니다. 모세는 이스라엘 민족을 이집트에서 구해 내 기름진 땅으로 이끌어야 했습니다. 그곳에서 이스라엘 민족은 자신들의 집을 지어야 할 것입니다. 그들은 더 이상 바로를 위해 벽돌을 나를 필요가 없을 것입니다. 더 이상은 노예가 아닐 것입니다.

출애굽기 3장, 4장

바로의 차가운 심장

미리암은 모세와 아론을 기다리고 있었습니다. 모세와 아론은 바로에게 가서 이렇게 말할 것입니다. 「왕이시여, 저희를 보내 주십시오. 저희 이스라엘 백성은 사흘 동안 사막을 걸어가 하나님 여호와를 위한 축제를 올리려고 합니다.」

미리암은 기다렸습니다. 아론과 모세는 찡그린 얼굴로 돌아왔습니다. 「왕은 우리를 보내 주지 않겠다고 했어요. 〈너희가 할 일은 축제가 아니라 일이란 말이다.〉 이렇게 소리치더군요.」 모세가 더듬거리며 말했습니다. 아론이 뒤이어 말했습니다. 「바로는 심장이 차가운 왕이에요. 〈너희의 신과 내가 무슨 상관이 있다는 거냐?〉 하고 말했어요. 〈너희는 공사장에서 일을 해야 한다. 더 많이 일을 하란 말이다〉라고요. 우리의 지팡이가 뱀으로 변하자, 바로는 껄껄 웃으며 말하더군요. 〈그런 건 내 마술사들도 할 줄 한다.〉 그 말은 사실이었어요. 왕의 마술사들도 막대기를 지팡이로 바꾸어 버리더군요. 우리의 뱀이 다른 모든 뱀들을 삼켜 버렸지만, 그래도 왕은 변하지 않았어요. 우리더러 도망갈 생각은 하지 말래요.」

하나님은 또다시 모세와 아론을 바로에게 보내며, 모세에게 이렇게 말씀하셨습니다. 「바로가 말을 듣지 않고 너희를 놓아주지 않으려 하면 내가 왕과 모든 이집트 인을 벌할 것이다. 그들은 내가 얼마나 강한지를 알게 될 것이다.」

모세와 아론은 몇 번씩이나 바로에게 갔지만 거절당했고, 그러자 하나님은 이집트에 천벌을 내리셨습니다. 미리암은 어떤 일이 일어나는지 두려움을 품은 마음으로 바라보았습니다. 이집트 인들이여, 그대들은 우리의 하나님이 막강하시다는 걸 모르겠느냐? 바로는 하나님이 우리 편에 서 계신다는 것을 알지 못하느냐? 미리암은 이렇게 마음속으로 부르짖었습니다. 하나님이 이집트에 내리신 벌은 끔찍했습니다. 우선 모든 물이 피로 변했습니다. 물고기들이 죽었습니다. 아이들을 씻길 수도 없었습니다. 여인들은 슬피 울었습니다. 7일 동안이나 아무도 물을 마시지 못했습니다.

하지만 바로의 굳은 마음은 변하지 않았습니다.

그러자 이집트엔 개구리 떼가 들끓었습니다.

침대에도 화덕에도 개구리들이 무더기로 앉아 있었습니다. 개구리들은 끈적거렸고, 죽이기라도 하면 지독한 냄새를 풍겼습니다. 이것을 본 바로는 기분이 상했습니다.

하지만 여전히 그의 냉정한 마음은 달라지지 않았습니다.

그러자 모세는 지팡이로 땅을 쳐 먼지를 일으켰습니다. 먼지는 이로 변해 동물과 사람의 피부에 달라붙었습니다. 모기들이 이집트 사람들을 물어 댔습니다. 모두 큰 소리로 한탄했습니다. 바로도 마찬가지였습니다. 하지만 이스라엘 사람들에겐 아무 일도 생기지 않았습니다.

아직도 바로의 마음은 돌이켜지지 않았습니다.

그러자 하나님은 더 많은 벌을 내리셨습니다. 말과 당나귀, 낙타와 닭과 양들이 이름 모를 병에 걸려 죽어 갔습니다. 그 다음엔 사람들이 몸에 종기가 나고 병이 들었습니다. 그 고통은 이루 말할 수가 없었습니다. 그런데도 바로의 차가운 마음은 한결같았습니다.

바로는 이스라엘 사람들을 놓아주려 하지 않았습니다.

이번엔 누구도 본 적이 없는 세찬 비가 이집트 땅에 쏟아졌습니다. 천둥과 번개가 그치지 않아서 사람들은 겁에 질려 떨었습니다. 사나운 우박이 들판을 망가뜨렸습니다.

곧 이어서 바람을 타고 날아온 엄청난 메뚜기 떼는 더 끔찍했습니다. 메뚜기 떼는 새까맣게 땅을 뒤덮어 버려, 땅은 아예 보이지도 않았습니다. 풀과 나무들, 먹을 만한 것은 아무것도 남지 않았고, 모조리 메뚜기 떼가 먹어치웠습니다. 이집트 땅은 황량해졌습니다. 하지만 바로는 마음을 바꾸지 않았습니다. 모세와 아론의 청원도 아무런 소용이 없었습니다.

바로는 이스라엘 사람들을 놓아주지 않았습니다.

그리고 사흘 동안 암흑이 이어졌습니다. 해가 사라져 버렸습니다. 달과 별도 뜨지 않았습니다. 일 미터 앞도 보이지 않아서 사람들은 모두 제자리에 있을 수밖에 없었습니다. 바로도 두려움을 느끼며 암흑에 휩싸인 채로 있었습니다. 하지만 다시 햇빛이 비추자 바로의 마음도 언제 그랬냐 싶게 차가워졌습니다.

바로는 이스라엘 사람들을 놓아주지 않았습니다.

이스라엘 사람들은 절망했습니다. 「이제 어떻게 하면 좋겠니?」 미리암이 모세에게 물었습니다. 「사람들이 한탄하는 소리가 들리니? 우리가 원하는 건 그저 이집트를 벗어나 다른 땅으로 가겠다는 것뿐인데 말이야.」

「오늘 밤 하나님이 다시 저에게 말씀하셨어요.」 모세가 말했습니다. 「하나님은 한 번 더 재앙을 내리실 거예요. 엄청난 재앙이지요. 저는 오늘 바로에게 가겠어요. 이번에도 우리를 놓아주지 않으면 하나님의 천사가 이집트의 모든 큰아들들을 죽여 버리실 거예요. 왕의 아들, 감시인의 아들, 농부의 아들 할 것 없이 말이에요. 심지어는 소와 양들이 낳은 새끼들 가운데 첫번째는 모두 죽여 버리실 거예요.」

이번에도 바로는 모세의 말을 들어주지 않았습니다.

모세와 아론은 서둘러 집집마다 다니며 모든 이스라엘 사람들에게 말했습니다. 「길 떠날 준비를 하세요. 오늘 밤 우리는 드디어 이집트 땅을 떠납니다.」

모세와 아론은 계속해서 이렇게 말했습니다. 「오늘 밤 여러분은 양 한 마리씩을 잡아야 해요. 그리고 양의 피를 문의 테두리에 칠해 두세요. 잡은 양은 구워서 소금을 넣지 않은 빵과 채소와 함께 여러 사람과 나눠 먹으세요. 우리가 이집트에서 해방되어 훗날 우리만의 나라를 갖게 되면 오늘 밤의 식사를 기억해야 해요. 그때가 되면 우리는 다시 양을 잡아서 하나님이 우리를 자유롭게 해주신 오늘 밤을 기념할 거예요.」

모든 이스라엘 가족들은 축하의 잔치를 벌였습니다. 사람들은 여행할 채비를 갖춘 채로 구운 양고기를 나눠 먹었습니다. 겉옷을 입고 배낭을 걸치고 신발은 오랜 여행에 대비해 단단히 묶어 신었습니다. 그러고는 사람들은 축제를 벌였습니다. 이 축제의 이름이 바로 〈파사(유월절)〉입니다. 유월절 때 잡는 양을 파사의 제물양이라고 부릅니다.

아론과 모세 그리고 미리암도 여행을 떠날 채비를 했습니다. 미리암은 배낭과 작은 북을 등에 멨습니다. 「이곳으로 다시는 돌아오지 않을 거야.」 미리암은 이렇게 굳게 믿었습니다.

이스라엘 사람들이 여행을 준비하며 축제를 벌이는 동안 하나님의 천사는 집집마다 방문했습니다. 그리고 집집마다 첫 아들이 죽어 버렸습니다. 나귀와 소와 양들의 첫 새끼들도 마찬가지로 죽고 말았습니다. 사방이 슬퍼 우는 소리로 가득 찼습니다. 바로의 첫째 아들도 예외 없이 죽었습니다.

하지만 희생양의 피를 문에 바른 이스라엘 사람들의 집은 죽음의 천사가 그냥 지나쳐 갔습니다.

그제서야 바로는 모세와 아론을 불러 이렇게 말했습니다. 「가거라. 당장 내 나라를 떠나 버리거라. 사막에서 너희의 신에게 제사를 올리든 말든, 어서 가족들과 짐승들 다 같이, 가져갈 것은 모두 가져가도 좋으니, 제발 좀 가버려라!」

이스라엘 사람들은 밤이 채 가기도 전에 길을 떠났습니다. 사람들의 행렬은 끝없이 길었고, 새벽 무렵에야 서서히 이집트의 도시를 벗어나 사막으로 사라져 갔습니다. 남자와 여자와 아이들, 여러 종류의 짐승들이 섞인 행렬이었습니다. 행렬은 어찌나 길었던지 맨 앞에서는 끝이 보이지도 않았습니다.

이스라엘 사람들은 430년 동안이나 이집트에서 살았습니다. 이스라엘 사람들은 노예가 되었다가, 이제야 자유로운 몸이 되었습니다.

출애굽기 5~12장

미리암의 노래

이스라엘 사람들의 행렬은 몹시 천천히 앞으로 나아갔습니다. 사막은 뜨거웠고 먼지가 많이 일었습니다. 사막의 길은 가도 가도 똑같아 보였습니다.

「하나님이 신호를 보내 주시지 않으면 우린 길을 잃고 말거예요.」 미리암이 아이들을 등에 업고 자꾸만 한숨을 쉬는 다른 여인들에게 말했습니다. 「신호라니요?」 지친 여인들은 그렇게 물으면서 하늘을 올려다보았습니다.. 그들의 눈앞에는 가야 할 곳을 알려 주는 구름기둥이 보였습니다. 밤이면 행렬의 끝에서도 환한 불기둥이 보였습니다. 그걸 볼 때마다 이스라엘 사람들은 용기를 얻었습니다. 「그래요, 하나님께서 우리와 함께 계시나 봐요.」 사람들은 이렇게 말했습니다.

사람들은 가다가 자꾸만 쉬어야 했습니다. 노인과 어린아이들, 어린 짐승들은 쉽게 지쳤기 때문입니다. 밤마다 그들은 천막을 치고 쉬었습니다.

어느 날 밤 그들은 홍해 바닷가에 도착해 천막을 쳤습니다. 거기서는 푹 쉬면서 오래 머물 생각이었습니다.

그런데 다음 날 아침 고함소리와 비명과 울음이 천막에서 천막으로 이어지듯 연이어 터져 나왔습니다. 거대한 먼지구름이 점점 가까이 다가오고 있었습니다. 이집트의 전령 하나가 먼저 도착하여 사정을 알렸습니다. 「저 먼지구름은 바로의 무장한 전투마차들이 일으키는 것이오. 바로는 당신들을 다시 붙잡아 오라고 하셨소. 대왕께선 자기 왕궁을 지을 이스라엘 노예들이 필요하다고 말씀하셨소.」 전령은 이 끔찍한 소식을 모두가 들을 수 있게 큰 소리로 외쳤습니다.

이스라엘 사람들은 화가 치밀었습니다. 미리암은 사람들이 모세와 아론의 천막으로 모여들어 외치는 소리를 들었습니다.

모세여, 들어 보시오, 어째서
우리는 사막을 건너왔는가요?
이집트 인들이 우리를 죽이려고 하는데
우리의 새 땅은 대체 어디 있는 거요?
모세여, 들어 보시오, 어디에
당신이 말하는 하나님이 계신가요.
이 사막 한가운데에?

당신이 우리를 죽음으로 몰아넣는군요.
우리의 새 땅은 대체 어디에 있소?
남자들의 한탄은 점점 커졌습니다.

그러자 모세가 천막에서 나왔습니다. 갑자기 미리암은 아무것도 두렵지 않았습니다. 모세의 얼굴이 너무나도 차분해 보였던 것입니다. 「하나님은 우리와 함께 계십니다.」 모세가 큰 소리로 외쳤습니다. 「나를 따라오시오.」

모세는 앞장서서 바다로 갔습니다. 모세는 지팡이를 들어 바다 위로 뻗었습니다. 그러자 사나운 바람이 불었습니다. 그리고 바닷물이 갈라졌습니다. 이스라엘 사람들 앞에 바다를 가로지르는 넓은 길이 열렸습니다. 모든 이스라엘 사람들이 모세를 따라서 신기한 바다 사잇길로 들어서 걷기 시작했습니다. 왼쪽과 오른쪽엔 바닷물이 벽처럼 일어서 있었습니다. 구름기둥은 어느새 이스라엘 사람들의 등 뒤로 가 있었습니다. 그래서 바로의 병사들은 이스라엘 사람들을 볼 수가 없었습니다.

그런데도 이집트 병사들은 바다를 가르고 열린 길로 계속해서 쫓아왔습니다. 차츰 날이 어두워졌습니다. 이집트 병사들의 말과 무거운 전투마차는 계속해서 쫓아왔습니다. 앞으로 나아가기가 점점 힘들었습니다. 그들은 바다 속으로 잠겨 갔습니다. 온 길로 되돌아가려는 병사들도 적지 않았습니다. 하지만 캄캄한 어둠 속에서 그들보다 훨씬 많은 이집트 병사들이 계속 앞으로 밀고 나왔습니다. 그래서 말과 병사와 전투마차들이 서로 부딪히며 커다란 혼란이 일어났습니다.

마침내 날이 밝았습니다. 이제 이집트 병사들은 하나같이 고함을 질렀습니다. 「돌아가자. 방향을 돌려, 돌아가야 한다!」「이스라엘의 신은 강력하다. 그분이 우리를 치려고 하신다. 제발 도와줘. 아, 큰일났구나!」

이제 이스라엘 사람들은 바다를 건너 가느다란 만에 도달했습니다. 모세는 다시 지팡이 든 손을 바다 위로 내뻗었습니다. 그러자 바다 사이로 났던 길이 사라졌습니다. 바닷물이 다시 합쳐지면서 이집트 병사와 말 그리고 전투마차를 뒤덮자, 모두 물에 빠져 죽었습니다.

이스라엘 사람들은 새로 천막을 쳤습니다. 「살았다! 이제 살았다.」 사람들은 점점 크고 환한 소리로 외쳤습니다.

미리암은 작은 북을 꺼냈습니다. 처음엔 약하게, 그러다 갈수록 크게 북을 쳤습니다. 다른 여인들도 작은 북을 꺼내서 쳤습니다. 여인들은 길게 줄을 지어서 미리암을 따르며 춤을 추었습니다. 여인들은 원을 그리며 춤을 추었습니다. 그리고 미리암은 노래를 불렀습니다.

하나님께 찬양의 노래를 불러라
하나님은 자상하고 강하신 분.
하나님은 커다란 위기에서 우리를 구하셨네.
적들의 말과 병사들을 바다에 던져 버리셨네.
찬양의 노래를 불러라, 우리 하나님께.

모든 여인들이 미리암과 함께 노래를 불렀습니다. 아이들은 손뼉을 치며 여인들을 바라보았습니다. 이것은 기쁨에 넘치는 커다란 축제였습니다.

출애굽기 13장 17절~15장 21절

사막을 건너

이스라엘 사람들은 모세와 아론을 좇아서 사막을 계속 걸어갔습니다. 날은 뜨거웠고, 사흘 전에 가득 채운 가죽 물주머니는 바싹 말라 비어 있었습니다. 「목이 말라요.」 처음엔 아이들만 칭얼거렸지만, 곧 남자와 여자들도 〈아, 목이 마르구나〉 하고 괴로운 한숨을 내쉬었습니다.

어른들은 어린 자식들을 업어야 했습니다. 나귀에 실어온 비상식량 주머니도 거의 다 비었습니다. 늙거나 병든 사람들은 나귀를 타게 했습니다.

「목이 너무 마르구나.」 갈수록 많은 사람들이 괴로움에 찬 소리를 냈습니다. 모세는 귀를 막고 싶었지만 꾹 참았습니다. 모세는 멈춰서 주위를 둘러보았습니다. 그는 사막 저 건너를 바라보았습니다. 하지만 곧 모세는 자신있는 걸음걸이로 계속 앞으로 나아갔습니다. 「이 길이 하나님의 길이야. 확실히 알 수가 있어.」 모세는 아론에게 말했습니다. 「하나님이 우리를 도와주실 거야.」

얼마 지나지 않아 그들은 바위 뒤에서 녹색 나뭇잎들을 발견했습니다. 갈수록 더 많은 나무들이 눈에 띄었습니다. 「이건 마라야. 물이 나는 곳이라고. 여러분, 기뻐하세요.」 아론이 뒤쪽을 향해 큰 소리로 외쳤습니다.

미리암이 춤추듯 물가로 달려갔습니다. 그녀는 용기를 잃지 않고 있었습니다. 미리암은 다시 노래를 불렀습니다. 「하나님이 우리를 위기에서 구해 주셨네.」

미리암은 두 손을 그릇처럼 모아서, 좋다고 춤을 추는 아이들에게 마시게 했습니다. 어른들도 허겁지겁 무릎을 꿇고 마른 입술을 축이며 물을 마셨습니다. 하지만 사람들은 물을 마시자마자 도로 뱉어내야 했습니다. 「써. 물이 너무 쓰다!」 사람들은 신음하면서 사나운 눈초리로 모세를 쳐다보았습니다. 「왜 우리를 돕지 않는 거요? 마실 걸 달란 말이요.」 그리고 다시 남자와 여자들은 시끄럽게 이렇게 외쳤습니다.

모세여, 들어 보시오, 어디에
당신이 말하는 하나님이 계신가요,
이 사막 한가운데에?
당신이 우리를 모두 죽음으로 몰아넣는군요.
우리의 새 땅은 대체 어디에 있소?

모세는 눈을 감았습니다. 어떻게 하면 사람들을 도울지 막막했습니다. 모세는 귀를 막았습니다. 이제 모세는 혼자 있고 싶었고, 아무 말도 듣고 싶지 않았습니다. 오직 하나님의 음성에만 귀를 기울이고 싶었습니다.

잠시 후 모세는 감았던 눈을 떴습니다. 그리고 오른손을 펼쳤습니다. 모세가 웃었습니다. 갑자기 모세는 자기가 무슨 일을 해야 할지 깨달았던 것입니다. 그는 작은 나뭇가지를 꺾어 물에 던지며 외쳤습니다. 「이제는 마셔도 좋소.」 그러자 물은 정말로 더 이상 쓰지 않았습니다.

모두들 물가에 몰려들어 물을 마시며 아무도 모세에게 주의를 기울이지 않았습니다. 모세는 바위에 기대어 다시 눈을 감았습니다. 미리암이 모세의 곁에 섰습니다. 잠시 후 미리암은 모세에게 물었습니다. 「모세, 하나님의 음성을 듣고 있니?」 모세가 눈길을 들며 대답했습니다. 「그래요, 하나님은 우리를 도우실 거예요. 우리가 길을 가는 동안 언제나 말이에요. 하나님은 우리가 병에 걸리지 않게 도와주실 거예요.

하나님은 우리의 의사와 같아요.」

항아리와 물주머니는 다시 물로 가득 채워졌습니다. 행렬은 더디게 앞으로 나아갔습니다. 어린 아이들은 자꾸만 울었습니다. 이제 여자들은 더 이상 노래를 부르거나 이야기를 할 기운조차 없었습니다.

밤이면 덮고 자는 겉옷도 구멍투성이가 되었습니다. 신발의 끈도 다 해졌습니다. 사막의 모래는 뜨거웠고 돌들은 날카로워 밟을 때마다 발이 아팠습니다.

길 떠난 지 벌써 여섯 주가 지났습니다.

가장 괴로운 것은 배고픔이었습니다. 「우릴 굶겨 죽이려고 사막으로 끌고 나왔소? 모세, 할 말 있으면 해보시오! 먹을 걸 달란 말이오!」 행렬 가운데서 이렇게 외치는 사람은 한둘이 아니었습니다. 「이집트에 있을 땐 적어도 먹을 거라도 충분했는데. 아이들을 굶겨야 한다면 자유로운 게 무슨 소용이겠소? 들어보시오, 모세. 할 말이 있으면 해봐요. 당신이 잘못했소!」 이렇게 사막 가운데서 울부짖음은 점점 여러 사람들의 입에서 흘러나왔습니다.

모세는 다시 귀를 막았습니다. 그리고 하나님의 음성을 들었습니다. 모세는 손짓을 해 아론을 가까이 불렀습니다. 「너는 나보다 말을 잘하니까, 사람들에게 하나님이 내게 하신 말씀을 전해 주어라.」

「하나님께서는 여러분의 불평을 들으셨습니다.」 아론은 이렇게 말하기 시작했습니다. 사람들이 조용히 귀를 기울였습니다. 남자들은 하나같이 일어선 채로 모세와 아론을 에워싸고 있었습니다. 그리고 아론이 무슨 말을 하는지 궁금해 하며 귀 기울여 들었습니다. 「매일 저녁마다 새 떼가 날아와 우리의 천막 근처에 내려앉을 것입니다. 그러면 여러분은 덫을 놓아 잡으세요. 잡은 새를 구워서 먹을 수 있습니다. 고기를 말입니다. 또 아침이면 원하는 만큼 빵을 받게 될 겁니다.」

그날 밤 천막에서는 맛있는 고기냄새가 퍼졌습니다. 미리암은 가만히 작은 북을 두드렸습니다. 다른 여자들도 다른 천막에서 작은 북소리로 응답했습니다. 여인들은 다시 옛 노래를 불렀고, 아이들은 벌써 곤히 잠든 지 오래였습니다.

이른 아침이 되자 모두들 호기심에 가득 차서 천막 밖을 내다보았습니다. 〈빵이 어디 있다는 거야? 하나님이 약속하셨다는 그 빵 말이야.〉 사막의 모래 위에는 하얀 서리 같은 것이 덮여 있었습니다. 여자들은 손으로 흰 것이 무엇인지 쓸어 보았습니다. 그것은 고운 곡식알들이었습니다. 꿀냄새가 났습니다. 여자들은 그릇을 가져와 곡식알을 가득 담았습니다. 모두 그것이 하나님이 보내 주신 빵의 재료라는 걸 알았습니다.

모든 천막의 사람들이 이날 아침엔 배불리 먹었습니다. 천막마다 사람들은 하나님께 감사했습니다. 그들이 먹은 것은 〈만나〉라고 불렸습니다.

이제 모세가 말했습니다. 「이제 여러분은 날마다 새로운 만나를 받을 것입니다. 틀림없이 그럴 겁니다. 그런데 여러분은 날마다 만나를 하루 먹을 만큼만 모으십시오. 만나를 보관해 두면 곧 썩어서 냄새를 풍길 겁니다. 하지만 여섯 번째 날에는 만나를 두 배로 모으셔도 됩니다. 그날에는 만나가 썩지 않을 것입니다. 일곱 번째 날은 휴일이기 때문입니다. 이날은 하나님을 위한 휴일입니다. 이날엔 밖으로 나가거나 멀리 다니지 말고 일도 하지 말아야 합니다. 하나님께서는 일곱 번째 날을 우리에게 쉬는 날로 주셨습니다.」

이렇게 해서 일곱 번째 날은 이스라엘 사람들에게 휴일이 되었습니다. 이날에는 일하지 않고 먼 곳으로 가지 않고 기도하고 노래하고 웃고 춤추는 날이 되었습니다.

이스라엘 사람들은 40년 동안이나 만나를 먹었습니다. 사막 여행은 40년이 걸렸던 것입니다.

「미리암, 멀리 저 산이 보여요?」 어느 날 아침 모세가 물었습니다. 「저 산이 시내 산이에요. 하나님은 그 근처에서 내게 말씀하셨어요. 불붙은 가시나무 속에서요. 오래전 일이지요. 아직도 우리는 가야 할 길이 멀어요. 그래서 시내 산 기슭에 천막을 치고 좀 오래 머물려고 해요. 짐승들에겐 풀을 뜯게 하고 우리는 과실을 따고 새 옷을 만들기로 해요.」

모세가 말하는 동안에 젊은이 둘이 다가와서 미리암과 모세 앞에 몸을 숙였습니다. 그들은 숨이 턱까지 차 올라 있었습니다. 그들은 더듬거리며 이렇게 말했습니다. 「저희가 저 뒤편에서 샘을 찾다가 사람들을 보았어요. 그들은 사나운 얼굴을 한 병사들이었어요. 번쩍이는 칼을 들고 있었어요. 저

기 작은 산언덕 너머예요.」

그 말을 듣자마자 모세는 자리에서 일어났습니다. 「아말렉 사람들이다. 사막에 사는 거친 족속들이지. 그들은 이리저리 옮겨 다니는데 아주 위험한 사람들이다. 우리를 약탈하려는 모양인데.」 모세는 젊고 힘이 센 여호수아를 불렀습니다. 모세는 여호수아를 믿음직스럽게 여겼습니다.

여호수아는 남자들을 모두 불러 모았습니다. 그들이 든 칼들이 번쩍였습니다. 남자들은 나란히 서서 전투할 태세를 갖추었고, 모세는 동생 아론과 훌이라는 자와 함께 작은 산 꼭대기로 올라갔습니다. 거기서는 아래가 훤히 내려다보였습니다.

모세가 팔을 들면 전투에서 이스라엘이 이기고, 팔을 내리면 아말렉이 이겼습니다. 아우성치며 싸우는 소리가 산 위에

67

서도 잘 들렸습니다. 싸움이 세 시간이나 계속되자 모세는 팔이 아팠습니다. 더는 버틸 수가 없었습니다. 그러자 아론과 훌이 모세의 팔을 받쳐서 더 이상 내려뜨리지 않도록 했습니다. 「하나님, 저희를 잊지 말아주세요.」 모세는 기도하고 또 기도했습니다.

해가 질 무렵에 여호수아가 이끄는 이스라엘 사람들은 아말렉 사람들을 물리쳤습니다.

사람들은 칼을 다시 가죽 칼집에 꽂았습니다. 그리고 미리암은 작은 북을 들고 가만히 두드렸습니다. 홍해 바다를 건넌 다음에 그랬던 것처럼, 이번에도 미리암을 따라서 다른 여자들도 북을 쳤습니다. 사람들은 춤추고 손뼉을 치며 노래를 불렀습니다.

하나님께 찬양의 노래를 불러라
하나님은 자상하고 강하신 분.
하나님은 커다란 위기에서 우리를 구하셨네.
적들의 말과 병사들을 바다에 던져 버리셨네.
찬양의 노래를 불러라, 우리 하나님께.

이제 사람들은 모두 새로운 힘을 얻었습니다. 그래서 계속 앞으로 나아갈 수 있었습니다. 며칠이 지나서 사람들은 시내 산기슭에 도착했습니다.

출애굽기 15장 22절~17장

시내의 축제

「여기에 하나님이 사신다.」 이스라엘 사람들은 말했습니다. 시내는 하나님의 산이었습니다. 「올라가 봐도 될까요?」 젊은 이들은 물었습니다. 「하나님을 만나고 싶어요.」 아이들이 말했습니다. 「하나님은 두려운 분이시겠지요.」 여자들도 자주 미리암에게로 모여들어 이렇게 작은 소리로 말했습니다.

하지만 모세는 이렇게만 말했습니다. 「하나님은 저를 부르셨습니다. 하나님은 저에게 말씀하실 겁니다. 이 산은 신성한 산입니다. 여기서 기다리세요. 사흘 동안 기다린 뒤엔 하나님을 위한 제사를 올릴 준비가 될 것입니다.」

남자들은 산기슭에 돌을 늘어놓아 경계선을 만들었습니다. 거기에서 더 올라가면 안 된다는 뜻이었습니다.

어른들은 아이들을 깨끗이 씻겼습니다. 그리고 천막을 단장하고 제삿상도 차렸습니다. 천막들 한가운데에 제단이 마련되었습니다.

갑자기 커다란 천둥소리가 울려 퍼졌습니다. 번개도 번쩍였습니다. 그리고 땅이 진동을 했습니다. 산을 감싸고 있던 어둑한 구름에서 엄청나게 커다란 뿔나팔을 부는 것 같은 소리가 들려왔습니다. 아이들은 어른들의 얼굴을 쳐다보았습니다. 아이들은 겁이 났지만 어쩐지 신이 나기도 했습니다. 「저것이 하나님이세요?」 아이들은 이렇게 물었습니다.

모세가 산에서 내려왔습니다. 폭풍우는 지나갔습니다. 이스라엘 사람들은 모세를 보고 기뻐서 환성을 질렀습니다. 미리암도 모세를 바라보았습니다. 모세의 얼굴이 환했습니다. 모세는 빛을 뿜는 것처럼 보였습니다. 모세는 제사를 모실 곳의 한가운데 서서 우렁찬 목소리로 말했습니다. 「하나님께서 저에게 말씀하셨습니다. 하나님은 우리를 이집트에서 구해내셨습니다. 하나님은 마치 날개 위에 우리를 올려놓으신 듯 이곳까지 데려와 주셨습니다. 하나님이 돕지 않으셨다면 우리는 바다에 빠져 죽었을 것입니다. 또 굶주리고 목말라 죽었을 것입니다. 우리의 이스라엘은 오로지 그분의 것입니다. 하나님은 우리와 한 가지 약속을 맺으려고 하십니다. 하나님은 앞으로도 우리를 돌보아 주실 것입니다. 그 약속의 표시로 이제 우리는 제사를 올리고 성대한 잔치를 벌입시다.」

사람들은 숫송아지를 잡아서 바쳤습니다. 「이것은 하나님께 바치는 제물입니다.」 사람들이 말했습니다. 그리고 제단

에 짐승을 피를 뿌렸습니다. 사람들은 기도를 했습니다. 팔을 높이 쳐들고 하나님께 감사의 기도를 올렸습니다. 그리고 사람들은 시내 산을 올려다보았습니다.

그리고 이제 사람들은 모세가 〈하나님의 산〉에서 받아온 십계명을 전해 들었습니다. 십계명은 하나님과 맺는 약속이었습니다. 「우리는 십계명을 배우려고 합니다. 우리는 십계명을 지키며 살겠습니다. 하나님을 배반하지 않겠습니다.」 사람들은 이렇게 약속했습니다. 십계명은 남자와 여자 그리고 아이들이 모두 살아가는 데 지켜야 할 열 가지 규칙입니다.

저녁이 되면 미리암은 천막 앞에 앉아서 작은 북을 두들겼고, 그러면 다른 천막의 아이들이 모여들었습니다. 미리암은 아이들에게 십계명을 말해 주었습니다. 아이들은 십계명을 다 이해하지는 못했습니다. 하지만 아이들은 하나님이 내려 주신 열 가지 규칙을 금세 외워 버렸습니다.

나는 여호와, 너의 하나님이다. 내가 너를 이집트에서 이끌어냈다.

나 말고 다른 하나님을 모시면 안 된다.

하나님의 모양을 생각해 내지도 말고, 그 모양을 보고 기도해서도 안 된다.

너의 하나님의 이름을 함부로 불러선 안 된다.

휴일을 지켜야 한다. 여섯 날을 일해라. 하지만 일곱 번째 날은 하나님을 위한 날이다.

아버지와 어머니를 존경해야 한다.

살인하지 말아라.

결혼을 깨지 말아라.

도둑질을 하지 말아라.

다른 사람에 대해서 거짓말을 하지 말아라.

다른 사람이 가진 것을 욕심내지 말아라.

출애굽기 19장, 20장, 24장

금송아지

모세는 다시 시내 산에 올라갔습니다. 하나님의 말씀에 귀를 기울이기 위해서였습니다.

천막생활은 한동안 계속 되었습니다. 아이들은 즐겁게 뛰어놀았습니다. 힘들게 여행하지 않는 게 아이들에겐 좋았습니다. 여자들은 불가에 앉아서 빵을 구웠습니다. 또 옷을 새로 짜기도 했습니다. 여자들은 노래를 불렀습니다. 양과 염소들은 새끼를 낳았습니다.

며칠이 지나자 사람들은 웅성거렸습니다. 「모세는 산에서 언제 돌아오는 거지?」 몇 주가 지났습니다. 「모세는 혹시 죽은 게 아닐까?」 그렇게 속삭이는 사람들도 있었습니다.

모세는 어디에 있었던 걸까요? 여행은 언제 또 계속될 것일까요? 미리암을 혼자서 곰곰이 생각했습니다. 「왜 모세밖에 하나님을 볼 수 없단 말인가?」 남자들은 투덜거렸습니다. 아론은 뭐라고 대답해야 할지 몰랐습니다.

「우리는 그저 계명이나 지키며 얌전하게 있으라고 하지. 그러더니 이제 모세는 우리를 버려둔 거야.」 이렇게 욕하는 사람들도 있었습니다. 사람들은 점점 더 소란스러워졌습니다. 그들은 모세에 관해 이야기하면서 두 주먹을 불끈 쥐었습니다. 그들은 마침내 아론에게 몰려가 이렇게 말했습니다.

「우리를 이끌어 줄 눈에 보이는 조각상을 하나 만들어 주시오. 우리가 기도할 수 있는 신 말이오. 우리도 다른 민족들처럼 금으로 모양을 본떠서 만든 신이 있으면 좋겠소.」

아론은 깜짝 놀랐습니다. 그러나 마침내 아론은 사람들이 원하는 대로 해주기로 했습니다. 「여러분의 아내와 아들 딸의 귀고리와 반지가 필요하오.」 아론이 말했습니다. 그러자 사람들은 순식간에 아들과 딸들의 손과 귀에서 귀고리와 반지를 빼왔습니다.

사람들은 아론의 도움으로 금 장신구를 녹여 숫소를 만들었습니다. 그러더니 사람들은 얼마 전까지만 해도 하나님께 제사를 올리던 곳에다 금송아지를 모셔 놓았습니다. 그곳은 바로 얼마 전에 하나님께 약속을 했던 곳이었습니다. 〈우리는 하나님의 계명을 지키겠습니다〉라고요.

아론은 하나님이 내려 주신 두 번째 계명을 잊지 않았습니다. 그건 미리암도 마찬가지였습니다. 또 적잖은 수의 남자와 여자들이 하나님의 모습을 멋대로 생각해 내거나 그

모습을 보고서 기도를 하면 안 된다는 약속을 기억하고 있었습니다. 그런데 아무도 금송아지를 만드는 걸 말리지 않았습니다.

이스라엘 사람들은 하나가 되어 희생 제물을 태우고 커다란 소리를 지르며 금송아지 둘레를 돌면서 춤을 추었습니다. 그들은 우상 앞에서 절을 하며 외쳤습니다. 「당신이 우리 하나님입니다. 만세! 만세!」

사람들은 음식을 먹고 술을 들이켰습니다. 그리고 갈수록 소란스럽게 소리를 질러 댔습니다.

그러다가 갑자기 사방이 조용해졌습니다. 땀에 젖어 춤을 추던 남자와 여자들은 얼어붙은 듯 멈추어 섰습니다. 그들은 양팔을 늘어뜨리고 고개를 푹 숙였습니다. 사람들 앞에는 모세가 서 있었던 것입니다. 모세는 양쪽 팔에 커다란 석판을 들고 있었습니다. 석판에는 글씨가 씌어 있었습니다. 모세는 석판을 바위에다 내던져 산산조각 나게 했습니다. 「하나님께서 직접 이 석판에 계명을 써주셨단 걸 모르오?」 모세는 화가 나서 소리쳤습니다. 「그런데 여러분은 하나님과 한 약속을 지키지 않는군요.」

모세는 금송아지를 희생 제물을 태우는 불 속으로 던졌습니다. 금송아지는 새카맣게 탔고, 사람들은 아무 말 없이 그것을 바라보고만 있었습니다.

모세는 슬픈 얼굴로 아론과 미리암을 쳐다보았습니다. 「왜 저 사람들을 말리지 않았나요?」

「우리는 하나님을 배반했다. 우리가 죄를 지었구나. 우린 죽을 죄를 지었다.」 이스라엘 사람들이 부르짖었습니다. 곧 날이 어두워졌습니다. 모두들 천막 속으로 들어갔습니다. 이 날 밤에는 아무도 노래를 부르지 않았습니다.

다음 날 아침에 미리암은 모세가 기도를 올리는 소리를 들었습니다. 「아, 하나님. 저를 죽여 주십시오. 저는 제 형제와 누이들 대신 죽으려 합니다.」

미리암에겐 하나님의 대답이 들리지 않았습니다.

출애굽기 32장

하나님을 위한 천막

모세는 다시 한 번 산으로 올라갔습니다. 그는 구름 속으로 사라졌습니다.

남자들은 천막 속에 머물러 있었습니다. 「우린 큰 죄를 지었다. 우린 모두 죽을 거야.」 남자들은 부끄러웠습니다.

하지만 미리암은 여자들을 모두 불러 모았습니다. 눈앞에는 모세가 그린 설계도가 하나 놓여 있었습니다. 하나님이 모세에게 지으라고 명령하신 성스러운 천막의 그림이었습니다.

여자들은 크고 작은 원 모양으로 둘러 앉았습니다. 그리고 천을 꿰매어 잇고 수를 놓았습니다. 고운 천으로 휘장을 만들고, 그것들을 파란색과 자주색으로 물들였습니다. 그리고 복잡한 장식을 매달고 금빛 실로 천들을 여몄습니다.

남자들도 성스러운 천막을 만드는 일을 시작했습니다. 그들은 염소가죽을 깨끗이 씻고 붉은색으로 물들여 양탄자처럼 펼쳐 꿰매었습니다. 그 양탄자에는 둥근 고리와 갈고리를 단단히 달아 서로 맞춰 걸 수 있게 했습니다. 남자들은 이렇게 성스러운 천막의 지붕을 만들었습니다.

금을 세공할 줄 아는 장인들은 일곱 자루의 초를 꽂을 촛대를 만들었습니다. 도공은 성스러운 천막을 밝힐 등잔을 만

들었습니다. 어린이들은 천막마다 돌아다니며 커다란 항아리에 넣을 기름을 모았습니다. 집집마다 하나님의 천막에 쓸 기름을 조금씩 내놓아야 했습니다. 기름 등잔은 꺼지지 않고 계속 불붙어 있어야 했기 때문입니다.

특별히 공들여 아름답게 만든 것은 아카시아 나무로 짠 궤짝이었습니다. 솜씨가 가장 훌륭한 장인들이 그 궤짝을 만들었습니다. 궤짝의 안밖은 금으로 장식하고 뚜껑에는 두 개의 천사 모양을 붙였으며 네 귀퉁이에는 금으로 된 두꺼운 고리를 아주 단단히 박았습니다. 그렇게 해서 궤짝은 두 개의 긴 막대기로 들어올릴 수 있었습니다. 장인들은 모세가 계획한 대로 정확하게 일을 해나갔습니다. 장인들은 그 궤짝이 무엇에 쓸 물건인지 아직 몰랐습니다. 하지만 장인들은 일을 하는 데 온 정성을 다 바쳤습니다. 그들은 이렇게 말했습니다. 「우리는 지도자인 모세의 말대로만 할 뿐이지. 우리는 하나님이 우리에게 바라시는 일을 하려고 해. 어쩌면 우리가 금송아지를 만든 일을 용서해 주시지 않을까?」

마지막으로 여자들은 가장 고운 천으로 아론이 입을 제사장의 옷을 지었습니다. 그 옷은 주사위 무늬로 장식되었습니다. 그리고 번쩍이는 허리띠와 높은 제사장의 모자도 만들었습니다. 「성스러운 천막에서 하나님께 제사를 올리게 될 거야.」 여자들은 일을 하면서 서로 조용히 얘기를 나누었습니다. 「우리 눈에는 보이지 않지만 그 안에서 우리는 하나님과 함께 있을 거야.」 이렇게 말하는 여자도 있었습니다. 「이제 우리도 다른 민족들처럼 제사장을 갖게 되었구나.」 남자들은 모여 서서 이렇게 말했습니다. 사람들은 행복했습니다. 「우리 하나님은 사람들 눈에 보이지 않아. 하지만 우린 곧 아름다운 천막과 번쩍이는 제사장의 옷, 금빛 나는 궤짝을 갖게 될 거야. 이것들이 우리 하나님의 상징이 될 거야.」

마침내 모세가 다시 돌아왔습니다. 모세의 얼굴은 다시 환하게 빛나고 있었습니다. 「하나님께 아주 가까이 다가갔었소.」 모세가 말했습니다. 그리고 두 개의 무거운 석판을 땅에 내려놓았습니다. 「하나님께서 다시 우리를 위해 계명들을 써 주셨습니다.」

이제 이스라엘 사람들의 천막들에서 좀 떨어진 곳에 하나님의 성스러운 천막이 세워졌습니다.

화려한 궤짝 속에는 계명이 적힌 두 개의 석판이 보관되었

습니다. 「우리가 하나님과 맺은 약속의 표시입니다.」 모세가
말했습니다. 성스러운 천막 가장 안쪽에 궤짝은 놓여졌습니
다. 이제부터 이 궤짝은 〈여호와의 궤〉라고 불릴 것이었습니
다. 이스라엘 사람들이 〈여호와의 궤〉로 언제까지나 하나님
과 맺은 약속을 기억하게 될 것입니다.

등불과 촛대도 세워졌습니다. 제물을 바치는 제단도 천막
안에 마련되었습니다.

이제 커다란 축제가 열렸습니다. 하나님을 향한 화해의 축
제였습니다. 여자들은 성스러운 천막 앞에서 둥글게 돌면서
미리암의 노래를 불렀습니다. 모두가 기뻐했습니다. 「하나님
은 우리와 함께 계셔.」 아이들도 이렇게 말했습니다. 아이들
은 어른들이 기도하는 소리에 귀를 기울였습니다. 그리고 제
물이 타는 냄새를 맡기도 하고, 제사장 아론의 옷이 번쩍이
는 걸 놀라서 바라보기도 했습니다.

축제가 끝날 무렵, 아론은 모든 사람들을 향해 두 팔을 펼
치고 큰 소리로 이렇게 외쳤습니다.

　　하나님이 은총을 내려 주시어
　　우리를 지켜 주시리라!
　　하나님은 환한 얼굴을 빛내시며
　　우리에게 자비를 내려 주시리라!
　　하나님이 얼굴을 나타내시면
　　우리에겐 평화가 있네!

곧 이어서 사람들은 성스러운 천막의 휘장과 양탄자를 한
데 모아서 짐승들에게 실었습니다. 천막들도 거두었습니다.
그리고 이스라엘 민족은 시내 산을 떠났습니다. 〈여호와의
궤〉는 행렬의 중간에서 운반되었습니다.

시내 산기슭에서 거의 반 년을 살았습니다.

구름기둥들은 또다시 이동하는 이스라엘 사람들을 이끌어
주었습니다. 그들이 천막을 치면 구름들은 성스러운 천막 위
에 머물렀습니다. 그래서 이스라엘 사람들은 구름이 천막 위
에 있는 동안에는 한자리에 머물러 있어도 된다는 것을 알았
습니다. 그런 다음엔 다시 길 떠나야 했습니다.

　　　　　　　　　　　출애굽기 25～27장, 33～40장

젖과 꿀이 흐르는 땅

여행은 산과 들을 지나 계속 되었습니다.

미리암도 지친 나머지 북을 두드리고 노래를 부를 기운이
없을 때가 많았습니다. 미리암은 생각했습니다. 〈하나님은
어디 계신 걸까? 왜 난 그분의 음성을 들을 수 없지? 왜 하나
님은 오직 모세에게만 말씀을 하실까?〉 미리암은 처음에는
혼자서만 그런 생각을 했습니다. 〈언제나 모세, 모세 밖에 찾
지 않으시잖아! 모세가 아론이나 나보다 더 낫다는 걸까?〉

그러던 어느 날 모세는 낯선 여자를 하나 데려왔습니다.
그 여자는 다른 민족에 속하는 사람이었습니다. 「이건 있을
수 없는 일이야. 정말 안 될 일이야!」 미리암은 모든 사람이
듣도록 큰 소리로 말하고 다녔습니다. 미리암은 동생 모세가
옳지 못한 일을 한다고 말하고 다녔던 것입니다. 미리암은
다르게 행동할 수는 없었던 걸까요!

「내 동생 모세가 큰 잘못을 저지르고 있는 거예요!」

그러자 다른 여자들까지 한탄하기 시작했습니다. 「모세는
우리를 도대체 어디로 데려가는 거래요? 우리는 이집트에
있는 게 더 나았을 거예요! 거기서는 고기와 생선을 먹을 수
있었잖아요. 오이와 메론도 있었고 아이들에게 줄 야채도 있
었어요.」

어느 날 모세와 아론 그리고 미리암은 지내던 천막을 나와
서 성스러운 천막으로 갔습니다. 갑자기 구름기둥이 천막 입
구로 왔습니다. 그들은 하나님이 함께 계시다는 것을 느꼈습
니다. 그러자 하나님의 성난 음성이 들렸습니다. 「미리암, 왜
모세에 대해 나쁜 말을 떠들었느냐? 나는 모세를 선택하여
너희 모두를 이끌게 했다. 모세는 내게 가까이 있다. 모세는
나를 직접 보았노라.」

하나님의 구름이 천막에서 다시 사라지자 미리암의 몸이
눈처럼 하얘졌습니다. 아론이 소리쳤습니다. 「내 누나 미리
암이 문둥병에 걸렸구나! 하나님의 벌이야.」 모세도 크게 놀
랐습니다. 모세는 큰 소리로 기도를 했습니다. 「하나님, 나의
하나님, 저의 누나를 낫게 해주소서.」

칠 일 동안 미리암은 하얗게 변한 몸으로 지냈습니다. 칠
일 동안을 미리암은 천막 밖에서 기다려야만 했습니다. 미리
암은 부끄러워서 어쩔 줄을 몰랐습니다.

이스라엘 사람들은 미리암이 다시 건강해질 때까지 하세롯에서 기다렸습니다. 그런 다음에야 그들은 천막을 거두어 가던 길을 계속해서 갔습니다. 가고 또 갔습니다.

가데스란 곳의 오아시스 부근에 머물 때 모세는 모든 남자 어른들을 성스러운 천막으로 불러 모았습니다. 「하나님이 내게 하신 말씀을 들어 보시오. 이제 곧 여행은 끝이 나오. 우리 눈앞에 보이는 바란 사막을 건너면 하나님이 약속하신 땅이 시작될 것이오. 우리는 열두 명을 미리 보내 그 땅을 알아보게 할 것이오. 그러니 우리 이스라엘 민족의 열두 지파(支派) 가운데서 각각 한 명 씩이 뽑아 보내 주시오.」

이렇게 말한 뒤 모세는 열두 지파의 이름을 일일이 불렀습니다. 그 지파의 이름들은 야곱의 열두 아들들의 이름을 따서 지어졌습니다. 르우벤, 시몬, 레위, 유다, 단, 납달리, 갓, 아셀, 잇사갈, 스불론, 요셉 그리고 막내 베냐민이 그들이었습니다.

열두 명의 남자들은 여행을 떠날 준비를 했습니다. 「가나안 땅으로 가시오! 가서 그곳 사람들이 강한지 약한지, 그리고 덩치가 큰지 작은지를 알아보고 오시오. 또 도시와 마을들은 어떻게 지어져 있는지를 보고 오시오. 땅은 기름진지도 살펴봐야 합니다. 가나안 땅에선 과일들이 얼마나 잘 자라는지 알 수 있게 그것들도 좀 따가지고 오시오.」

40일이 지난 뒤에 열두 명의 남자들은 돌아왔습니다. 아이들은 환호성을 지르며 돌아온 어른들을 둘러쌌습니다. 여자들은 오랜만에 다시 노래를 불렀습니다. 그들은 미리암의 노래를 불렀고, 미리암은 다시 작은 북을 두들겼습니다.

가나안 땅에 앞서 다녀온 사람들이 가져온 엄청나게 커다란 포도송이를 보면서 사람들은 모두 놀라고 또 좋아했습니다. 그들은 석류열매와 무화과도 가져왔습니다.

그들은 미리 가본 가나안 땅에 대해서 이렇게 이야기했습니다. 「그곳은 정말이지 젖과 꿀이 흐르는 땅이었어요. 하지만 들어 보세요! 도시는 암벽 위에 세워져 있고 높은 담벽으로 둘러싸여 있어요. 보초들이 서 있는데 모두들 크고 힘이 세어 보였어요. 거인처럼 보이는 사람들도 있더군요. 그 사람들과 비교하니 우리는 메뚜기처럼 왜소해 보였어요.」

그러자 이스라엘 사람들은 한탄하며 아우성치기 시작했습니다. 「이스라엘로 돌아가는 것이 낫지 않을까요?」 이렇게 말하는 사람들도 있었습니다. 「그래요, 새 지도자를 뽑아서 돌아갑시다! 이제 알게 됐잖아요. 모세는 우리가 어떤 곳으로 가게 된다는 걸 말해 주지 않았어요.」

하지만 가나안을 보고온 여호수아와 갈렙은 입고 있던 옷을 찢어 버렸습니다. 그것은 이스라엘 사람들에게 자신들의 슬픔을 보여 준 것입니다. 「모두들 용기를 잃어버렸습니까? 여러분은 제정신을 잃었습니까? 여러분이 그 아름다운 나라를 보기만 했더라면! 그곳에 도착하면 하나님이 우리를 도와주실 거라고 믿을 수는 없습니까?」

모세와 아론은 모든 사람들이 보는 앞에서 땅바닥에 몸을 던져 엎드린 다음 하나님께 용서해 달라고 빌었습니다.

여자들과 미리암이 부르던 노랫소리는 이미 멈춘 지 오래였습니다.

그러자 하나님이 다시 모세에게 말씀하셨습니다.

「이 민족은 왜 나를 믿지 못하느냐? 얼마나 더 오래 나를 하찮게 여기려느냐? 나는 이 민족을 죽이지는 않겠으나, 벌을 주어야겠다. 이 민족은 지금부터 39년 동안을 더 사막에서 헤매야 하리라. 너희는 양을 치면서 이리저리 떠돌아다녀야 할 것이다. 언제까지인가 하면, 지금 이집트로 돌아가려고 하는 사람들이 모두 늙어 죽을 때까지이다.」

얼마 지나지 않아 아말렉 사람들과 가나안 사람들이 이스라엘 사람들을 다시 사막으로 내쫓아 버렸습니다. 이스라엘 사람들은 또다시 모래가 날리는 사막을 떠돌아다녀야 했습니다. 잠을 잘 천막과 성스러운 천막을 쳤다가는 다시 거두고 길을 떠나는 생활을 계속하였습니다.

그들은 짐승들을 몰고 다녔습니다. 짐승들에게 풀을 뜯길 목초지를 찾아 돌아다녔습니다. 그들은 하나님과 맺은 약속의 〈궤〉를 내내 갖고 다녔습니다. 그들은 39년 동안 떠돌아다녔고, 이집트에서 태어난 아이들은 자라서 큰 남자와 여자가 되었으며 그러다가 할머니와 할아버지가 되었습니다.

이스라엘 사람들이 이집트를 떠난 지 40년이 되었습니다.

많은 사람들이 그 동안에 늙어 죽었습니다. 미리암과 아론 도 더 이상 살아 있지 않았습니다.

모세는 120살이 되었습니다. 모세는 자기도 가나안 땅에 들어갈 수 없다는 것을 알았습니다. 「하나님이 나를 그분 곁으로 부르십니다.」 모세는 사람들에게 말했습니다. 「여호수아가 여러분의 지도자가 될 것이오. 하나님께서 그렇게 하라고 하셨소.」

늙은 모세는 성스러운 천막 앞에서 긴 노래를 한 곡조 불렀습니다. 하나님과 이스라엘 민족을 위한 노래였습니다. 「사람은 그분을 거듭 떠날지라도 하나님은 사람을 결코 버리지 않으시네.」 노래는 이렇게 시작되었습니다. 그의 노래는 계속 되었습니다.

하나님이 하시는 일은
새들의 왕인 커다란 독수리와 같네.
어린 새끼들이 나는 법을 배우려 하면
독수리는 공중에서 빙빙 돌고 있지.
새끼들이 아직 날개가 너무 작아
바닥으로 추락하기라도 하면
독수리는 커다란 날개를 펼쳐서
밑에서 새끼 독수리들을 받아 주네.
하나님은 바로 이런 분.
하나님의 뜻은 우리에게 좋은 것.

모세는 두 팔을 펼쳤습니다. 모세는 이스라엘 사람들에게 축복의 말을 하였습니다.

늙은 모세는 혼자서 느보 산으로 올라갔습니다. 높이, 더 높이 올라갔습니다. 모세는 과실들이 풍성한 요단 계곡을 보았습니다. 도시 여리고를 보았고 바다가 시작되는 곳까지 보았습니다. 모세는 생애에서 마지막으로 하나님의 음성을 들었습니다. 「저곳이 너의 민족이 자식을 낳고 손자에 손자까지 살게 될 땅이니라. 이제 너는 그곳을 두 눈으로 직접 보아도 된다.」

모세는 눈으로 모든 것을 마음에 새겨 둘 듯 바라보았습니다. 들과 나무의 초록, 강물의 푸름, 먼 도시의 윤곽들을. 모세는 그 모든 것들을 볼 수 있어서 행복했습니다. 모세는 두 눈을 감았습니다.

모세는 죽었습니다. 그리고 하나님 곁으로 갔습니다.

아무도 모세를 더 이상 보지 못했습니다. 하지만 사람들은 그가 죽어 하나님 곁에 있다는 것을 알았습니다.

이스라엘 사람들은 30일 동안 모세의 죽음을 슬퍼하며 울었습니다. 그들은 슬픔의 노래를 불렀습니다. 여자들은 미리암에게 배워 둔 박자로 작은 손북을 두들겼습니다.

이제 여호수아가 이스라엘 사람들을 약속된 땅, 젖과 꿀이 흐르는 땅으로 이끌어 갔습니다.

민수기 11~14장, 20장, 신명기 31~34장

81

모세가 죽은 뒤에는 여호수아가 이스라엘 사람들의 지도자가 되었습니다.

마침내 이스라엘 사람들은 약속된 땅으로 들어갔습니다. 어린아이들도 수없이 많이 들어본 땅이었습니다. 하나님이 이끌어 주신 곳, 그 땅에선 나무들에 맛있는 과일들이 달렸습니다. 넓은 밭과 갖가지 색으로 물든 들판이 있었습니다. 하지만 이곳에는 벌써 다른 민족이 살고 있었습니다. 이스라엘과는 말도 다르고 하나님도 다른 민족입니다.

단단한 성벽으로 둘러싸인 도시들이 있었습니다. 그 도시들에 살던 사람들은 겁이 났습니다. 「사막에서 온 저 낯선 민족은 여기서 뭘 하려는 걸까? 여긴 저 사람들이 살 자리가 없다. 그러니 내쫓아 버려야겠다!」 결국 이스라엘 사람들은 전쟁을 벌였습니다. 이스라엘 민족은 곡식과 과일이 잘 자라는 살기 좋은 나라에 살고 있던 민족과 싸웠습니다.

여호수아의 지휘를 받아서 이스라엘의 열두 지파들은 이제 그들이 차지한 나라를 나누어 가졌습니다. 이제 모든 이스라엘 지파들이 자기 땅을 갖게 되었습니다. 그들은 르우벤, 시몬, 레위, 유다, 잇사갈, 스불론, 단, 납달리, 갓, 아셀, 요셉 그리고 막내 베냐민 지파들이었습니다.

여호수아가 죽고 난 뒤 이스라엘에는 모세나 여호수아처럼 위대한 지도자가 없습니다. 하지만 하나님은 필요할 때마다 이스라엘 민족을 한데 불러 모으고 위험한 전쟁을 이끄는 지도자를 보내 주십니다. 하나님은 제사장과 예언자와 사사도 보내 주셔서 모든 이스라엘과 각각의 지파들을 이끌고 다스리게 하십니다.

이제는 이스라엘이 된 〈약속된 땅〉에서 일어난 일들을 이야기하겠습니다. 사람들은 이제 사막에서 방황하던 시절을 거의 잊었습니다. 이스라엘 사람들은 대부분 농부로 살아갔습니다. 사람들은 밭과 자기 집을 갖게 되었습니다.

그런데 하나님께 잘못을 저지르는 사람들이 자꾸만 생겨났습니다. 그들은 다른 민족의 우상들을 섬겼습니다. 그리고 이렇게 말하기도 했습니다. 「원래 이 땅의 신은 바알이었다. 바알 신이 이 좋은 땅을 이토록 기름지게 만든 게 아닐까? 그러니 우리도 바알 신에게 기도를 하는 게 마땅할 것이다.」

〈나는 나이다〉라고만 말씀하시는, 눈에 안 보이는 하나님을 믿는 것은 어려운 일입니다. 하나님은 이스라엘 민족에게 좋은 일을 해주셨지만, 사람들은 너무 쉽게 잊어버렸습니다.

두 친구, 나오미와 룻

여자 둘이 천천히 시골길을 걸어가고 있었습니다. 그 여자들은 등에 무거운 짐을 진 탓인지 몸을 구부리고 걸었습니다. 그들의 발은 먼지투성이였습니다. 분명 먼 길을 걸어온 것이었습니다.

두 여자는 지쳐서 길가에 앉아 쉬었습니다. 노파가 말했습니다. 「부끄럽구나. 늙고 가난한 내가 아이도 없이 고향에 돌아가다니.」

젊은 여자는 가까이 다가와 말없이 노파의 어깨에 손을 얹었습니다. 노파의 흐느낌이 멎었습니다. 한참 동안을 말없이 앉아 있던 노파가 눈길을 들어 젊은 여자를 보았습니다. 「그래, 룻아, 내겐 네가 있었구나. 너는 언제나 나와 함께 있어 주었지. 먼 길을 내내. 참으로 고맙구나!」

다시 조용한 시간이 흘러갔습니다. 노파가 말을 이었습니다. 「너에게는 힘든 시간이 될 것이다. 너는 여기선 낯선 사람이니까 말이야. 하지만 우리가 힘을 합치면 되지 않겠니?」

여자 둘은 서로 등짐을 챙겨 준 다음 다시 천천히 길을 갔습니다. 멀리에서 작은 마을이 보였습니다. 노파가 말했습니다. 「저기가 바로 베들레헴이야. 내 고향이지.」

한 늙은 남자가 길을 가고 있었습니다. 여자 둘이 걸어간 그 길이었습니다. 뒤에 오던 남자는 점점 여자들과 가까워졌습니다. 늙은 남자의 발걸음은 여자들보다 빨랐습니다. 그는 짐을 실은 나귀를 몰고 걸었습니다. 그는 잠깐 고개를 숙여 보이곤 두 여자를 지나쳐 갔습니다.

그런데 갑자기 늙은 남자가 걸음을 멈추었습니다. 그는 몸을 돌려 여자들을 쳐다보더니 무엇에 놀란 듯 우뚝 섰습니다. 그는 되돌아와 늙은 여자의 얼굴을 유심히 보며 이렇게 말했습니다. 「혹시 나오미 님 아니시오? 모압 땅에서 돌아오는 길이에요? 그동안 어떻게 지낸 거요, 당신은? 또 남편과 아들들은 어떻게 되었소?」

나오미도 옛 이웃 남자를 금방 알아보았습니다. 나오미는 젊은 여자의 팔을 꼭 붙들었습니다. 금세 울음이 터질 것 같았습니다. 「모압 땅에서는 잘 지냈지요.」 노파가 말했습니다. 「이곳에선 큰 흉년이었다지만 우린 먹을 게 충분했지요. 하지만 남편과 아들들은 모두 죽고 없어요. 그래서 고향 땅으로 돌아가는 거랍니다.」

남자는 또 누구인지 궁금한 듯 젊은 여자 쪽을 바라보았습

니다. 「이 아이는 룻이라고 합니다.」 나오미가 말했습니다. 「내 아들의 처였지요. 남편을 잃고 말았지만. 이제 저와 함께 지냅니다.」

「모압 사람이라고요? 그럼 모압 땅에선 어떤 신을 믿었나요?」 늙은 남자는 조롱하듯 말하며 룻을 자세히 살펴보았습니다. 머리에서 발끝까지, 그리고 발에서 머리끝까지 말입니다.

룻은 세차게 고개를 저었습니다. 나오미가 말했습니다. 「내 며느리는 이스라엘의 하나님을 섬깁니다.」 룻도 이렇게 덧붙였습니다. 「이스라엘의 하나님은 저의 하나님이기도 합니다. 어머님께서 가시는 곳이면 저도 함께 가고요. 저도 이스라엘 사람이 되고 싶습니다.」

늙은 남자는 믿기 어렵다는 듯이 고개를 저었습니다.

그런데 며칠이 지난 다음에 남자는 더욱 놀랄 수밖에 없었습니다. 두 여자를 몰래 엿보던 남자는, 나오미에게 옛날에 살던 집과 아무것도 심겨져 있지 않은 밭이 있다는 걸 알게 되었습니다. 그런데 놀랍게도 룻은 첫날 저녁에 벌써 보자기 가득 낟알들을 담아 집으로 들어가는 것이었습니다. 룻은 나

오미 앞에 보자기를 펼쳐 놓으며 환히 웃었습니다. 나오미도 그걸 보고는 기뻐하였습니다.

룻은 온종일 이삭들을 모았습니다. 룻은 주인이 밭에서 수확한 다음에는 가난한 사람들이 흩어져 있는 남은 이삭들은 가져가도 된다는 걸 알고 있었습니다. 「부자인 보아스 님이 저에게 하루 종일 이삭을 모아가도 된다고 하셨어요. 그분은 저에게 먹을 것과 마실 것도 주셨어요. 정말 친절하신 분이더군요.」 룻이 낮의 일을 이야기했습니다.

나오미는 낟알들을 한데 모아 낡은 맷돌로 갈기 시작했습니다. 그러면서 이렇게 말했습니다. 「그래, 보아스 님은 우리 친척이란다. 앞으로도 그분에게 가서 이삭들을 모아 오너라. 그분은 네게 아무런 해도 끼치지 않을 거다. 네 남편과 내 남편의 친척이니까 말이야.」

룻은 날마다 이삭을 모아 왔습니다. 룻은 힘든 일을 하면서도 행복했습니다. 〈얼마나 다행인지 모르겠어.〉 이렇게 룻은 혼자서 말했습니다. 〈보아스 님은 들판에서 나더러 그분과 또 일꾼들과 함께 쉬고 또 먹고 마시자고 하셨지.〉

어느 날 룻은 부자 농부인 보아스에게 물었습니다. 「왜 저에게 이렇게 친절하게 대해 주세요? 저는 한갓 이방인에 불과한데요.」 그러자 보아스가 대답했습니다. 「너는 좋은 일을 했지 않느냐. 너는 나오미 님과 함께 왔다. 네 부모님과 고향을 떠나서 시어머니와 함께 이곳까지 오지 않았느냐? 네가 나오미님에게 얼마나 다정히 대하는지는 내가 보았다. 그래서 나도 너에게 좋은 일을 하고 싶은 것이란다.」

두 여자는 먹을 것이 충분했습니다. 하지만 나오미는 곧잘 슬픈 기분에 빠지곤 했습니다. 두 아들이 죽었기 때문이었습니다. 게다가 손자나 손녀도 없었습니다. 나오미는 너무 늙어서 아이를 낳을 수가 없었습니다. 하지만 룻은 아직 젊었습니다. 그렇다면 나오미가 또 결혼을 해야 할까요?

나오미와 룻을 살펴보던 이웃 남자는 룻이 일을 아주 잘한다는 걸 알았습니다. 그는 그제서야 얼마 전에 자기가 룻을 비웃어 준 일을 후회했습니다. 이제는 그도 룻을 돕고 싶은 마음이 생겼습니다. 그래서 그는 어느 날 두 여자에게 말을 붙였습니다. 「우리 풍속이 원래 그렇지 않소? 젊은 과부라면 남자 쪽 친척과 혼인을 해서 함께 밭을 일구며 살면 좋을 것이오. 여기 베들레헴에서 가장 가까운 친척이 누구지요?」

나오미도 벌써 오래전부터 그런 일을 생각해 오던 터였습니다. 하지만 그녀가 떠올린 사람은 젊지 않았습니다. 게다가 룻이 새로 결혼을 하려고 들까요? 모압에서 태어난 여자인 룻이?

그러던 어느 날 밤, 나오미는 며느리에게 자기가 가장 아끼던 고운 옷을 내주었습니다. 나오미는 룻의 머리를 빗겨 주고 목덜미에 향기로운 기름을 발라 주며 이렇게 말했습니다. 「보아스 님에게 가거라. 그분의 침실 앞에서 그분이 다 먹고 마실 때까지 기다려라. 그러면 그분은 네가 그분과 결혼할 뜻이 있음을 아시게 될 것이다.」

룻은 가까스로 용기를 내었습니다. 그래서 저녁에 혼자 보아스의 집으로 찾아갔습니다. 날은 어두웠습니다. 아무도 그녀를 보는 사람은 없었습니다. 룻은 겁이 나지는 않았습니다. 보아스는 선량한 사람이었기 때문입니다.

보아스는 룻을 보고 기뻐했습니다. 「젊은 남자들을 쫓아가지 않고 나한테 와주다니. 네가 얼마나 고운지 모르겠구나. 나도 너와 결혼하고 싶단다. 그런데 나는 네 죽은 남편의 가장 가까운 친척이 아니란다. 그러니 나와 결혼하려면 우선은 내가 그 사람에게 물어봐야만 한다. 내일 성문 앞에서 내가 그 사람을 기다렸다가 물어보겠다.」

가까운 친척이라는 사람은 룻에 관해서 별로 알고 싶어하지도 않았습니다.

그래서 보아스는 룻의 새 남편이 되었습니다.

나오미와 룻은 작은 집에서 보아스의 커다란 농가로 이사를 했습니다. 두 여자의 이웃 남자도 이 사실을 알고는 기뻐해 주었습니다. 베들레헴 새로 사귄 사람들은 모두 룻을 좋아했습니다. 사람들은 룻이 모압 땅에서 태어난 이방인이라는 사실을 잊었습니다.

얼마 지나지 않아서 룻은 아이를 가졌습니다.

룻은 아들을 낳았습니다.

나오미는 행복했습니다. 나오미는 더 이상 사람들 만나기를 꺼리지 않았습니다. 베들레헴 사람들은 나오미와 함께 아이를 낳은 것을 기뻐해 주었습니다. 사람들은 말했습니다. 「당신의 어여쁜 며느리 룻이 아이를 낳았군요. 룻은 보통 아들 일곱보다도 나은 여자예요.」

나오미는 마치 자기가 낳은 것처럼 룻의 아이를 사랑스럽게 품에 안았습니다.

룻과 보아스의 아들은 오벳이라고 했습니다. 오벳의 아들은 이새가 될 것입니다. 이새의 손자는 다윗이 될 것입니다.

그러므로 룻은 다윗 왕의 증조할머니가 되는 셈이었습니다.

룻기

이스라엘의 왕들

한나가 아이를 낳다

라마다임에 사는 엘가나는 가족과 함께 실로로 갔습니다. 그곳에서 기도를 하고 제물을 바치기 위해서였습니다. 그는 해마다 가장 중요한 가을 제사 때가 되면 이렇게 했습니다. 그는 실로에서 소 한 마리를 잡았습니다.

모두 원을 그리고 둘러앉았습니다. 한나만 고기를 두 쪽 받았습니다. 먹음직스러운 냄새가 풍겼지만 한나는 먹지 못했습니다. 그녀는 말없이 앉아 있었고 두 눈엔 눈물이 맺혀 있었습니다.

다른 이들의 접시는 벌써 비었습니다. 「우린 모두 고기를 한 조각씩 밖에 못 받았는데, 너는 두 조각을 받고도 불만이냐?」 엘가나의 또 다른 부인인 브닌나가 자식들을 데리고 맞은편에 앉아 있었습니다. 브닌나의 눈은 자랑스럽게 빛났습니다. 그녀는 한나가 왜 슬퍼하는지 알고 있었습니다. 알면서도 한나를 괴롭히고 싶었던 것입니다. 「사실 고기 두 쪽을 받을 사람은 나야. 난 아들과 딸이 있지만, 넌 하나도 없잖아.」

이제 한나는 소리내어 울었습니다. 그랬습니다. 한나의 가장 큰 슬픔은 바로 그것이었습니다. 그녀에겐 자식이 없었던 것입니다. 하지만 두 여자의 남편인 엘가나는 한나의 어깨를 안으며 이렇게 말했습니다. 「한나, 난 당신을 사랑하오. 내가 가장 사랑하는 사람이 바로 당신이오. 내가 당신에게 열 명의 아들보다 낫지 않소?」

하지만 한나는 가만히 있었습니다. 그녀는 말없이 사원으로 들어갔습니다. 〈하나님 곁에 있고 싶다! 하나님께 빌어야겠다! 어쩌면 나를 도와주실지도 모르니까.〉

한나는 서둘러 사원의 안으로 들어가 무릎을 꿇었습니다. 「하나님. 저를 보세요. 저를 도와주십시오.」 그녀는 흐느껴 울었습니다. 「하나님, 제가 왜 슬픈지 하나님은 아실 것입니다. 위대하신 하나님, 제발 저를 도와주십시오! 저에게 아들을 하나 보내 주시면 저는 그 아이를 갖지 않고, 하나님께 바치겠습니다. 그 아이가 성전에서 하나님을 섬기도록 하겠습니다.」

제사장인 엘리는 한 기둥 옆의 의자에 앉아 있었습니다. 그 자리는 성전의 가장 안쪽으로 통하는 문에서 멀지 않았습니다. 엘리는 고개를 저었습니다. 〈이 여자는 뭘 원하는 것일까?〉 그녀는 입술을 움직이고 있었습니다. 그녀는 무릎을 꿇고 흐느껴 울었습니다. 하지만 그녀의 목소리는 들리지 않았습니다. 왜 그녀는 소리를 내지 않는 거지? 왜 다른 사람들처럼 큰 소리로 하나님께 기도하지 않을까? 「이보시오, 여인네!」 엘리는 큰 소리로 부르며 손을 한나의 어깨에 얹었습니다. 「술을 너무 많이 마셔서 취하기라도 했소? 왜 입술은 움직이면서 말소리는 내지 않는 거요? 술을 마셨다면 깰 때까지 이 성스러운 사원에서 나가 있으시오!」 그러자 한나가 대답했습니다. 「아니에요, 저는 술을 마시지 않았습니다. 다만 너무나 불행한 나머지 혼자서 슬퍼했을 뿐입니다. 하나님께 저의 슬픔과 소원을 말씀드리려고 했습니다. 하나님은 큰 소리로 말하지 않아도 저의 마음을 헤아려 보십니다.」 엘리는 한나의 얼굴을 보더니, 고개를 끄덕였습니다. 그러더니 한나에게 이렇게 말했습니다. 「그럼 안심하고 돌아가시오! 하나님이 당신을 돌봐 주실 것이오. 하나님은 분명히 당신의 소원을 이루어 주실 것이오.」

한나는 이제 울지 않았습니다. 음식도 먹었습니다. 〈어쩌면 내게도 사라와 같은 일이 일어날까? 아이를 낳을지도 모르잖아.〉 한나는 웃을 수도 있게 되었습니다. 그녀는 이제 브닌나가 괴롭혀도 더 이상 귀를 기울이지 않았습니다. 엘가나도 사랑하는 아내의 눈빛이 명랑해진 것을 보고 기뻐했습니다.

1년이 지난 뒤 한나는 정말로 아이를 낳았습니다. 아들이었습니다. 한나는 사무엘이라는 이름을 주었습니다. 사무엘은 〈하나님께 빌어서 얻은 아이〉라는 뜻이었습니다.

한나는 하나님께 찬양하는 노래를 바쳤습니다.

하나님을 생각하면
내 마음 한없이 기뻐라.
저를 도우시는 하나님,
당신은 바위처럼 강하십니다.
굶주린 사람 배불리 먹이시고
자유롭게 하여 주시지요.
아이가 없는 여자에게는
아들을 낳게 하여 주시고,
가난한 사람에게는
힘이 센 왕처럼 잘해 주십니다.
저를 강하게 만드시는
하나님, 오직 당신뿐입니다!

한나는 몇 년 동안은 남편이나 다른 여자들과는 달리 실로의 제사에 가지 않았습니다. 「사무엘과 집에 있겠어요.」 한나는 이렇게 말했습니다. 그녀는 실로의 성전에서 만난 제사장 엘리에 대해서, 그리고 무엇보다도 하나님의 사무엘에 대해서 이야기했습니다. 한나는 잊지 않고 있었습니다. 〈곧 사무엘과 함께 실로에 가야겠어. 엘리 제사장에게 가야지.〉 내 아들은 하나님께 봉사하는 사람이 될 거야.

몇 년이 지나 사무엘은 충분히 자랐습니다. 사무엘은 엘가나와 한나와 함께 실로에 갔습니다. 그들은 하나님께 바치는 희생 제물과, 제사장을 위한 술과 빵을 준비했습니다. 사무엘은 힘이 셌습니다. 그는 밀가루 자루를 짊어졌습니다.

한나는 혼자서만 성전의 엘리 제사장을 찾아 갔습니다. 이번에는 슬퍼서 간 것이 아니었습니다. 「저를 기억하시는지요?」 한나가 물었습니다. 「저는 몇 년 전에 여기서 울며 기도했던 바로 그 여자입니다. 제사장님은 제가 술에 취했다고 하셨지요. 그때 저는 하나님께 빌었습니다. 그러자 하나님께서는 저에게 아들을 주셨습니다. 사무엘이 저의 아들입니다. 오늘 저는 그 아이를 여기에 데려왔습니다. 사무엘은 이 성스러운 곳에서 하나님을 섬겨야 할 아이입니다. 옛날에 제가 하나님께 기도를 하면서 그렇게 하겠다고 약속했습니다.」

한나는 밖으로 나와 사무엘에게 갔습니다. 그리고 아들을 꼭 껴안았습니다. 그리고 그녀는 아들 사무엘을 엘리 제사장에게 데려갔습니다.

해마다 한나는 실로에서 아들 사무엘을 만났습니다. 사무엘은 한나의 큰 자랑이었습니다. 해마다 그녀는 아마로 제사장이 입는 것과 같은 옷을 짜서 아들에게 갖다 주었습니다. 사무엘이 입는 옷은 해마다 더 넓고 길어져야 했습니다. 한나는 아들이 입을 옷에 금실로 수를 놓았습니다. 아들이 입을 옷을 만들면서 한나는 아들 사무엘을 생각했고, 또한 그녀를 도우신 하나님을 생각했습니다. 이후 한나는 아들 셋과 딸 둘을 더 낳았습니다.

사무엘상 1장, 2장

사무엘

사무엘은 성전에서 살았습니다. 그리고 엘리 제사장을 도왔습니다. 엘리는 매우 늙었고 앞을 못 보았습니다. 그래서 걸을 때면 사무엘이 부축해 주었습니다. 엘리는 사무엘을 믿었습니다. 엘리의 아들들은 아버지를 속이곤 했습니다.

「앞마당은 깨끗한가?」 늙은 제사장이 젊은 사무엘에게 물었습니다. 「가장 성스러운 장소는 잘 잠겨 있겠지?」 「네.」 사무엘은 속삭이듯 대답했습니다. 사무엘은 그곳에 〈여호와의 궤〉가 보관되어 있다는 걸 알고 있었습니다. 모세가 시내 산에서 하나님에게 받아온, 계명이 적힌 석판들이 거기에 있었습니다. 모세는 하나님이 선택하신 분이었습니다. 하나님은 모세와 이야기를 나누셨습니다.

「성전의 불은 잘 타고 있느냐?」 엘리 제사장이 물었습니다. 「네. 잘 타고 있습니다. 그리고 다른 곳은 모두 캄캄합니다.」 사무엘이 대답했습니다. 「그럼 누워서 자거라.」 엘리 제사장이 말했습니다. 사무엘은 한구석에 요를 펼쳤습니다. 그러고는 곧 잠이 들었습니다. 그런데 잠시 후 그는 깜짝 놀라서 눈을 떴습니다. 「사무엘, 사무엘」 하고 부르는 음성이 들렸습니다.

사무엘은 서둘러 성전의 넓은 방을 지나 엘리 제사장에게 뛰어 갔습니다. 성스러운 등불만이 일렁이며 빛나고 있었습니다. 「제가 여기에 왔습니다. 저를 부르셨지요?」 그러나 엘리 제사장이 이렇게 대답했습니다. 「어서 가서 자거라.」

사무엘은 다시 잠자리에 누워 순식간에 잠이 들었습니다.

하지만 다시 〈사무엘, 사무엘〉 하고 부르는 소리에 두 번째로 깨어나 엘리 제사장에게 달려 갔습니다. 「제가 여기에 왔습니다. 저를 부르셨지요?」 하지만 엘리 제사장은 이번에도 아까처럼 대답했습니다. 「난 너를 부른 일이 없다. 다시 가서 자거라.」 사무엘은 다시 잠자리에 들었습니다.

세 번째로 사무엘은 엘리 제사장에게 달려가 이렇게 말했습니다. 「저는 분명히 들었습니다! 제사장님께서 저를 부르셨지 않습니까? 제가 뭘 해야 할까요?」 엘리는 사무엘을 부르지 않았기에 이렇게 대답했다. 「사무엘, 이제야 알겠구나. 너를 부르신 건 하나님이시다. 그분이 너와 얘기를 하시려는 것 같구나. 네 잠자리로 돌아가거라. 그리고 하나님이 다시 네 이름을 부르시거든, 이렇게 대답해라. 〈하나님, 말씀하십시오. 당신의 종이 듣고 있습니다〉 하고.」

다시 사무엘을 부르는 소리가 들려왔습니다. 하나님은 사무엘에게 이렇게 말씀하셨습니다. 「엘리와 그의 아들 둘은 모두 죽으리라. 두 아들은 성전에서 일해야 할 처지인데도, 말과 행동이 바르지 못하다. 그들은 하나님을 모른다. 그들이 희생 제물의 가장 좋은 부분을 차지해도 엘리는 말리지 않았다.」

아침이 되어 사무엘은 성전의 문을 열었습니다. 이때 그의 마음속에선 종소리가 울리고 노래가 흘러나오는 것 같았습니다. 「하나님이 나와 말씀하셨다. 나는 하나님의 목소리를 들었다.」 사무엘은 행복했습니다. 그런데 엘리가 사무엘에게 하나님께서 무슨 말씀을 하셨냐고 물었습니다. 사무엘은 잠시 망설였지만, 결국 얘기를 하고 말았습니다. 엘리는 슬픔에 잠겼습니다. 「내 삶이 곧 다할 것이다. 어떤 일이 일어날

지는 하나님만이 아실 뿐이다.」

사무엘은 거듭 하나님의 음성을 들었습니다. 곧 이스라엘의 단부터 브엘스바, 북쪽에서 남쪽까지 어디서든, 실로에 있는 한 젊은이에게는 하나님이 곧잘 나타나신다는 것을 알게 되었습니다. 하나님이 사무엘을 통해 온 민족에게 말씀하신다고 사람들은 말했습니다. 그들은 하나님의 뜻을 알기 위해 사무엘에게 찾아왔습니다. 「사무엘은 예언자다.」 사람들은 말했습니다. 「그가 우리보다 하나님의 뜻을 잘 아니까 우리의 재판관이 되어야 마땅하다.」 이렇게 말하는 사람들도 있었습니다.

블레셋 사람들과 전쟁을 할 때 이스라엘 사람들은 실로의 〈여호와의 궤〉를 옮겨 갖고 다녔습니다. 사람들은 그 상자가 자기들을 보호해 줄 거라고 믿었습니다. 하지만 블레셋 사람들이 전쟁에서 이겼습니다. 수천 명의 이스라엘 사람들이 죽었습니다. 엘리의 두 아들도 죽었습니다. 엘리는 〈여호와의 궤〉가 적군의 손 안에 떨어졌다는 말을 듣자마자 죽었습니다. 의자에 앉아 있다가 그 소식을 듣는 순간 놀라서 뒤로 넘어졌고, 그대로 목이 부러져 죽었던 것입니다.

사무엘은 나이가 들었습니다. 여러 해가 흘러갔습니다. 이미 블레셋 사람들은 오래전에 〈여호와의 궤〉를 돌려주었습니다. 그들에겐 그 상자가 아무 소용도 없었던 것입니다. 오히려 그 상자는 불행만 가져다 주었습니다.

여전히 이스라엘은 사나운 적들의 위협을 받았습니다. 사람들은 특히 블레셋 사람들을 겁냈습니다. 「어떻게 하면 좋을까?」 사람들은 두려움에 떨면서 이렇게 물었습니다.

「어떻게 하면 좋겠습니까?」 사람들은 예언자 사무엘에게 물었습니다. 사무엘은 언제나 똑같이 대답했습니다. 「당신들은 하나님을 잊었습니까? 눈에 안 보이는 막강하신 하나님을? 그분이 우리를 돕고 지켜 주실 것입니다. 여러분이 남몰래 바알 신에게 빌고 있다는 것을 나는 압니다. 여러분은 바알이 날씨와 자연을 다스리는 주인이라고 믿고 있지요? 나는 여러분이 쇠로 만든 작은 바알 조각상을 천막 안에 세워 둔 걸 보았습니다. 또 여러분은 작은 여신들에게도 빌더군요. 〈아스다롯이여, 우리를 도우소서〉라고 하지요. 적군이 쳐들어오거나 아이를 낳을 때 혹은 곡식이 잘 자라지 않을 때마다 여러분은 우상에게 빕니다. 하지만 그것들은 가나안 사람들의 신들이라는 걸 모릅니까? 여러분은 이스라엘의 하나님, 여호와께 기도해야 합니다!」

이스라엘 사람들은 한숨을 내쉬었습니다. 그들도 하나님만 섬기고 싶은 마음이 있었습니다. 「우리도 하나님을 충실히 섬기고 싶습니다. 하지만 볼 수도 만질 수도 없는 분을 믿는 게 너무 힘들어요. 그러니 사무엘이여, 우리를 도와주세요.」

그래서 사무엘은 어느 날 이스라엘 사람들을 미스바로 불러 모아놓고 이렇게 말했습니다. 「성대한 예배를 드리기로 합시다. 우리는 금식을 하고 기도를 할 것입니다. 하나님을 위해 희생 제물을 태우고, 그분께 도와 달라고, 우리 가까이에 계셔 달라고 빌 것입니다.」 사무엘이 희생 제물을 바치고 기도를 하는 동안에 많은 사람들이 그를 둥글게 둘러싸고 서 있었습니다. 사람들은 눈에 보이지 않는 하나님을 생각했습니다. 그러면서도 그들은 귀로는 먼 곳에서 블레셋 족속이 전쟁을 하겠다고 위협하는 소리를 들었습니다. 이스라엘 사람들은 여전히 두려움을 떨쳐 버릴 수가 없었습니다.

그순간 하나님은 천둥 번개를 치시며 엄청난 폭우를 쏟아부으셨습니다. 폭풍우는 바로 블레셋 사람들에게 휘몰아쳤습니다. 그러자 블레셋 사람들은 놀라 숨거나 바닥에 엎드렸습니다. 아예 도망가 버리는 사람들도 있었습니다. 이스라엘 사람들을 그들을 뒤쫓아 갔습니다. 갑자기 블레셋 사람들을 손쉽게 이겨 버린 것입니다.

이스라엘에는 오랜 시간 동안 평화가 찾아왔습니다. 하지만 사무엘은 해마다 나라 안을 돌아다니며 이스라엘 사람들에게 하나님을 섬기라고 말했습니다. 그는 사람들을 모아놓고 희생 제물을 바치고 기도를 했습니다. 그의 고향인 라마다임에도 제단을 만들었습니다.

사무엘상 2~7장

우리는 왕을 원한다

「제가 왕이 되어야 한다고요?」 사울은 웃음을 터뜨렸습니다. 그는 늙은 사무엘과 마주 보고 서 있었습니다. 그의 얼굴로 천천히 기름방울이 떨어졌습니다. 사무엘이 작은 기름병을 그의 머리 위로 기울였던 것입니다. 유명한 예언자인 사무엘이 사울을 껴안은 뒤 이렇게 말했습니다. 「그대는 이스라엘의 왕이 될 것이오. 이것은 하나님의 뜻이다. 그대는 이스라엘을 이끌고 적으로부터 해방시키게 될 것이오.」

사울은 사무엘의 말을 믿을 수가 없었습니다. 「저는 그저 한 농부의 아들에 불과한데요.」 사울이 말했습니다. 「제가 온 것은 아버지가 잃어버린 암나귀들을 찾기 위해섭니다. 저는 사무엘 님께서 그 나귀들이 어디에 있는지 아실 거라고 생각했지요. 당신은 하나님의 사람이시니까요. 그런데 저를 왕으로 만드시겠다고요?」 「그대가 찾는 나귀들은 벌써 집으로 돌아가 있소.」 사무엘이 말했습니다. 「가시오! 가는 도중 그대는 한 무리의 예언자들을 만나게 될 것이오. 그 예언자들 앞에서 음악을 하는 사람들이 하프와 북과 피리와 수금을 연주할 것이오. 그러면 예언자들은 손뼉을 치고 하늘을 우러르면서 음악에 맞춰 춤을 출 것이오. 그대가 예언자들을 보면, 하나님의 성령이 그대를 가득 채울 것이오. 그러면 그대 또한 손뼉을 치고 하늘을 바라보고 춤을 출 것이오. 그리고 당신은 새로운 사람이 될 것이오.」

사울은 생각에 잠겼습니다. 「우리는 왕이 필요하지 않소.」 언제나 이렇게 말한 사람은 바로 예언자 사무엘이 아니었던가. 「하나님만이 우리의 왕이시오.」 그런데 이제 나보고 왕이 되라고?

집으로 가던 중에 사울은 뚜렷한 음악소리를 들었습니다. 하프와 북과 피리와 수금으로 연주하는 소리였습니다. 사울은 몸을 움직이며 노래하기 시작했습니다. 그는 하늘을 바라보았고 춤을 추었습니다. 그 모습을 본 사람들은 놀라워했습니다. 〈저 뻣뻣한 젊은 농부가 예언자가 되어 버렸나?〉 사울의 마음속이 어떤 느낌으로 가득 채웠습니다. 〈하나님이 내 심장을 바꾸어 놓으셨다. 하나님은 나와 함께 계신다.〉

집에 도착한 사울은 나귀들이 우리 속에 있는 것을 보았습니다. 과연 사무엘은 모든 걸 알고 있었습니다. 하지만 사울은 아무에게도 사무엘이 자신에게 기름을 부어 준 이야기를 하지 않았습니다.

얼마 후 사울은 아버지 기스와 함께 미스바로 갔습니다. 「사무엘이 이스라엘 사람들을 모두 불러 모았단다.」 아버지가 말했습니다. 「너도 이젠 많이 컸으니 한 번 가서 보면 좋을 게다. 어쩌면 오늘 우리의 왕을 보게 될 것이다. 다른 민족들처럼 우리도 왕이 있었으면 좋겠구나.」 「하나님이 우리의 왕이 아니신가요?」 사울이 걱정스러운 듯이 묻자 아버지는 대뜸 이렇게 대답했습니다. 「너도 알잖니. 우리 주위의 민족들은 우리보다 힘이 무척 세단다. 왕이 전쟁을 이끌기 때문이다. 그들과 맞서 싸우려면 우리도 왕이 필요하단다.」 〈하나님이 전쟁을 바라실까요?〉 사울이 속삭이듯 말했지만 아버지는 아들의 말을 들은 것처럼 말했습니다. 「원하든 원하지 않든 전쟁은 일어난다. 우리가 맞서 싸우지 않으면 적들은 우리의 계곡에 쳐들어와 목초지를 빼앗아 버릴 거다.」

사울은 아무 말도 하지 않았습니다. 사울은 겁을 내고 있었습니다. 〈정말로 내가 왕이 되어야만 할까?〉

미스바에 도착하니 예언자 사무엘이 수많은 이스라엘 사람들 앞에서 설교를 하고 있었습니다. 「우리를 도와주시는 하나님을 잊지 마시오. 하나님은 우리를 사나운 왕들로부터 구하셨소.」 그때 누군가 사무엘의 말을 막으며 이렇게 소리쳤습니다. 「하지만 지금 우리는 왕을 원하고 있소!」 「그래요, 우린 왕이 필요하오.」 사람들이 이구동성으로 외쳤습니다.

그러자 사무엘이 큰 소리로 외쳤습니다. 「하나님께서 나에게 말씀하셨소. 이스라엘 백성들이 그토록 왕을 원한다면, 왕을 세워 주어라. 하지만 여러분이 왕을 원한다면, 그 왕에게 땅과 포도밭을 바쳐야 할 것이오. 또 마차와 젖소와 나귀도 바쳐야 할 것이오. 왕은 시중을 들어 줄 종이 필요할 것이오. 또 여러분은 왕과 함께 전쟁에 나가고, 그에게 복종해야 할 것이오.」 그러자 한 사람이 이렇게 말했습니다. 「그래도 좋으니 우리에게 왕을 세워 주시오.」 그리고 모든 사람이 한목소리로 똑같이 말했습니다. 「우리는 왕을 원하오.」

이때 사울은 뭘하고 있었을까요? 그는 마차 뒤에 몸을 숨기고 있었습니다. 사울의 목소리가 들렸습니다. 「제비뽑기로 왕이 선택될 것이오. 하나님께서는 여러분이 올바른 선택을 하도록 도와주실 것이오.」 그러자 갑자기 조용해졌습니다. 사무엘은 모든 지파들에게 앞으로 나와 서도록 했습니다. 그들은 수천 명의 남자들이었습니다. 베냐민 지파가 뽑혔습니

다. 베냐민 지파에서 왕이 나올 것이었습니다. 사무엘은 베냐민 지파에 속하는 모든 가문들 가운데서 가장 나이가 많은 사람들만 앞으로 나오게 했습니다. 그들 가운데서 기스의 가문이 뽑혔습니다. 마지막에는 사울이 선택되었습니다. 「사울이 왕이 된다. 사울이 왕이다.」모두들 외쳤습니다. 그런데 사울은 정말 어디에 있었을까요?

마침내 사람들은 사울을 발견했습니다. 그리고 사울을 자세히 바라보았습니다. 사울은 젊고 아름다운 청년이었습니다. 힘이 넘쳐 보였습니다. 그가 자리에서 일어서자 다른 남자들보다 머리 하나는 더 큰 것을 사람들은 멀리서도 알아보았습니다. 사람들은 환호성을 지르며 기뻐했습니다. 「우리의 사울 왕 만세!」

사울은 계속 농부로 살아갔지만 모든 사람들이 그를 왕으로 여겼습니다.

한번은 사울이 밭일을 마치고 집으로 돌아올 때였습니다. 사울의 이웃들이 모두 집 앞마당에 서 있었습니다. 그들은 사울을 기다렸던 것입니다. 사람들은 울고 있었습니다. 그들은 이렇게 한탄했습니다. 「사울 왕이여, 우리를 도와주시오!」사람들이 소리쳤습니다. 한 남자가 말했습니다. 「저는 야베스 도시에서 몰래 도망쳐 나왔습니다. 암몬 사람들이 도시를 빙 둘러싸고 있었죠. 암몬 사람들은 우리가 원한다고

해도 우리와 평화롭게 지낼 태세가 아닙니다. 암몬 사람들은 우리 야베스에 사는 사람들의 오른쪽 눈을 도려내겠다고 했습니다. 암몬 사람들은 우리 이스라엘 사람들보다 힘이 셉니다. 왕이여! 우리를 도와주시오! 그들은 7일 동안만 시간을 주겠다고 했습니다. 그 다음엔 그놈들이 우리 야베스 도시로 몰려 올 것입니다.」

사울 왕은 몸을 곧게 세웠습니다. 과연 사울 왕은 다른 모든 사람들보다 키가 컸습니다. 사울 왕은 속으로 생각했습니다. 〈이제 내가 이스라엘 사람들을 지휘할 때가 되었구나. 적들에게 포위당한 그 도시를 구해야 한다.〉 그는 계곡에 사는 모든 지파들에게 전령을 보냈습니다. 전령들은 사울 왕의 명령을 전했습니다. 「모두들 무기를 들고 모이시오. 즉시 출발해서 내일까지 와야만 하오. 사울 왕께서 여러분을 기다립니다. 우리는 야베스 도시를 구하려고 하오.」농부들은 사울 왕의 명령에 따랐습니다. 그들은 서둘러 사울 왕에게로 모여들었습니다. 그들은 사울 왕 앞에 길게 줄을 서서 기다렸습니

다. 왕은 모인 사람들을 셋으로 갈랐습니다. 밤이 되자 그들은 야베스 도시 근처로 다가갔습니다. 그리고 이른 아침에 암몬 사람들의 진영을 세 방향에서 공격했습니다. 해가 중천에 뜨기도 전에 적들은 모두 쫓겨가고 말았습니다. 야베스 도시는 이렇게 위험을 모면했습니다.

이스라엘 사람들은 사울과 사무엘과 함께 길갈에서 승리를 축하했습니다. 사무엘은 희생 제물을 바쳤습니다. 하나님께 대한 감사와 기쁨의 축제였습니다. 이제야 사울은 정말로 왕이 된 것 같았습니다. 모든 사람들이 사울을 경이로운 눈으로 바라보았습니다. 모든 사람들이 기뻐했습니다. 「우리의 왕 사울은 용맹하구나!」 사람들은 말했습니다.

예언자 사무엘은 늙어 기력이 없었습니다. 「여러분에겐 이제 내가 필요 없습니다. 여러분에겐 왕이 있습니다.」 사무엘은 말했습니다. 「하지만 잊지 마십시오. 하나님은 여러분에게 가장 높은 주인이십니다. 하나님께 믿음을 지키십시오. 하나님께 몸과 마음을 바치십시오. 왜냐하면 여러분은 꼭 왕이 필요하다고 말하면서 하나님께 잘못을 한 셈이기 때문입니다. 이제 하나님께 신호를 보내 달라고 기도하겠습니다. 그러면 여러분은 하나님이야말로 세상의 어떤 왕보다 강력하시다는 걸 알게 될 겁니다. 우리는 그분께 복종해야 한다는 것을 말입니다.」 그러자 맑고 푸른 하늘에서 천둥과 번개가 쳤습니다.

사울은 적들과 싸워서 언제나 이겼습니다. 시간이 지나자 그는 궁전같이 훌륭한 집을 갖게 되었습니다. 그는 날쌔고 용감한 남자들을 불러 모았습니다. 그들은 이제 농부나 목동이 아니라, 군인들이었습니다. 그들은 언제나 전쟁을 할 준비가 되어 있었습니다.

블레셋 사람들은 이스라엘의 적이었고 매우 강했습니다. 블레셋 사람들은 철을 다룰 줄 알았습니다. 블레셋의 장인들은 밭을 가는 쟁기와 괭이와 창을 만들었습니다. 이스라엘 사람들은 단단한 철로 만든 창도 없었고, 밭이 돌투성이라도 쓸 만한 쟁기가 없었습니다. 그래서 이스라엘 사람들은 블레셋 사람들에게서 철로 만든 도구들을 사야만 했습니다. 블레셋 사람들은 자꾸만 이스라엘 땅을 넘보고 침범해 왔습니다. 그러면 사울의 병사들은 동굴이나 구덩이나 좁은 계곡에 숨어 있곤 했습니다. 그들은 블레셋 사람들을 두려워했던 것입니다.

그런데 사울은 블레셋 사람들도 내쫓을 수 있었습니다. 사울의 아들인 요나단은 뛰어난 군인이었습니다. 그는 좁은 계곡을 통해 몰래 블레셋 사람들의 진영으로 기어들어 가서 여러 명을 죽이고 그들을 도망가게 했습니다.

사울은 하나님이 그의 주인이며 진정한 왕이라는 사실을 잊곤 했습니다. 그는 자만심이 생겼고, 갈수록 부유해졌습니다. 사울은 싸워 이긴 적들의 값진 보물과 살찌고 튼튼한 가축들을 자기가 차지했습니다. 그걸 본 사무엘은 이렇게 말했습니다. 「그것은 옳지 않은 행동이오. 당신이 한 일은 하나님의 마음에 들지 않았소. 하나님은 마음에 드는 다른 남자를 선택하셨소.」

이 말을 듣자 사울은 사무엘을 더 이상 만나지 않았습니다. 하지만 사울을 두려웠습니다. 두려운 나머지 병에 걸렸습니다. 그는 집에 틀어박혀 있을 때가 많았고, 아무하고도 얘기를 나누지 않았습니다. 〈하나님이 고르신 남자가 누구일까?〉 사울은 소리내어 묻지 않았습니다. 하지만 그는 알고 있었습니다. 그가 아닌 누군가가 왕이 될 것이었습니다. 그보다 하나님의 마음에 더 드는 어떤 남자가.

하지만 사울의 시종들은 이렇게 말했습니다. 「나쁜 유령이 우리 주인님을 괴롭히는구나.」 그들은 사울에게 물었습니다. 「왕이시여. 마음이 안 좋으시다면 악사를 불러 나쁜 유령을 쫓아 버리면 어떨까요?」 사울은 그러라고 했습니다. 그러자 한 시종이 이새의 막내 아들인 어떤 목동에 대해 얘기하였습니다. 「그는 하프를 연주하는 시인입니다. 노래도 부르지요. 그 젊은이라면 분명 도움이 될 겁니다.」

이렇게 해서 이새의 막내 아들은 사울에게 불려갔습니다. 그는 왕 앞으로 나서서 절을 했습니다. 그 젊은이는 자기 아버지의 선물이라며 빵과 염소 그리고 부대에 든 포도주를 가져와 바쳤습니다. 사울은 기뻤습니다. 하지만 선물을 받아서

기분이 좋은 것이 아니었습니다. 그는 붉은빛이 도는 금발머리를 한 젊은이를 보고, 그의 노래를 듣고, 그의 아름다운 용모를 보고 기분이 좋아졌던 것입니다. 사울은 젊은이가 몹시 마음에 들었습니다. 「너는 내 악사일 뿐 아니라, 내 무기를 드는 사람이 될 것이다.」 사울은 말했습니다.

사울은 젊은이와 함께 있는 동안에는 기분이 좋았습니다. 젊은이는 하나님에 대한 노래를 불렀습니다.

> 하나님은 나의 목자,
> 내게 필요한 걸 모두 주시네.
> 초록이 우거진 풀밭으로
> 맑은 샘물로 이끌어 나를 쉬게 하시네.
>
> 내게 어려움이 닥치고
> 캄캄한 어둠 속에 앞을 못 볼 때면
> 하나님은 내게 길을 보여 주시니
> 아무것도 걱정할 것 없어라.
>
> 하나님은 나의 목자, 내 곁에 계시네.
> 두려운 모든 것을 지팡이로 쫓아 주시네.
> 주님, 나의 하나님은 날 행복하게 하네.
> 그분의 집에서 살 수 있으니
> 내게 아무런 근심 걱정이 없어라.

시편 23장

사울을 위로하며 하프를 연주하고 노래를 부르는 젊은이의 이름은 다윗이었습니다. 늙은 예언자 사무엘은 다윗의 머리에도 옛날에 사울에게 했던 것처럼 기름을 부어 주었습니다. 사울이 두려워했던 그 남자가 바로 다윗이었습니다. 다윗은 하나님이 선택한 남자였던 것입니다. 다윗은 왕이 될 것이었습니다. 하지만 사울은 그 일을 모르고 있었습니다. 아직까지는요.

다윗은 일을 마치면 그의 아버지와 형제들 그리고 가축들이 있는 곳으로 돌아왔습니다. 다윗은 아직 어렸습니다. 사울이 힘들어 할 때만 다윗은 왕을 위로하기 위해 불려갔습니다.

사무엘상 8~16장

다윗

「다윗, 아버지께 가봐요. 당신이 필요하신가 봐요.」 다윗은 벌떡 일어났습니다. 그리고 양을 한데 몰아 다른 양지기에게 맡긴 뒤, 서둘러 부르러 온 사람을 따라 나섰습니다. 「아버지께 무슨 일이라도 생겼어요?」 다윗은 걱정이 되었습니다. 아버지 이새는 벌써 많이 늙으셨습니다. 「아버지는 괜찮으세요.」 이렇게 다윗을 찾아온 사람은 말했습니다. 「하지만 아버지는 당신이 필요하세요. 급한 일이죠.」

아버지 이새는 다윗에게 그의 세 형들이 사울 왕을 좇아 전투에 나갔다고 말했습니다. 이스라엘 사람들은 다시 블레셋 사람들과 싸워야 했습니다. 이스라엘과 블레셋 사람들은 골짜기에서 서로 대치하고 있었습니다. 「네 형들에게 이 빵과 그슬린 낱알과 치즈를 갖다 주어라. 배가 고플 테니. 그리고 형들이 무사한지를 알려 다오. 사람들 말이 블레셋 족속에는 아주 위험한 거인이 있다더구나. 크기나 힘에서 어떤 사람도 당해 낼 수가 없다고 하던데.」

다음날 새벽에 다윗은 길을 떠났습니다. 짐을 잔뜩 실은 나귀를 끌고 갔습니다. 다윗은 흥분하고 긴장했습니다. 다윗은 아직 어려서 전투에 나갈 수 없었습니다. 하지만 전쟁에 대해서는 여러 번 들었습니다.

다윗은 이스라엘 사람들의 수레와 천막을 쉽게 알아보았습니다. 그들은 계곡의 한쪽에 진을 쳤습니다. 계곡의 맞은편에는 적들이 초록과 파란색으로 진을 치고 있었습니다. 블레셋 사람들이었습니다! 다윗은 가슴이 두근거렸습니다. 〈그런데 사람들은 다 어디에 있는 거지?〉 사람들이 보이지 않고 사방이 조용하기만 했습니다. 겨우 보초 한 명만 남아서 이스라엘 군대의 수레와 천막을 지키며 돌아다니고 있었습니다.

갑자기 엄청난 함성이 공기를 진동시켰습니다. 다윗은 계곡 바로 아래쪽에서 수많은 병사들을 발견했습니다. 거기에서 이스라엘 병사들과 블레셋 병사들이 서로 맞붙어 있었습니다. 무기들이 번쩍거렸고 커다란 방패는 거울처럼 빛났습니다. 블레셋 진영 한가운데에서 한 거인이 앞으로 나아가는 중이었습니다.

다윗은 좀더 가까이에서 보기 위해 살살 앞으로 나아갔습니다. 거인의 투구가 햇빛에 반짝였습니다. 거인은 비늘갑옷과 다리보호대를 차고 있었습니다. 그의 창은 나무처럼 굵었고 끝에는 뾰족한 쇠가 달려 있었습니다. 깃발을 든 병사가 그 거인 앞에 가고 있었습니다. 거인은 위협적인 목소리로 이렇게 소리쳤습니다. 「아무도 나와 일 대 일로 싸울 용기가 없느냐? 사울의 노예들아! 너희 중 누구든 나와 싸워 이기면, 우리 블레셋의 사람들 모두에게 명령을 내릴 수 있도록 하마. 너희는 왕의 노예일 뿐, 참다운 군인이 아니다! 너희를 돕는다는 하나님은 살아 있기는 한 건가? 하하하.」 거인의 웃음소리가 골짜기에 메아리쳤습니다.

골리앗이라는 저 거인은 하루에 두 번씩 저렇게 소리를 친다고 다윗과 함께 싸움터를 바라보던 보초가 말했습니다.

이스라엘 병사들이 모두 진영으로 돌아왔습니다. 그들은 하나같이 겁을 먹은 얼굴들이었습니다. 다윗의 맏형인 엘리압도 마찬가지였습니다. 그는 다윗을 보더니 짜증을 냈습니다. 「잘난 척하려고 왔느냐, 다윗? 전쟁이 어떤지 한 번 맛을 보려고? 어서 네 얌전한 양들한테나 돌아가거라. 여긴 네가 올 데가 아니다.」

다윗은 형의 말을 듣고 몸을 돌렸습니다. 그런데 갑자기 다윗은 깨달았습니다. 「내가 골리앗과 싸우겠다.」 그는 큰 소리로 그 생각을 외쳤습니다. 이스라엘 병사들은 다윗의 말을 사울 왕에게 전했습니다.

사울 왕은 다윗을 자신의 천막으로 오게 했습니다. 「너는 아직 너무 어리다.」 사울이 말했습니다. 「골리앗은 경험이 많은 전사이다.」 그러자 다윗이 물었습니다. 「제가 힘이 세다는 걸 믿지 않으십니까? 제가 양을 돌보면서 하프를 연주하고 노래 부르기만 배운 것은 아닙니다. 저는 양을 해치는 곰과 사자도 죽여 보았습니다. 저에겐 굉장한 힘이 있습니다. 저는 던지기도 잘합니다. 그리고 하나님께서는 저를 보호해 주실 것입니다.」 「그러면 이 갑옷을 입어 몸을 보호하도록 해라.」 사울 왕은 말했습니다. 그는 다윗에게 자기가 전쟁에 나갈 때 입는 갑옷과 다리보호대, 그리고 손잡이가 금으로 만들어진 칼을 주었습니다. 하지만 너무 크고 무거워서 다윗은 그런 차림으로는 움직일 수가 없었습니다. 「저는 그런 복장에 익숙치가 않습니다.」 다윗이 말했습니다.

그 대신 다윗은 개울에서 다섯 개의 납작한 돌들을 골랐습니다. 다음 번 전투에서 대열들이 마주 섰을 때 다윗은 갑옷과 무기도 없이 서슴없이 거인 골리앗 앞으로 나아갔습니다. 다윗은 손에 돌팔매 끈과 돌이 든 작은 주머니만 둘러메고 있었습니다. 「이 작은 금발머리 꼬마 좀 보게나! 성난 개를 쫓을 때나 쓸 작은 막대기를 들고 오는구나!」 골리앗은 비웃었습니다. 다윗은 조금도 겁이 나지 않았습니다. 「나는 창과 방패를 갖지는 않았지만 하나님께서 우리 편에 서 계신다.」 다윗은 이렇게 말했습니다. 「하나님이 우리 민족을 구하기 위해 너를 죽일 힘을 주셨다.」

그러더니 다윗은 주머니에서 돌 하나를 꺼내어 돌팔매질로 골리앗의 이마 가운데를 맞추었습니다. 그러자 거인 골리앗은 쿵 하고 쓰러지고 말았습니다. 그가 입었던 갑옷이 철그렁 소리를 냈습니다. 거인은 창을 땅에 떨어뜨렸습니다.

블레셋 사람들은 자기 편의 거인이 죽자 도망가기 시작했습니다. 이스라엘 사람들은 환성을 지르기 시작했습니다. 함성은 점점 커졌습니다. 다윗의 형들도 기쁘고 동생이 자랑스러웠습니다. 사울은 이렇게 말했습니다. 「다윗아, 너는 이제 어린아이가 아니다. 넌 내 곁에 머물면서 군대를 이끄는 장수가 되어야 할 것이다. 내겐 너처럼 용맹한 남자가 필요하다.」

집에서 기다리던 이스라엘의 여자들의 기쁨은 컸습니다. 이번 블레셋 사람들과의 전투에선 단 한 명의 병사도 죽지 않았던 것입니다. 여자들은 춤을 추었습니다. 여자들은 음악을 연주했습니다. 새로운 노래였습니다.

사울은 위대한 왕,
수천 명의 적군을 쫓아 버렸네.
다윗은 더 훌륭하네.
수만 명의 적군을 쫓아 버렸으니.
수많은 적들과 골리앗, 골리앗을!

여자들은 이 노래를 부르고 또 불렀습니다. 사울은 처음에는 〈골리앗, 골리앗!〉 하는 소리만 듣고는 웃음을 터뜨렸습니다. 그러다 갑자기 사울은 굳어지고 말았습니다. 〈뭐라고? 다윗은 수만 명의 적군을 이겼는데, 나는 겨우 수천 명이라고? 내가 왕이 되어 다스린 동안에 겨우 그 정도였다고?〉 사울은 화가 났습니다. 〈내가 누군가? 바로 이스라엘의 왕이 아닌가? 내가 가장 강하고 뛰어난 남자가 아니란 말인가?〉

사울은 위대한 왕,
수천 명의 적군을 쫓아 버렸네.
다윗은 더 훌륭하네.
수만 명의 적군을 쫓아 버렸으니.
수많은 적들과 골리앗, 골리앗을!

사울은 저 노래를 더 이상 참고 들어 줄 수가 없었습니다. 사울은 질투심에 사로잡혔습니다. 〈그래, 나 대신 왕이 될 사람이 다윗이라는 말인가?〉

사울은 또다시 자기 방에 틀어박혀 있을 때가 많아졌습니다. 사울은 아무하고도 얘기를 나누지 않았습니다. 그리고 사울의 시종은 다시 전처럼 말했습니다. 〈나쁜 유령이 우리의 왕을 괴롭힌다.〉 다윗은 다시 하프를 들고 사울을 위로했습니다. 그가 아직 어렸던 전처럼 말입니다.

어느 날 사울은 갑자기 왕의 창을 움켜쥐었습니다. 그는 다윗을 찌르려고 했습니다. 사울은 다윗을 없애고 싶었습니다. 사울은 몸을 떨었습니다. 눈은 이글거렸습니다. 다윗은

왕이 아프다고 생각했습니다. 나쁜 유령이 왕을 괴롭힌다고 여겼습니다. 사울은 노래를 불러 주는 다윗에게 창을 날렸고, 다윗은 몸을 비켰습니다. 창은 벽에 박혔습니다.

사울도, 다윗도 몹시 놀랐습니다. 사울은 하나님이 다윗을 보호하신다고 믿게 되었습니다. 하나님이 자기를 떠났다고 생각했습니다. 그럼에도 사울은 다윗을 여전히 좋아했습니다. 사울도 다윗이 이스라엘 민족에게 기쁨을 안겨 준다는 것을 알고 있었습니다.

다윗은 사울의 딸과 결혼하였습니다. 다윗은 사울의 병사들 가운데 한 무리를 이끄는 장수가 되었습니다. 다윗은 병사들을 이끌고 앞장을 섰고, 그의 군대는 언제나 싸움에서 이겼습니다.

사람들은 피리와 작은 북을 연주하며 다윗의 노래를 거듭해서 불렀습니다. 그 노래는 온 이스라엘 민족에게 기쁨의 노래였습니다. 누구나 그 노래를 외우고 있었습니다. 〈골리앗, 골리앗〉 하는 외침이 사방에 메아리쳐 울렸습니다. 그리고 이제는 아무도 그 이름을 듣고 두려움에 떨지 않았습니다!

사울의 아들 요나단은 다윗의 가장 친한 친구였습니다. 요나단은 다윗에게 왕자의 망토와 활과 허리띠를 선물로 주기도 했습니다. 이것은 요나단의 우정의 표시였습니다! 그의 선물은 소리 없이 말하고 있었습니다. 〈다윗, 난 너의 편이란다. 할 수 있는 데까지 내가 널 도울게.〉

얼마 지나지 않아 다윗은 정말로 요나단의 도움을 받아야 했습니다. 요나단은 친구인 다윗에게 이렇게 말했습니다. 「다윗, 어서 도망쳐야 해! 이제는 영영 사울 왕을 떠나라. 숨거라! 내 아버지가 너를 죽이려고 하신다. 아버지는 밤낮으로 그 생각만 하신다. 이 일은 내겐 비밀이 아니다.」

처음엔 다윗은 늙은 예언자 사무엘에게 가서 피해 있었습니다. 그런 다음엔 산으로 숨어 들어갔습니다. 좁은 골짜기의 동굴이나 숨을 만한 곳으로 도망쳐 다녔습니다. 그런데 다윗을 좇아 모여든 남자들이 있었습니다. 그들도 사울 왕을 겁내 도망다니는 중이었습니다. 빚을 지고 갚지 못하는 사람들도 있었고, 그저 다윗을 흠모해서 함께 있고 싶어한 사람들도 있었습니다. 그래서 다윗은 시간이 지나면서 점점 많은 젊은 병사들을 이끌고 다니게 되었습니다. 모두들 무기를 지

니고 있었습니다. 그들 역시 블레셋 사람들과 싸웠고, 언제나 대장은 다윗이었습니다.

다윗은 바위산에 숨어 살았습니다. 사울이 다윗을 찾는다는 소문이 들렸습니다. 사울 왕이 3천 명의 병사들을 풀어 다윗을 찾으라고 했다는 것입니다. 숨을 만한 곳을 샅샅이 뒤진다고 했습니다.

어느 날 다윗은 자신을 따르는 남자들과 동굴 깊은 곳에 있었습니다. 〈조용히 해봐!〉하고 한 남자가 소리를 죽여 말했습니다. 「발소리가 들린다!」 순간 동굴 입구에 빛을 등지고 커다란 사람의 윤곽이 보였습니다. 산바람에 망토가 휘날릴 때마다 뭔가가 반짝거렸습니다. 그것은 금실로 수놓은 옷의 무늬였습니다! 그 사나이는 손잡이가 금으로 된 칼을 바닥에 꽂아 놓고 있었습니다. 〈사울 왕이다!〉 다윗은 한눈에 사울 왕을 알아보았습니다. 사울은 오직 혼자서만, 병사들의 보호도 없이 거기에 있었습니다.

왕은 동굴 입구에 쭈그리고 앉았습니다. 그의 망토가 작은 천막처럼 어깨에서 아래로 흘러내렸습니다. 「죽여요, 사울을 죽여 버려요.」 다윗의 친구들이 속삭였습니다. 다른 사람들은 그저 가만히 웃기만 했습니다. 하필이면 다윗의 동굴에서 왕은 급한 볼일을 보는 것이었습니다. 「하나님의 뜻이에요. 이런 기회는 다시 없죠. 하나님이 왕을 당신의 손아귀에 넘겨 주신 거라고요.」 다윗은 손짓을 해 친구들의 말을 막았습니다. 다윗은 친구들을 말려야 했습니다. 그래서 이렇게 말했습니다. 「아니오! 하나님은 내게 그런 옳지 않은 일은 하지 말라고 하실 거요. 사울은 여전히 나의 왕이고 주인이시오. 사울 왕은 하나님이 왕으로 정하시고 사무엘이 기름을 부은 분이오.」

다윗은 소리 없이 왕에게로 다가갔습니다. 그리고 사울 왕

이 동굴을 성급히 떠나기 전에 칼로 그의 망토 끄트머리를 잘라냈습니다. 산에서 부는 바람이 울부짖음처럼 들려왔습니다. 다윗은 금실로 수놓아진 부드러운 천을 주먹에 꽉 쥐고 있었습니다.

그러더니 다윗은 이제야 동굴 입구로 나섰습니다. 「왕이시여, 나의 주인이시여!」 다윗은 사울에게 외쳤습니다. 그러고는 무릎을 꿇고 이렇게 말했습니다. 「용서하십시오. 제가 당신의 망토를 한 조각 잘라냈습니다. 하지만 믿어 주십시오. 저는 나쁜 뜻을 품지 않았습니다. 당신을 동굴에서 죽일 수도 있었을 것입니다. 하지만 저는 알고 있습니다. 사울 왕께서는 하나님이 왕으로 정하신 분입니다. 그래서 사무엘이 기름을 부어 주신 분입니다. 저는 당신을 한결같이 존경합니다. 그런데 왜 왕께서는 저를 박해하십니까?」 다윗은 이렇게 말하면서 망토 조각을 높이 쳐들었습니다.

「이것은 다윗의 목소리가 아닌가?」 사울은 순간적으로 몸을 돌리며 바라보았습니다. 과연 다윗이 눈앞에 서 있었습니다. 사울은 눈물을 흘렸습니다. 사울은 여전히 다윗을 좋아했습니다. 그런데 왜 자꾸만 나쁜 마음을 먹게 되는 것일까요? 왜 사울 왕은 의심하면서 다윗을 쫓았던 것일까요?

사울은 마음이 맑아져서 이렇게 말했습니다. 「네가 나의 적이었다면, 나를 죽였을 것이다. 이젠 분명히 알겠구나. 너는 이스라엘의 왕이 될 것이다. 나보다 나은 왕이 될 것이다. 너의 아들과 손자들이 이 왕국을 물려받으리라. 나는 네게 한 가지만 부탁이 있다. 다윗, 내게 약속해 다오. 내가 죽은 뒤에 내 가족을 죽이지 말아 다오. 내게 맹세해 다오!」 다윗은 사울이 바라는 대로 맹세를 했습니다.

그런 다음 사울은 자기의 병사들에게 돌아갔습니다. 다윗은 그를 따르는 사람들과 여전히 산 속에 숨어 지냈습니다.

그런데 사울은 또다시 다윗을 쫓으라고 명령했습니다.

블레셋 사람들과의 싸움도 계속되었습니다. 길보아에서 벌어진 큰 전투에서 블레셋 사람들은 사울의 세 아들을 죽였습니다. 이스라엘 사람들은 피난을 떠났습니다. 사울 왕도 도망을 가다가, 블레셋 사람들에게 붙잡히기 전에 칼로 스스로 목숨을 끊었습니다.

사울이 죽었다고 다윗에게 사람이 가서 알려 주었습니다. 「사울 왕의 아들 요나단도 싸움터에서 죽었습니다.」

그 말을 듣자 다윗은 슬픔의 노래를 불렀습니다. 그것은 왕의 죽음과 무엇보다도 요나단의 죽음을 슬퍼하는 노래였습니다.

사울과 요나단,
아버지와 아들,
함께 싸우다
함께 죽었군요.
그대들은 독수리보다 날쌔고
사자보다 힘이 세었습니다.
그리고 요나단, 내가 사랑한 그대는
세상의 누구보다 내게 잘해 주었는데,
요나단 나의 친구여,
그대가 죽고 없으니
나는 얼마나 슬픈지 모른다오.

그런데 시간이 지난 뒤, 사울 왕의 다른 아들인 이스보셋은 다윗과 싸웠습니다. 이스보셋이 죽은 다음에야 다윗은 왕이 되었습니다. 모든 지파의 노인들이 다윗에게 와서 이렇게 말했습니다. 「그대가 우리를 다스려야 하오. 우리는 모두 당신을 왕으로 생각한다오. 하나님이 뜻하신 대로.」

이제 다윗에겐 다시 기름이 부어졌고, 그는 왕이 되었습니다. 이때 그의 나이는 서른 살이었습니다. 그리고 다윗은 40년 동안 왕으로 살아갑니다.

사무엘상 17~19장, 24장, 31장, 사무엘하 1장, 2장

밧세바

밧세바는 다른 젊은 예루살렘 처녀들과 함께 길가에 서 있었습니다. 「저 소리가 들려? 가까이 오나 봐.」 밧세바가 말했습니다. 「그래, 손북과 종소리구나. 이제 수금과 하프 소리까지 들려.」 「참 희한한 음악이네.」 곁에 있던 여자가 이렇게 말하며 고개를 저었습니다. 「그 이스라엘 사람들이 지나가는 걸 거야. 참 특별한 음악이다. 내 생각엔 그 사람들이 자기들 신의 마음에 들려는 뜻인 것 같아.」 밧세바는 기분이 들떴습니다. 하지만 곁의 친구는 이렇게 대답했습니다. 「난 집에 가야겠다. 난 이스라엘 사람들과 섞이고 싶지 않아. 다윗 왕에게도 관심없어. 사람들은 너나없이 그 왕을 칭찬한다지만 말이야.」 「나도 다윗 왕을 본 적은 한 번도 없어.」 밧세바가 말했습니다. 「하지만 그분의 집은 본 적이 있지. 그 집은 삼나무로 지어졌어. 두로의 왕은 우리 다윗 왕의 친구이지. 그래서 다윗 왕에게 나무와 일꾼들을 보내 주었어. 왕의 집을 치장하도록 말이야.」 「우리 다윗 왕이라고? 난 정말 가봐야겠구나. 난 다윗 왕을 보고 싶지 않아. 우린 이스라엘 여자가 아니니까. 어떻게 다윗 왕은 우리 시온성을 정복하고서 이스라엘의 도시로 만들 수가 있는 거니? 조금만 기다려 봐라. 다윗 왕은 아마 이 도시의 이름을 아예 다윗으로 고쳐 부르게 할 테니까.」

밧세바는 그 말을 듣고 마음이 혼란스러웠습니다. 하지만 그녀는 계속 기다렸습니다. 다윗 왕 일행의 행렬은 점점 가까이 다가왔습니다. 사람들의 환호성이 주변을 가득 메웠습니다. 「여호와의 궤다! 여호와의 궤!」 길가에 서 있던 사람들이 소리쳤습니다. 여섯 명의 남자들이 긴 막대기에 나무함을 싣고 천천히 앞으로 나아갔습니다. 이들 행렬 앞에서는 또 남자들이 아마포로 짠, 짧고 신기한 옷을 입고 춤을 추며 나아갔습니다. 가장 앞장 선 남자는 머리칼이 황금빛이었습니다. 그 남자는 누구보다도 열정적으로 춤을 추었습니다. 그는 춤을 추고 환호성을 지르며 몸을 빙그르르 돌리기도 했습니다. 「다윗! 제사장복을 입은 다윗 왕이시다!」 밧세바 옆에서 한 여자가 소리쳤습니다. 「다윗, 다윗 왕 만세!」 사람들이 한꺼번에 환호했습니다.

밧세바는 거리에서 행렬을 좇으며 앞으로 몰려나오는 여자들 몇몇에게 물어보았습니다. 「〈여호와의 궤〉라는 저 상자

는 무슨 물건인가요?」「우리의 계명이 들어 있는 상자예요. 하나님이 모세에게 내려 주신 계명이지요.」

예루살렘은 다윗 왕에 대한 이야기로 떠들썩했습니다. 다윗 왕이 이끌어 승리한 전쟁들. 또 다윗 왕이 부르는 노래들에 대한 이야기였습니다. 다윗 왕이 시를 지어 노래를 부르면, 온 이스라엘 사람들이 따라서 불렀습니다.

사랑합니다, 강하신 나의 하나님.
하나님은 나의 반석, 나의 요새.
하나님 곁에서 나는 안전합니다.
두려울 때 내 소리를 들어 주시고
너무도 사납고 위험한 적들로부터
날 지켜 주시는 분.
하나님은 나의 빛,
밤을 환히 밝혀 주십니다.
하나님과 함께라면
나는 장벽을 뛰어넘습니다.
믿는 이들을 하나님은
모두 방패처럼 지켜 주십니다.
하나님보다 굳센 자는 없습니다.
하나님, 당신을 찬미합니다.
다윗에게 기름을 붓고
그의 집을 지켜 주셨으니,
하나님, 당신은 나의 반석이십니다.

시편 18장

밧세바도 다윗 왕의 노래를 들었습니다. 이 노래가 젊은 그녀의 마음에 꼭 들었습니다.

또 다윗이 다리를 저는 사울 왕의 손자이며 요나단의 아들인 므비보셋을 불러 매일 왕자처럼 왕의 식탁에서 음식을 먹게 했다는 이야기도 있었습니다. 밧세바는 그 이야기를 여자 친구에게 해주었습니다. 「그 얘기 들어 봤니? 한 시녀가 있었는데 므비보셋이 어렸을 때 데리고 도망가다가 떨어뜨렸다지. 할아버지 사울 왕과 아버지 요나단이 블레셋 사람들과 싸우다가 죽었을 때였대. 다윗은 정말 훌륭한 왕이라고 생각하지 않니? 자기를 죽이려고 한 사울 왕의 손자를 그렇게 잘

돌봐 주다니. 다윗 왕은 네가 생각하는 것처럼 나쁜 사람이 아닌 것 같아.」

하지만 밧세바의 친구는 여전히 다르게 생각했습니다. 「그게 무슨 말이니? 다윗 왕은 므비보셋의 할아버지가 왕이었기 때문에 잘 대해 주는 것뿐이야.」 이 말을 듣자 밧세바는 다시 다윗 왕을 어떻게 생각할지 모르겠다고 생각했습니다. 하지만 밧세바는 두 눈으로 예루살렘이 달라지는 걸 보았습니다. 다윗 왕은 예루살렘에 아름다운 건물들을 많이 지었습니다. 다윗 왕은 부유했습니다. 또 아내도 여러 명이었고 아들도 많이 낳았습니다. 그리고 다윗 왕은 언제나 전쟁을 했습니다.

시간이 흘러 밧세바는 결혼을 했습니다. 그녀의 남편은 우리아라고 했습니다. 우리아는 왕의 궁전 근처에 살았습니다. 우리아는 병사로서 다윗 왕의 군대에서 지낼 때가 많았습니다. 그래서 우리아는 자주 젊은 아내 밧세바를 혼자 지내게 하곤 했습니다.

한번은 우리아가 요압이란 장수와 함께 암몬 사람들과 싸우러 나갔을 때였습니다. 다윗 왕은 전투를 명령하고 자기는 예루살렘에 머물러 있었습니다.

밧세바는 밤마다 옥상에서 몸을 씻었습니다. 그녀는 다른 여자들이 하는 것처럼 기름을 몸에 발랐습니다. 밧세바는 다윗 왕이 어느 날 밤 궁전의 옥상에서 자기를 보고 있다는 걸 몰랐습니다. 다만 멀리서 들려오던 다윗 왕의 노랫소리가 갑자기 끊긴 것을 이상히 여겼을 뿐이었습니다.

밧세바는 마음이 들떴습니다. 다윗 왕의 초대를 받고서 처음에는 기쁘게만 생각했습니다. 훌륭한 궁전 내부를 살펴볼 수도 있었습니다. 다윗 왕도 호감을 주었습니다. 하지만 곧 밧세바는 놀라게 되었습니다. 다윗 왕은 그녀를 껴안았습니다. 다윗 왕은 밧세바를 아내로 삼고 싶어했습니다. 하지만 그녀는 이미 결혼한 사람이었습니다. 그녀는 이렇게 생각했습니다. 〈이건 내 남편 우리아를 속이는 일이잖아. 어떻게 하면 좋지?〉 다윗은 왕이었습니다. 밧세바는 그를 거절하기 어려웠습니다. 다윗 왕은 밤마다 밧세바를 불렀습니다.

다윗 왕도 자신이 부정한 일을 한다는 걸 알았습니다. 〈우리아가 전쟁에서 돌아오면 뭐라고 할까?〉 다윗 왕은 장수 요압에게 사람을 보냈습니다. 「암몬 사람들과 싸울 때 우리아

가 위험한 자리에서 싸우게 하라!」 다윗은 비밀편지에 이렇게 써서 보냈습니다.

얼마 후, 예루살렘에는 이런 소문이 들렸습니다. 〈밧세바의 남편, 용감한 우리아가 암몬 사람들과 싸우다가 죽었다.〉

밧세바는 상복을 입고 다른 여자들과 함께 죽은 남편을 위해 슬픈 노래를 불렀습니다. 밧세바는 슬픔을 이길 수가 없었습니다. 그녀는 집을 떠나지 않았습니다. 밧세바는 다윗 왕이 남편을 죽음으로 몰고 갔다는 것을 몰랐습니다.

밧세바가 남편의 죽음을 넉 달 동안 슬퍼하고 나자, 다윗 왕은 그녀를 궁전에 들어와 살게 했습니다. 밧세바는 다윗 왕의 아내가 되었습니다. 그리고 아들을 낳았습니다. 다윗 왕의 아이였습니다.

밧세바는 궁전에서 비단 위에 누워 있었습니다. 밧세바는 아이를 낳고 요양을 하고 있었습니다. 그런데 다윗을 찾아온 사람이 있었습니다. 밧세바는 옆방에서 이야기를 엿듣게 되었습니다. 손님은 다름 아닌 예언자 나단이었습니다. 이스라엘 사람은 누구나 그를 존경했습니다. 「하나님이 나를 왕에게 보내셨습니다.」 나단이 다윗 왕에게 말했습니다.

「왕께 이야기를 하나 들려드리겠습니다. 어떤 마을에 두 사람이 살고 있었는데, 한 사람은 부자였습니다. 그 사람은 양과 소가 아주 많았고, 일꾼들도 거느리고 있었습니다. 그런데 이웃에 사는 자는 가난했습니다. 그는 가축 우리도 없었고 새끼양 한 마리밖에 없었습니다. 양과 가난한 사람과 그의 가족은 집에서 함께 살았습니다. 가난한 집 식구들은 그 새끼 양을 쓰다듬으며 귀여워했습니다.

그런데 어느 날 부잣집에 손님이 찾아 왔습니다. 그러자 부자는 이렇게 생각했습니다. 〈양을 잡아 손님에게 좋은 음식을 대접해야겠구나.〉 그런데 그는 자기 가축들을 잡기가 아까웠습니다. 〈내 가축들은 좀더 크면 시장에 내다 팔아 돈을 많이 받을 거야.〉 그렇게 생각하고는 부자는 가난한 이웃의 새끼양을 잡아 손님에게 대접했습니다.」

다윗 왕은 이야기를 듣자 화가 났습니다. 「그런 나쁜 놈은

죽어 마땅하다! 그 양 한 마리를 네 배로 갚아 이웃을 위로해야 할 것이다!」

나단은 귀를 기울여 들었습니다. 그러고는 이렇게 말했습니다. 「왕이여, 아직도 모르시겠소? 당신은 밧세바를 아내로 삼기 위해 우리아라는 이웃을 죽게 했습니다. 〈여호와의 궤〉에 들어 있는 하나님의 계명을 모르시오? 당신을 왕으로 만드시고 보호해 주신 하나님을 잊었단 말입니까? 밧세바를 아내로 삼고 그 남편인 우리아를 죽음으로 몰아넣은 게 하나님의 마음에 들것 같습니까? 사리를 따지자면, 이제는 왕께서 죽어야만 하오. 하지만 하나님은 당신이 죽기를 바라지 않으십니다. 하지만 왕의 가문에는 다툼이 끊이지 않을 것이고, 밧세바가 낳은 아이는 죽을 것이오.」

밧세바는 이 모든 얘기를 듣고 소스라치게 놀랐습니다. 그녀는 아이를 품에 꼭 안았습니다. 그녀는 자기가 들은 말을 믿을 수가 없었습니다. 하지만 그녀는 막막한 심정으로 아이가 병이 드는 것을 보아야 했습니다. 아이는 심하게 아팠습니다. 의사들도 손을 쓰지 못했습니다. 다윗은 한탄했습니다. 그는 음식을 먹지 않고 기도를 했습니다. 그는 울었습니다. 자신을 탓하고 아이가 병든 것을 슬퍼했습니다. 하지만 7일이 지나자 아이는 죽었습니다.

밧세바는 그제서야 울기 시작했습니다. 그녀는 통곡을 했습니다. 「하나님이 내리신 벌이야!」 그녀는 울부짖었습니다. 「나는 다윗의 궁전에 오지 말았어야 했어. 나는 우리아를 배반했지. 그래서 하나님이 벌을 내리신 거야!」

다윗은 밧세바를 달래려고 애썼습니다. 「당신은 내게 어떤 여자들보다 소중하오. 언제까지나 당신은 내게 가장 소중한 사람일 것이오.」 밧세바도 다윗 왕을 사랑했습니다. 사랑은 슬픔보다 강했습니다.

다음해가 되자 밧세바는 또 아이를 가졌습니다. 그녀는 크게 기뻐했습니다. 다윗 왕은 그 아이를 가장 사랑했습니다. 다윗 왕은 그 아이가 하나님이 선물로 주신 특별한 아이라고 생각했습니다. 그 아이는 하나님 가까이 있어야 할 거라고 생각했습니다. 그 아이는 하나님의 법을 배워야 할 것이었습니다. 그래서 다윗 왕은 아이가 크자 예언자 나단에게 보내 그의 곁에서 자라도록 했습니다.

다윗은 아들의 이름을 솔로몬이라고 지었습니다. 그런데 나단은 그 아이를 여디디야라고 불렀습니다. 그 이름의 〈하

나님이 사랑하시는 아이〉라는 뜻이었습니다. 다윗 왕은 밧세바에게 말했습니다. 「당신이 낳은 솔로몬이 나의 후계자가 될 것이오. 이스라엘의 왕이 될 것이오.」

밧세바는 다윗이 다른 아들들도 사랑한다는 것을 알게 되었습니다. 밧세바는 다윗 왕의 아들 압살롬의 소식을 자주 들었습니다. 밧세바의 친구들은 압살롬이 이스라엘에서 가장 아름답고 힘센 청년이라고 했습니다. 그는 사자와 같은 자신의 머리칼을 자랑스러워해서 1년에 한 번만 자른다고 했습니다. 그러면 잘린 머리카락이 한 바구니에 가득 찰 정도라고 했습니다.

압살롬은 형 암논을 죽인 죄로 오랫동안 추방을 당해야 했습니다. 그리고 이제야 예루살렘으로 돌아와도 되었습니다. 밧세바는 첫눈에 압살롬이 당당하고 힘찬 청년인 것을 보고 감탄하기도 했습니다. 하지만 밧세바는 곧 걱정이 되었습니다. 압살롬이 왕이 될 것 같았습니다. 그는 야심이 컸습니다.

아니나 다를까, 압살롬은 갈수록 많은 병사들을 자기의 주변에 모아들였습니다. 그러더니 나라 방방곡곡에서 나팔을 불며 이런 말들을 퍼뜨렸습니다. 「압살롬이 왕이다. 그가 다윗을 예루살렘에서 몰아낼 것이다. 밧세바와 나단 그리고 솔로몬은 예루살렘을 떠나야 할 것이다.」 압살롬은 자기를 따르는 사람들을 이끌고 아버지 다윗의 병사들과 싸웠습니다.

「내 아들의 군대를 꺾어야겠어.」 밧세바는 다윗이 장수 요압에게 이렇게 말하는 소리를 몇 번이나 들었습니다. 「하지만 내 아들 압살롬의 목숨은 살려두도록 해라.」 다윗의 군대는 승리를 거두었습니다. 압살롬은 나귀를 타고 도망갔습니다. 그런데 그의 머릿단이 상수리나무에 걸렸습니다. 나귀는 주인도 없이 계속 앞으로 달려 갔습니다. 압살롬은 상수리나무 가지에 매달린 채로 장수 요압에게 발견되어 칼에 찔려 죽었습니다.

다윗은 울부짖었습니다. 「압살롬, 내 아들, 내 아들아. 차라리 내가 너 대신 죽었더라면!」 밧세바는 이 소리를 듣고 다윗을 위로할 수가 없었습니다. 왕이 가장 사랑한 아들은 솔로몬이 아니던가? 왜 다윗은 저토록 슬퍼하는 걸까? 밧세바는 말없이 물러나왔습니다.

다윗은 이제 늙었습니다. 그리고 밧세바가 그토록 오래 기다린 일이 이루어졌습니다. 예언자 나단이 솔로몬을 예루살렘 바깥의 기혼 계곡의 샘까지 데려왔습니다. 그곳에서 솔로몬은 왕으로 기름 부어질 것이었습니다. 옛날에 사울과 다윗이 그렇게 되었듯이 말입니다.

솔로몬은 다윗 왕의 나귀를 타고 예루살렘으로 들어섰습니다. 이제 그를 위한 음악이 울려퍼졌습니다. 수금과 작은 북과 하프가 연주되었습니다. 사람들은 옛날에 다윗이 〈여호와의 궤〉 앞에서 춤을 추며 도시로 들어왔을 때처럼, 이번에도 환호하며 외쳤습니다. 「이번엔 내 아들 솔로몬을 위한 것이지!」 밧세바는 그 옛날처럼 다시 길가에 서 있었습니다. 그녀는 자랑스럽고 행복했습니다.

나중에 밧세바는 다윗 곁에 앉았습니다. 다윗은 자기가 곧 죽게 될 것을 알았습니다. 위대한 왕이자 가인(歌人)인 다윗은 마지막으로 하나님께 노래를 바쳤습니다.

나는 이스라엘의 왕이었네.
하나님께서
야곱의 하나님께서
내게 기름을 부어
왕으로 정해 주셨네.
나는 노래로 하나님을 찬미하네.
훌륭한 왕이라면 하나님께 복종하네.
그분은 비가 그친 뒤
아침에 떠오르는 태양처럼
지상의 풀과 나무를 반짝이게 하시네.
하나님께서는 나와 아들, 손자들과
영원할 약속을 맺어 주셨다네.
이렇게 이스라엘은 영원할지니.
하나님께서 도우시리라.

사무엘하 5장, 6장, 9장, 11~13장, 15장, 18장, 22장, 23장

솔로몬, 부유하고 지혜로운 왕

젊은 왕 솔로몬은 하나님께 희생 제물을 바치러 기브온으로 여행했습니다. 「하나님께 내가 왕이 되게 해주신 것을 감사해야겠다. 거기 가서 기도드릴 것이다. 기브온의 성소에서 나는 하나님 가까이 있게 될 것이다.」

곁에서 듣고 있던 소년은 솔로몬과 함께 가는 일이 기뻤습니다. 「그곳 높은 곳에서는 하나님을 보고 들을 수 있나요?」 소년이 물었습니다. 솔로몬은 고개를 저으며 웃었습니다. 「하나님이 눈에 보이고 귀에 들리는 것은 아닐 거야. 예언자들이라면 모를까. 그분들은 하나님의 목소리를 듣지. 하나님은 예언자들에게 어떤 일을 해야 하는지 말씀해 주신다. 이런 얘기를 나는 예언자 나단 님한테 들어서 알고 있지. 그분은 내 스승이셨어. 내겐 아버지 같은 분이시지.」

소년은 귀 기울여 들었습니다. 그들은 희생 제물을 바치고 오래 기도를 드렸습니다. 그리고 이제 소년은 잠을 자려고 솔로몬 옆에 누웠습니다. 소년은 주인에게 이불을 덮어 드렸습니다. 〈솔로몬은 나보다 나이가 그다지 많지 않아. 왕 노릇을 하는 건 힘든 일일까?〉

솔로몬은 잠에서 깨어 이불을 휙 던져 버렸습니다. 시중드는 소년은 깜짝 놀랐습니다. 「주인님, 어디 불편하세요?」 소년은 물었습니다. 하지만 솔로몬 왕의 얼굴은 기쁨으로 환히 빛나고 있었습니다. 솔로몬이 이야기했습니다. 「상상해 보렴. 꿈에서 하나님이 내게 말씀하셨단다. 하나님께선 〈솔로몬, 내가 네게 뭘 주면 좋겠느냐?〉 하시는 거야. 그래서 내가 대답했지. 〈오, 하나님. 저의 하나님. 저는 아버지처럼 이스라엘을 다스려야 합니다. 그런데 아직 나이가 많지 않습니다. 저는 왕의 일을 배우지 못했습니다. 그러니 제게 지혜를 주십시오. 무엇이 옳고 그른지를 잘 듣고 깊이 깨닫는 심장을 주십시오.〉 그러자 꿈속의 하나님이 내게 대답하셨어. 〈네 소원이 내 마음에 드는구나, 솔로몬. 너는 부자가 되게 해달라고 빌지도 않고, 오래 살고 싶다거나 네 적의 죽음을 원한다고 하지도 않았다. 나는 네게 지혜로운 심장을 주겠다. 너는 이전에 살았던 어떤 왕보다도 지혜로울 것이다. 하지만 나는 네가 구하지 않았던 것마저 선사하겠다. 나는 부유함과 명예를 너에게 주련다. 만일 네가 나의 계명을 지킨

다면, 너는 오래 살 것이다.〉 하나님은 내게 이렇게 말씀하셨구나. 꿈속에서.」

솔로몬은 기쁨에 겨워 한숨을 내쉬었습니다. 「이리 오렴.」 솔로몬은 소년에게 말했습니다. 「이제 예루살렘으로 돌아가자. 〈여호와의 궤〉 앞에서 우리는 한 번 더 희생의 제물을 바칠 것이다. 내 모든 시종들과 함께 나는 축제를 벌이겠다.」

훗날 소년 시종은 솔로몬 왕이 재판하는 것을 보았습니다. 소년은 솔로몬 왕을 위해 왕의 칼을 들어 드렸습니다. 그리고 그때 재판을 지켜보았습니다. 두 여자가 왕 앞으로 나섰습니다. 그들은 울며 뭔가를 하소연하고 있었습니다. 한 여자가 말했습니다. 「저희는 한 집에 삽니다. 제가 아기를 낳았는데, 저기 저 여자도 사흘 뒤에 아기를 낳았습니다. 그런데 저 여자의 아기는 한밤중에 죽고 말았습니다. 그러자 저 여자는 밤에 몰래 살아 있는 제 아기를 가져가고 죽은 자기 아기를 제 품에 안겨 놓았습니다.」

그러자 다른 여자는 곧 이렇게 대꾸했습니다.

「아닙니다. 죽은 것은 저 여자의 아기입니다. 살아 있는 아기는 원래 저의 것입니다.」 먼저 말을 했던 여자는 즉시 소리를 질렀습니다. 「내가 내 아기도 몰라볼 것 같으냐? 내가 낳은 아기가 살아 있는 거다!」 「아냐. 내 아기가 산 아기이다.」 이렇게 두 여자는 소란하게 싸웠습니다.

「칼을 다오.」 솔로몬 왕은 작은 소리로 소년 시종에게 말했습니다. 그러더니 모두가 듣는 가운데 큰 소리로 두 여자를 향해 말했습니다. 「너희가 모두 아기를 자기 것이라고 하니, 내가 그 아기를 반으로 나누어 주겠다. 아기를 데려오라.」

그러자 두 여자 중에 한 여자가 울부짖으며 이렇게 외쳤습니다. 「그건 안 됩니다. 차라리 아기를 저 여자에게 주십시오. 아기가 죽으면 안 됩니다.」 그런데 다른 여자는 이렇게 말했습니다. 「아기를 나누어 주십시오. 그게 공평합니다.」 그 말을 듣자 솔로몬은 이렇게 판결했습니다. 「아기가 죽으면 안 된다고 한 저 여인이 진짜 엄마다. 아기를 그녀에게 주어라!」

젊은 시종은 신기하여 눈을 크게 떴습니다. 그 자리에 있다가 솔로몬의 판결을 들은 사람들도 모두 왕의 지혜에 경탄을 금치 못했습니다. 「왕은 현명하시다. 우리의 젊은 왕은 현명한 재판관이시다. 하나님께서 왕과 함께하시는구나.」

소년 시종은 언제나 솔로몬을 시중 들면서 왕의 말에 귀를 기울였습니다. 소년은 솔로몬의 말과 노래를 듣고 오랫동안 생각에 잠기곤 했습니다. 소년은 가까운 곳에서나 아주 먼 나라에서 사람들이 찾아오는 것을 보았습니다. 사람들은 지혜로운 솔로몬의 말을 들으려고 찾아왔습니다. 솔로몬은 정의로울 뿐만 아니라, 나무가 자라는 일에 대해서, 그리고 짐승들에 대해서도 이야기를 했습니다. 솔로몬 왕은 그것들의 비밀을 알고 있었습니다.

찾아오는 사람들 가운데는 왕들도 있었는데, 그들도 솔로몬 왕에게는 절을 하고 선물을 바쳤습니다.

솔로몬은 두로의 왕과 계약을 맺었습니다. 「두로의 왕인 히람이시여, 나는 그대의 나라로부터 내가 원하는 대로 수천 그루의 송백나무와 전나무를 받겠소. 그리고 그대는 이스라엘의 밀과 기름을 받으시오. 우리나라는 땅이 기름지고 그대의 나라엔 훌륭한 숲이 있으니 말이오.」

소년 시종은 이 말도 귀담아들었습니다. 「존경하는 왕 솔로몬이시여, 값진 나무와 반짝이는 돌 그리고 황금은 무엇에 쓰려고 하십니까?」 「나는 하나님을 위해 성전을 지으려고 한다.」 왕은 엄숙한 목소리로 대답했습니다. 「도시의 북쪽 언덕에 네가 본 적이 없는 호화로운 성전을 지을 것이다. 단단한 벽에 나무를 대고 금과 조각들로 장식할 것이다. 성전엔 현관을 만들고, 두 개의 화려한 문을 통해 본당에 들어가게 하겠다. 여기서 우리는 하나님께 희생 제물을 바칠 것이다. 뒤쪽으로 또 하나의 값진 문을 지나면 가장 성스러운 장소가 나올 것이다. 그곳은 〈여호와의 궤〉를 모셔 둘 장소이고, 온통 조각들로 장식될 것이다. 가장 높은 제사장들만이 그곳에 들어설 수 있게 될 것이다.」

솔로몬은 기뻤습니다. 그는 모래에 그림을 그려 시종들에게 성전의 모양을 설명해 주었습니다. 「이 성전을 완성하려면 8년이 걸릴 것이다.」

성전은 정말로 8년이 걸려 완성되었습니다. 커다란 축제가 열렸습니다. 〈여호와의 궤〉는 성전으로 옮겨졌습니다. 솔로몬은 축제의 노래를 불렀습니다.

하나님, 당신은 하늘에 태양을 두셨습니다.
모든 것을 만드신 하나님.
하지만 하나님께서는
언제나 구름 뒤에 숨어 계십니다,
이제 하나님을 위한
궁전을 지었나이다.
그러니 하나님, 거하소서. 거하옵소서!
우리 곁에 계셔 주십시오!

이스라엘은 오랫동안 평화로운 시절을 누렸습니다. 솔로몬의 병사들은 전투를 할 필요가 없었습니다. 하지만 나무는

아직도 더 많이 필요했습니다. 레바논 산지에서 나는 곧고 값비싼 송백나무, 길이와 굵기가 똑같은 나무들이 필요했습니다. 소년 시종은 솔로몬 왕이 커다란 궁전을 지으려 한다는 걸 알았습니다. 성전보다도 큰 왕궁 말입니다.

왕궁은 송백나무로 기둥을 세운 커다란 방이 있어야 했습니다. 그 방의 이름은 레바논의 숲이라고 불릴 것이었습니다. 왕은 그 방이 숲 속 같았으면 좋겠다고 생각했습니다. 그런데 나무들은 전부 레바논에서 가져와야만 했습니다. 이 왕궁을 짓는 데는 13년이 걸렸습니다.

솔로몬은 충성스러운 시종에게 왕궁을 짓는 사람들을 지휘하고 감독하게 했습니다. 시종은 이제 500명의 관리들과 수천 명의 일꾼들에게 지시를 내려야 했습니다. 일꾼들은 불평할 때가 많았습니다. 그들은 마침내 나라에 평화가 찾아왔는데도 가족들이 있는 집으로 돌아가지 못하느냐고 했습니다. 그렇다면 이 호화로운 궁전이 다 무슨 소용이냐고 했습

니다.

하루는 스바의 여왕이 예루살렘에 왔습니다. 그 여왕은 번쩍거리는 망토를 걸치고 있었습니다. 그녀는 낙타 위에 앉아서 강한 향기를 풍기는 향로를 앞세우고 왔습니다. 여왕 뒤로는 낯선 나라의 남자들과 여자들이 긴 행렬을 이루고 왔습니다. 그들은 저마다 선물을 들고 있었습니다. 양념과 금, 보석들은 모두 솔로몬 왕에게 바치기 위해 가져온 것이었습니다.

스바의 여왕은 솔로몬에게 질문들을 던졌습니다. 그녀의 음성은 단호했습니다. 두 명의 시녀가 그녀 앞에 양피지 두루마리를 들고 서 있었습니다. 여왕은 자기 나라에서 솔로몬에게 던질 가장 어려운 질문들을 생각해 왔던 것입니다. 「당신이 정말로 가장 지혜로운 사람인가 알아보겠어요.」 그녀는 자신있는 말투로 말했습니다. 그러고는 솔로몬이 모든 질문을 맞게 대답하는 것을 알게 되었습니다. 그녀는 놀랐습니다. 여왕은 살아오면서 한 번도 지금처럼 놀란 적이 없었습니다.

뿐만 아니라 여왕은 황금으로 만들어진 잔과 솔로몬의 시종들, 맛있는 음식들, 화려한 건축물을 보고도 감탄할 수밖에 없었습니다. 「내 눈으로 보고 싶어서 왔어요. 그런데 사람들이 내게 이야기한 것보다 모든 게 훨씬 더 아름답군요.」 여왕은 솔로몬에게서 신기한 선물들을 받았습니다. 여왕은 시종들을 거느리고 자기 나라로 돌아갔습니다. 그리고 사람들에게 예루살렘에 사는 지혜롭고 부유한 솔로몬 왕에 대해 한껏 이야기를 풀어놓았습니다.

하나님은 두 번째로 솔로몬의 꿈에 나타나셨습니다. 솔로몬은 이번에도 꿈 이야기를 친구이자 건설 관리인이 된 옛 시종에게 털어놓았습니다. 「하나님께서 내게 말씀하셨어. 내 여자들과 아이들을 지켜 주시겠다고 말이야. 또 하나님은 내게 주신 계명들을 지키라고 하셨어. 무엇보다 중요한 건 다른 신들을 섬기지 않는 일이라고 하셨지.」 「왕이시여, 당신은 우리의 주인이신 하나님께 충실하셨습니다. 왕보다 더 하나님께 마음을 바치신 분을 저는 알지 못합니다.」 이렇게 옛 시종은 말했습니다. 그는 솔로몬 왕이 꿈 이야기를 들려준 걸 기쁘게 생각하였습니다.

솔로몬은 40년 동안 왕으로서 나라를 다스렸습니다. 그 동안 언제나 먼 나라에서 사람들이 찾아왔습니다. 그들은 어떤 왕도 솔로몬처럼 현명하고 부유하지 않다는 소문을 듣고 온 것이었습니다. 솔로몬은 700명의 여자들을 아내로 삼았습니다. 하지만 그가 가장 사랑한 첫번째 여자는 바로의 딸이었습니다.

솔로몬은 늙었습니다. 그의 주변에는 젊고 아름다운 외국 여자들과 먼 나라의 공주들이 많았습니다. 그 여자들은 다른 신들을 섬겼습니다. 그래서 늙은 왕은 젊은 여자들에게 좋은 선물을 하려고 금으로 작은 신상들을 만들어 주었습니다. 또 예루살렘 근방에서 시돈의 여신인 아스다롯에게 희생 제물을 바칠 수 있게 해주었습니다. 심지어 그는 모압 사람들의 신인 그모스를 위한 동굴과 암몬 사람들이 섬기는 밀곰 신을 위한 제대를 짓게 했습니다.

이런 일이 생기자 솔로몬 왕의 친구이자 건축 관리자인 옛 시종은 겁이 났습니다. 솔로몬은 하나님께 충성하지 않았습니다. 하지만 시종은 아무런 말도 하지 않았습니다. 그리고 솔로몬도 그에게 하나님이 뭐라고 하셨는지 얘기해 주지 않았습니다. 하나님은 솔로몬에게 이렇게 말씀하셨습니다. 「네가 내게 충성하지 않으므로, 네가 죽은 뒤에 이 나라는 사라질 것이다. 이 나라는 조각이 나고 다시 전쟁이 시작될 것이다.」

열왕기상 3~12장

얼마 후 솔로몬 왕은 죽었습니다. 그리고 솔로몬의 아들 르호보암이 왕이 되었습니다. 하지만 그는 길지 않은 기간 동안 나라를 다스릴 수 있었습니다. 열 개의 지파는 솔로몬의 아들을 왕으로 인정하지 않고 솔로몬의 아들이 아닌 여로보암을 왕으로 뽑았습니다. 르호보암에게는 예루살렘과 유다 지파와 베냐민 지파만이 남게 되었습니다.

이스라엘은 나뉘었고, 그대로 수백 년이 지났습니다. 그러는 동안에 이스라엘은 북쪽과 남쪽에서 각각 다른 왕이 다스리게 되었습니다.

예언자 엘리야

사르밧의 한 과부집에서

이스라엘과 이웃 나라들은 심한 식량난에 시달렸습니다. 2년이 넘도록 비가 내리지 않았습니다. 들판에는 곡식이 자라지 않았고, 짐승들은 먹을 게 없었습니다. 사람들은 굶주렸습니다.

그런데 시돈 지방의 사르밧의 어느 집에는 날마다 먹을 빵이 충분하게 있었습니다. 한 가난한 과부의 집이었습니다. 그녀는 어린 외아들과 살았습니다. 그런데 그녀의 집 다락방에는 이스라엘에서 온 한 남자가 머무르고 있었습니다.

「왜 저 사람은 우리 집에 숨어 있어요?」 아이가 물었습니다. 그 남자는 어쩐지 비밀스러웠습니다. 그러자 어머니는 이렇게 대답했습니다. 「엘리야 님이 우리 집에 오신 뒤로는 우리집 단지에서 밀가루가 떨어지지 않고 항아리에선 기름이 줄지 않는구나. 그래서 날마다 너와 그분 그리고 엄마가 먹을 빵을 구울 수 있단다.

땔감을 구하러 갔다가 저분을 만났지. 처음엔 두려웠단다. 〈물 좀 주시오.〉 난 저분의 말을 듣고는 이스라엘 사람이라고 생각했단다. 그 다음엔 내게 빵을 좀 달라고 하시더구나. 그런데 밀가루 단지엔 조금밖에 남은 게 없었고, 단지에도 기름이 몇 방울밖에 없었지. 그래서 난 이렇게 말했단다. 〈저와 제 아들이 먹을 마지막 빵을 구울 재료밖에는 남지 않았답니다. 그걸 먹고 나면 더 이상 먹을 게 없어서, 굶고 지낼 지경이랍니다.〉

엘리야 님은 내 말을 가만히 듣더니 이렇게 말씀하시더구나. 〈여인이여, 걱정할 것 없소이다. 내게 빵을 구워 준 다음에, 당신과 아들이 먹을 것을 또 구우시오.〉 그러면서 내게 밀가루와 기름을 건네주시더구나. 그런데 그게 아직도 남아 있지 않니. 너도 보았잖니, 아들아.」

아이는 엘리야에 대해서 계속 생각하였습니다. 「저분이 우리 집에서 밀가루와 기름이 떨어지지 않게 마술을 부렸을까요?」 어머니는 모르겠다는 듯이 어깨를 으쓱했습니다. 「모르겠구나. 하지만 저분이 눈에 안 보이는 신에게 기도하는 걸 들었단다. 날마다 옥상에 올라가서 말이다. 그리고 이런 말씀도 하시더구나. 이스라엘의 하나님이 날 보호해 줍니다. 그분은 강하십니다.」 그분은 계속해서 이런 얘기를 하셨다. 「사르밧에 와서 당신들을 만나기 전에 그릿의 개울에서 숨어

지냈습니다. 그때 까마귀가 먹을 것을 날라다 주었습니다. 아침엔 빵을, 저녁엔 고기를. 하나님이 까마귀를 내게 보내주신 것이었습니다. 물은 개울 물을 마셨습니다. 개울이 말라붙자 하나님은 내게 이곳으로 와서 당신을 만나라고 하셨습니다.」

아이는 또 생각에 잠겼습니다. 「그런데 엘리야 님은 왜 숨어 지내지요? 왜 고향인 이스라엘로 돌아가지 않아요?」 「저분은 아합이라는 왕을 피해 다니는 거란다. 아합 왕이 저분을 찾아내려고 사방으로 사람들을 보냈다는구나. 그건 엘리야 님이 아합 왕에게 듣기 싫은 말을 했기 때문이란다. 〈해가 가도 비가 내리지 않을 겁니다.〉 이렇게 말했다지. 〈굶주리게 될 것입니다. 그건 아합 왕이시여, 당신이 하나님께 등을 돌렸기 때문입니다. 당신의 하나님이고 나의 하나님이며, 이스라엘의 하나님이신 분에게 말입니다. 어째서 왕이신 당신의 아내 이세벨이 섬기는 바알을 위해 신전을 지어 주셨습니까? 이제는 비도 내리지 않고 이슬조차 맺히지 않을 것입니다. 모든 게 말라갈 것입니다.〉 엘리야는 아합 왕에게 이렇게 말했고, 그분의 말은 사실이 되어 나타났단다. 그래서 엘리야 님은 고향에서 멀리 떠나 이곳까지 오시게 된 거란다. 왕을 피해 숨으셔야 했던 거지.」

아이는 어머니의 말씀을 잘 귀담아들었습니다. 어머니는 몇 번이나 예언자 엘리야와 아합 왕, 이세벨과 바알 신전, 그리고 이스라엘의 하나님에 대해서 똑같은 얘기를 되풀이해 주어야 했습니다. 아이는 생각했습니다. 〈우리도 기도를 한다. 하지만 우리는 바알 신에게 하지. 사람들은 물을 달라고, 먹을 곡식을 달라고 기도를 한다. 여기 시돈의 땅 사르밧에도 비는 내리지 않는다. 그러면 어느 신이 더 힘이 셀까? 바알과 눈에 안 보이는 하나님 중에서?〉 「애야, 꿈이라도 꾸니?」 어머니는 몇 번이나 아들에게 묻곤 하였습니다.

어느 날 아이는 열에 들뜬 눈으로 누워 있었습니다. 어머니는 깜짝 놀랐습니다. 〈안 돼, 이런. 지금은 꿈을 꾸느라고 멍한 게 아니구나. 병이 든 게 틀림없어.〉 열은 점점 심해져 아이는 정신을 잃었습니다. 그러더니 죽고 말았습니다. 아이의 어머니는 정신이 나갈 지경이었습니다. 「남편이 죽더니 이젠 아들마저 가는구나!」

어머니는 두 주먹으로 엘리야의 방문을 두들겼습니다. 그

리고 울부짖었습니다. 「당신은 여기에 왜 오셨소? 눈에 안 보이는 당신의 신이 나를 벌하고 세상에서 가장 귀한 내 아들을 빼앗아가게 하려고 오셨소?」

엘리야는 깜짝 놀랐습니다. 「아이를 이리 줘보시오.」 엘리야는 다락방에서 아이를 안아 침상에 눕혔습니다. 그러더니 거듭해서 아이 위로 몸을 숙였습니다. 엘리야는 큰 소리로 하나님께 기도를 했습니다. 「하나님, 이 여인을 도우소서. 제가 이 여인의 집에 머무나이다. 이 아이를 구해 주십시오. 다시 살아나게 해주십시오.」 그러자 아이는 다시 숨을 쉬기 시작했습니다. 팔과 다리가 천천히 움직였습니다. 그러더니 눈을 뜨고 엘리야를 바라보았습니다.

엘리야는 아이를 들더니 재빨리 아래에 있는 어머니에게 안고 갔습니다. 「여인이여, 당신의 아이는 살았소.」 엘리야가 외쳤습니다. 그리고는 어머니 앞에 아이를 세웠습니다. 어머니는 크게 놀랐습니다. 믿을 수가 없었습니다. 마침내 그녀가 입을 열었습니다. 「엘리야 님. 당신은 하나님의 사람이군요. 이제는 알겠습니다. 당신을 보내신 하나님은 참으로 강하신 분입니다. 그분은 사람들에게 진실을 알리려고 당신을 보내셨을 것입니다. 이제 알겠습니다. 엘리야 님, 당신은 예언자이십니다.」

엘리야는 사르밧의 과부와 그 아들을 떠났습니다. 헤어질 때 그는 고맙다는 말을 했습니다. 「아합 왕에게 돌아가야겠습니다.」 엘리야가 말했습니다. 「하나님께서 내게 말씀하셨습니다. 3년 동안 가뭄이 이어졌으니, 이제 비를 내리실 것입니다. 하나님은 나를 고향으로 보내셨습니다.」

열왕기상 17장

갈멜 산에서

엘리야와 아합 왕은 서로 마주 보고 있었습니다. 「거기 있구나. 이스라엘을 망친 자여.」 아합은 이렇게 말하며 사나운 눈으로 예언자를 쳐다보았습니다. 「대왕이시여, 가뭄이 든 것은 나의 잘못이 아닙니다. 당신과 이스라엘 민족은 하나님을 배반했습니다. 왜 바알 신을 섬겼습니까? 왕이시여, 잘 들어 보십시오. 이스라엘 사람들은 모두 갈멜 산으로 모여야 합니다. 거기서 내가 이스라엘 사람들에게 할 말이 있습니다.」

많은 이스라엘 사람들이 갈멜 산으로 올라가서 모였습니다. 「엘리야가 다시 오셨다.」 사람들은 서로 이렇게 소리쳤습니다. 「예언자가 어디 있다고? 우리에게 무슨 말을 하겠다는 거야?」 이렇게 예언자 엘리야를 비웃는 사람들도 있었습니다. 그런가 하면 하나님을 배반한 일을 생각하면서, 두려워하는 사람들도 있었습니다.

엘리야는 큰 소리로 외쳤습니다. 「여러분은 어떤 신을 섬기기로 하였습니까? 우리 이스라엘의 하나님입니까, 아니면 바알 신입니까?」 여러분은 어느 편으로 가야 할지 몰라서 이쪽저쪽으로 비틀거리는 사람들 같습니다. 어떤 신을 섬겨야 할지 몰라서 그러는 것입니다.」

갈멜 산에는 바알 신을 섬기는 450명의 예언자들이 화려한 옷을 입고 서 있었습니다. 엘리야는 혼자서 그 많은 예언자들과 마주 보고 섰습니다. 엘리야는 겨우 잿빛 옷만 입고 있을 뿐이었습니다. 하지만 목소리만은 쩌렁쩌렁했습니다. 「이제 우리는 황소 두 마리를 희생 제물로 마련하려고 하오. 황소를 잡아 한 마리씩 두 군데 장작 위에 올려놓겠소. 그대들 바알 신의 예언자들은 바알 신에게, 나는 나의 하나님에게 기도를 바칩시다. 아무도 불을 지펴서는 안 되오. 진정한 하나님이 희생 제물에 스스로 불을 붙일 것이오. 불길로써 대답을 할 것이오. 여러분은 삶과 죽음, 태양과 바람, 불과 이슬과 비를 다스리시는 살아 계신 하나님이 누구인지를 깨닫게 될 것이오.」

모두들 비를 애타게 기다렸습니다. 사람들은 가슴을 졸이며 이쪽과 저쪽을, 바알 신의 예언자들과 엘리야를 번갈아 바라보았습니다.

바알 신의 예언자들이 희생 제물을 두고 먼저 시도를 했습니다. 그들은 황소를 잡아 장작에 올려놓았습니다. 그러고는

낮은 소리로 기도하기 시작했습니다. 그들은 춤을 추었고, 갈수록 큰 소리로 기도했습니다. 그들은 이렇게 외쳤습니다. 「바알 신이시여, 들어 주소서, 우리를 도우소서!」

엘리야는 웃음을 터뜨렸습니다. 엘리야는 그들을 비웃었습니다. 「그대들의 신 바알은 주무시고 계신가?」 그러자 바알 신의 예언자들은 칼로 자기 살을 베어 피가 나게 하였습니다. 그렇게 해서 신을 부르려고 했습니다. 하지만 아무 소용이 없었습니다. 바알은 어떤 불길도 내려 주지 않았습니다. 몇 시간이 지나도록 예언자들은 헛되이 기도를 하고 춤을 추었습니다.

이제는 엘리야의 차례였습니다. 엘리야는 장작을 쌓고 그 위에다 황소를 잡아 올려놓았습니다. 그러더니 열두 개의 단지에 담긴 물을 희생 제물에 끼얹었습니다. 이것을 본 사람들은 수군거렸습니다. 「저러면 불이 붙을 수 있나? 장작더미 주변이 온통 물천지로군. 안 그래?」 그런데 그 순간 사람들은 엘리야가 외치는 소리를 들었습니다. 「아브라함과 이삭과 야곱의 하나님, 도와주소서! 제 말을 들어 주소서! 당신이 진정한 하나님이시라는 것을 모든 사람들이 보게 하소서.」

엘리야가 기도를 마치자마자 맑은 하늘에서 불길이 떨어져 내렸습니다. 희생 제물은 순식간에 활활 불타 올랐고 사람들은 크게 놀랐습니다. 사람들은 무너지듯 무릎을 꿇었습니다. 「하나님. 당신이야말로 진정한 하나님이십니다. 아브라함과 이삭과 야곱의 하나님. 이제야 알겠습니다. 당신만이 저희를 도우시는 하나님이십니다.」

「여호와 하나님. 여호와 하나님.」 사람들의 외침이 갈멜 산을 울렸습니다. 그 소리는 여왕 이세벨도 들을 만큼 크게 울렸습니다. 그런데 그녀는 시돈에서 온 사람으로, 바알 신을 섬겼습니다. 여왕은 예언자 엘리야에게 화가 치밀었습니다. 「내 백성들은 여왕인 나의 신을 믿어야 한단 말이다. 내가 여왕이 아니란 말인가?」

이세벨 여왕이 궁전에 도사리고 있는 동안, 바다 위에는 작은 구름 한 조각이 떠올랐습니다. 처음에는 남자의 손바닥보다 크지 않아 보였는데 순식간에 커졌습니다. 구름은 해를 가리더니, 곧 온 하늘을 컴컴하게 만들었습니다. 거센 비바람이 치기 시작했습니다. 3년 동안 비가 오지 않더니, 드디어 하늘에서 빗방울들이 떨어지기 시작했습니다. 빗줄기는

세차게 내리고 또 내렸습니다. 사람들은 머리칼과 옷이 다 젖게 그냥 내버려 두었습니다. 사람들은 두 팔을 하늘로 뻗고 선 채 바싹 마른 혀에 빗물이 떨어지는 것을 느꼈습니다. 그리고 기뻐 소리 지르며 옛 노래를 불렀습니다.

하나님, 당신은 물을 다스리시는 분,
당신은 불을 다스리시는 분.
빗속에서 저희는 하나님의 음성을 듣습니다.
당신의 민족에게 힘을 주소서.
하나님, 저희에게 은총을 내려 주소서.

시편 29장, 열왕기상 18장

사막에서

이세벨 여왕의 분노는 활활 타올랐습니다. 여왕은 엘리야에게 전령을 보내었습니다. 「너를 죽이겠다! 왜냐하면 난 너보다 힘이 세니까. 나의 신이 바로 이스라엘 백성의 신이 되어야 한다. 그리고 그분은 바알 님이시다.」

엘리야는 다시 도망가야 했습니다. 그는 혼자서 사막으로 나갔습니다. 사막에선 아무도 그를 찾을 수 없었습니다.

「하나님, 더 이상은 못하겠습니다.」 예언자 엘리야는 한숨을 쉬었습니다. 「저는 있는 힘을 다해 싸웠습니다. 하지만 이젠 힘이 없었습니다. 하나님, 저는 죽고 싶습니다.」

사막 한가운데서 예언자 엘리야는 덤불 아래 누웠습니다. 날은 뜨겁고 건조했습니다. 엘리야는 두 눈을 감았습니다.

〈얼마나 오래 누워 있었을까? 잠이 들었던 걸까?〉 엘리야는 한 목소리를 들었습니다. 「일어나라. 이걸 먹어라!」 엘리야는 눈을 떴습니다. 눈앞에 한 남자가 서 있었습니다. 엘리야는 그가 하나님이 보내신 천사라는 걸 깨달았습니다. 엘리야가 몸을 일으키고 보니, 눈앞에 구운 빵이 있었습니다. 또 물 단지가 하나 놓여 있었습니다. 엘리야는 먹고 마셨습니다. 그러고는 다시 누워 잠이 들었습니다.

다시 한 번 하나님의 천사가 그를 깨웠습니다. 「일어나라. 이걸 먹어라. 갈 길이 멀다.」 이제 엘리야는 완전히 잠에서 깨어 일어났습니다. 그리고 먹고 또 마셨습니다.

엘리야는 40일 동안 밤낮으로 사막을 가로질러 갔습니다. 그는 천사가 가르쳐 준 길을 갔습니다. 그래서 하나님의 산이자 모세의 산인 시내 산에 도달했습니다.

엘리야는 동굴에서 잠을 잔 뒤 아침에 바깥으로 나갔습니다. 그리고 드넓게 펼쳐진 먼 곳을 바라보았습니다. 하나님은 어디에 계신가? 여기서라면 그분을 뵐 수 있을까? 모세가 하나님을 뵌 이곳에서 나는 그분께 가까이 온 것일까?

엄청난 폭풍이 불기 시작했습니다. 산의 높은 곳에서 바위가 계곡으로 굴러 떨어졌습니다.「하나님, 당신이십니까?」엘리야는 폭풍을 향해 소리쳐 불렀습니다. 대답은 들려오지 않았습니다.

폭풍이 지나가자 이번엔 땅이 흔들리기 시작했다.「하나님, 당신은 지진 속에 계신가요?」엘리야가 소리쳐 불렀습니다. 그러나 대답은 들려오지 않았습니다.

지진이 지나가자 거대한 불이 타올랐습니다.「나의 하나님. 모세에게 그랬듯이 저에게도 불로 오시렵니까?」하지만 불 속에도 하나님은 보이지 않았습니다.

불길이 가시자 엘리야는 부드러운 바람이 불어오는 것을 느꼈습니다. 그리고 나직한 속삭임을 들었습니다. 엘리야는 넓은 망토로 얼굴을 가리며 물었습니다.「하나님, 당신이십니까?」그러자 목소리가 들려왔다.「엘리야. 너는 여기서 무엇을 하느냐?」「하나님. 저는 평생 바알 신이 아니라 오로지 당신을 섬기기 위해 싸워 왔습니다. 하지만 더 이상은 싸울 수가 없습니다. 이스라엘 사람들은 다른 나라의 신들을 섬깁니다. 저는 혼자가 되었습니다. 하나님, 당신은 저를 죽여 주실 것입니다.」그러자 하나님은 대답했습니다.「나는 아직도 네가 필요하다. 돌아가거라! 너는 혼자가 아니다. 이스라엘에는 바알 신을 섬기지 않는 사람이 7천 명이다. 나는 그들을 보호할 것이다. 너는 그 사람들에게 가거라. 가는 도중 너는 엘리사란 이름을 가진 사람을 만날 것이다. 너는 그에게 기름을 부어 새로운 예언자로 세워 주거라. 나에게 그도 필요한 사람이다.」

엘리야는 길을 떠났습니다. 그리고 마침 밭을 갈던 한 농부를 보았습니다. 그런데 일을 거들던 일꾼 하나가 그 농부를 엘리사라고 부르는 소리가 들렸습니다. 그 농부가 새로운 예언자가 될 것이었습니다! 엘리야는 그를 지나쳐 가면서 자기가 입고 있던 예언자의 망토를 엘리사의 어깨에 걸쳐 주었습니다. 엘리사는 그게 무슨 뜻인지 알고 있었습니다. 그래서 크게 놀랐습니다. 이제는 그가 엘리야와 같은 예언자였습니다.

그 농부는 모든 것과 작별해야 했습니다. 아버지와 어머니, 가축과 들판과 그가 부리던 일꾼들 그리고 쟁기까지. 농부는 엘리야의 시중을 들면서 그와 함께 길을 떠났습니다.

열왕기상 19장

정의롭지 못한 왕 앞에서

하나님은 엘리야에게 마지막으로 어려운 과제를 주었습니다. 엘리야는 한 번 더 아합 왕에게 보내졌습니다.

아합 왕은 부유했습니다. 그의 궁전은 컸습니다. 궁전은 꽃들이 색색깔로 피어 있는 정원 가운데 있었습니다. 여기서 왕과 왕비는 손님들을 맞았고, 왕자와 공주는 놀기도 했습니다. 정원에는 커다란 담장이 둘러쳐졌습니다.

그런데 왕의 궁전 근처에는 왕에게 속하지 않는 포도밭이 있었습니다. 그것은 나봇의 포도밭이었습니다. 「나봇, 그대의 포도밭을 나에게 다오.」 아합 왕이 말했습니다. 「채소를 가꿀 땅이 필요해서 그러네. 내 부엌 가까운 곳에서 신선한 채소를 가꾸게 하고 싶네!」 나봇은 고개를 저었습니다.

「그대에게는 더 좋은 포도밭을 주겠네.」 왕은 이렇게 제안했습니다. 나봇은 여전히 고개를 저었습니다. 「그 포도밭은 대대로 저의 증조 할아버지와 할아버지 그리고 아버지께서 가꾸어 오신 밭입니다. 그 땅은 저희 가문에 속한 것으로 남

아 있어야 합니다. 저희는 여기서 살 수밖에 없습니다.」

아합 왕은 마음이 상했습니다. 나봇의 아이들이 포도밭에서 놀고 있었습니다. 그런데도 아합 왕은 계속해서 말했습니다. 「그래도 내가 돈을 아주 많이 주겠네. 그 땅을 내게 다오.」 하지만 나봇은 고개를 저을 뿐이었습니다.

아합 왕은 화가 치밀었습니다. 화가 난 나머지 음식도 먹지 않았습니다. 아합 왕은 원하는 건 뭐든지 손에 넣으며 살아왔습니다.

더 화가 나는 일은 여왕이 자기를 비웃는 것이었습니다. 「당신은 그러고도 왕이라고 할 수 있어요? 왜 그렇게 약해 빠졌어요? 왕이 포도밭이나 매는 보통 농부보다도 힘이 없단 말이에요? 당신의 힘대로 해볼 수는 없어요?」 이렇게 말한 여왕은 사악하게 웃었습니다. 「내가 나서서 해결해 드리지요. 당신은 곧 포도밭을 손에 넣게 될 거예요.」

이세벨 여왕은 자기가 시키는 대로 거짓말을 해줄 사람을 찾았습니다. 돈을 받는 대가로 거짓말을 해줄 사람들이었습니다. 그들은 이렇게 말했습니다. 「나봇이 하나님과 왕을 저주했다. 사실이다. 그가 왕을 저주하는 걸 똑똑히 들었다.」 그 도시의 나이 많은 이들은 그 말을 믿기 어려웠습니다. 「나봇이? 그럴 리가 없나! 포도 농부 나봇을 말하는 거야?」

그런데 같은 소문이 계속 들렸습니다. 「나봇이 하나님과 왕을 저주했다.」 그러자 모든 사람이 나봇이 죄인이라고 생각했습니다. 나봇은 죽어야 한다고 했습니다. 사람들은 나봇을 도시 바깥으로 데리고 가서 돌을 던져 죽여 버렸습니다. 이세벨은 멀리서 그 광경을 보고 있었습니다. 이세벨은 기쁨에 넘쳐 자랑스럽게 치켜들고 아합 왕에게 가서 이렇게 말했습니다. 「나봇은 죽었어요. 이제 나가 봐요! 포도밭은 당신 거예요.」

그런데 아합 왕이 나봇의 땅을 자세히 구경하러 바깥으로 나가자, 엘리야가 그의 방향으로 오고 있었습니다. 아합 왕은 놀라서 우뚝 멈추어 섰습니다. 「또 날 찾아내다니. 이 원수 같은 자야, 아직도 살아 있었구나. 여기서 뭘 하려는 거지?」 「살인자!」 엘리야가 외쳤습니다. 「당신의 부인 이세벨이 무슨 짓을 했는지 알고 있잖소. 당신은 뭐든지 마음대로 차지하려고 들지. 당신은 채소밭이 이웃의 행복보다도 중요한가. 이스라엘 사람 모두보다도 더 소중한가? 하나님께서

는 당신의 악행을 보셨소. 그래서 날 당신에게로 보내신 거요. 당신은 하나님을 잊은 지 오래요. 바알 신과 채소밭이 당신에겐 소중할 뿐. 그런 당신에게 하나님께서는 벌을 내리실 것이오.」

엘리야의 음성은 점점 더 커졌습니다. 마치 예언자 엘리야는 점점 몸이 커지고 아합 왕은 수치스러운 나머지 작고 보기 흉하게 변하는 것 같았습니다. 아합 왕은 아무런 대꾸도 할 수 없었습니다. 그래서 등을 구부리고 도망가서, 상복으로 갈아입고 굶기 시작했습니다.

이로부터 3년이 지났을 때 아합 왕은 전투에서 죽고 말았습니다.

엘리야는 몹시 늙었습니다. 그는 살아 있는 동안에 하나님을 충실히 섬겼습니다. 이제 엘리사가 새로운 예언자가 될 차례였습니다. 그는 이스라엘 민족에게 하나님과 그분의 계명을 잊지 말라고 일깨울 것입니다. 엘리사는 엘리야를 마치 늙은 아버지처럼 모시고 다녔습니다.

어느 날 엘리사는 불 붙은 말이 불 붙은 마차를 끌고 달려오는 것을 보았습니다. 다음 순간 엘리야는 더 이상 곁에 있지 않았습니다. 불의 마차는 구름을 뚫고 하늘로 날아 올라갔습니다. 그래서 엘리사는 엘리야가 하나님 곁에 있게 되었다는 걸 깨달았습니다. 엘리사는 바닥에 떨어진 낡은 예언자의 망토를 집어올려 계속 길을 갔습니다.

새로운 예언자의 시대가 시작되었습니다. 또 다른 왕들이 나라를 다스렸습니다. 하나님에겐 언제나 민족에게 그분의 계명을 일깨워 줄 예언자가 필요했습니다. 예언자는 하나님의 뜻을 사람들에게 알려 주었습니다.

열왕기상 21장, 22장, 열왕기하 2장

다니엘, 바빌로니아를 얘기해 다오

그대의 이름은 다니엘이다. 2천 년 전부터 사람들은 그대에 관해 이야기해 왔다. 사자 굴의 다니엘은 거듭해서 이야기되어 왔다. 그대는 사자 떼에게 던져졌다. 그대가 강력한 지배자인 다리오를 신으로 섬기지 않았기 때문이다. 그대는 하나님께 기도를 하였으니까. 오직 하나님께만. 하나님은 그대를 보호하여 사자들이 온순히 그대 곁에 누워 잠들게 하셨다. 온 밤 내내. 화가들은 언제나 그대를 이렇게 그려 왔다.

하지만 사자 굴에 빠졌을 때 그대는 이미 노인이었다. 그대의 흰 머리칼은 어두운 굴 속에서 빛을 발하였다. 우리는 그대에게 묻고 싶다. 그 이전에 그대는 무슨 일을 겪었는가? 아직 소년이 되기도 전에 그대의 흥미진진한 삶이 시작되었다는 것을 우리는 이미 들어서 알고 있다. 다니엘이여, 이제 그대의 이야기를 직접 들려 다오!

예루살렘이 정복당하다

저의 이야기는 도시 예루살렘에서 시작됩니다. 커다란 빛의 도시. 그곳에서 나는 부모님과 누이들과 함께 좁지만 유

복한 거리에서 살았습니다.

예루살렘에서 가장 뜻깊은 장소는 신전이었습니다. 솔로몬 왕이 7년에 걸쳐 짓게 한 하나님의 성전이었습니다. 어머니는 내가 아주 어렸을 적부터 그곳에 데려갔습니다. 「애야, 넌 나중에 이 성전의 학교에 다니게 될 거란다.」 어머니는 내게 그렇게 말씀하셨습니다. 언제나 우리는 커다란 두 기둥 옆에 서 있었습니다. 안뜰 너머엔 커다란 성당이 있었고, 성당 깊숙한 곳에는 금과 은으로 만든 그릇들이 놓여 있었습니다. 「제물을 담는 성스러운 그릇들이다.」 어머니는 내게 작은 소리로 말씀하셨습니다.

우리 어린아이들은 날마다 골목에서 웃고 뛰며 놀았습니다. 하지만 그때가 살기에 좋은 시절은 아니었습니다. 어른들은 심각한 얘기를 나누곤 하셨습니다. 전쟁에 대한 얘기였습니다. 우리 작은 유대 민족은 위험한 다른 민족들에게 둘러싸여 있었습니다. 또 어른들은 이집트와의 싸움에서 죽은 요시아 왕에 대한 얘기도 했습니다. 그런 얘기들을 듣다 보면 나는 겁이 났습니다.

하루는 예루살렘의 성문 앞에 이상한 사람이 서 있었습니다. 「남자들은 여길 보시오! 내 말을 들어 보시오! 하나님이 나를 여러분에게 보내셨소. 이제 정신을 차려야 할 때요. 단단히 준비해 두는 게 좋을 것이오. 곧 끔찍한 일이 일어납니다. 바빌로니아 사람들이 이 도시를 지배하게 될 거요.」 그는 똑같은 말을 자꾸만 외쳐 댔습니다. 「예언자 예레미야!」 사람들이 말했습니다. 어떤 사람들은 그를 비웃었습니다. 「바빌로니아 사람들이 예루살렘을 정복할 거요.」 그는 외치고 또 외쳤습니다.

한번은 그 예언자가 커다란 항아리를 들어 올리더니 힘껏 길바닥에 내던졌습니다. 「예루살렘은 이렇게 될 거요. 이 항아리처럼 부서져 버릴 거요. 너무 늦기 전에 이 도시를 떠나시오!」

남자와 여자들은 예언자의 말을 믿지 않았습니다. 그리고 우리의 왕은 분노했습니다. 왕은 그를 감옥에 가두어 버렸습니다.

하지만 결국 그의 말은 옳았습니다. 어느 날 밤 정말로 바빌로니아 사람들이 쳐들어왔고, 나는 잠에서 깨어 요란한 무기소리를 들었습니다. 거친 발소리와 낯선 말들이 날카롭게 울려 퍼졌습니다. 집 바깥은 고함소리가 몹시 소란했습니다.

그 다음엔 나까지 붙들리고 말았습니다. 어두운 그림자는 우리 침실까지 들어왔습니다. 나는 놀라서 꼼짝도 할 수가 없었습니다. 만일 움직일 수만 있었다면 저항하거나 도망쳤을 것이었습니다. 부모님과 누이들은 어디에 가 있었는가. 나는 등 뒤로 손이 묶였습니다.

우리는 길고 긴 행렬을 이루어 예루살렘을 떠나야 했습니다. 때는 밤이었고, 낮이 왔으며, 다시 밤과 낮이 지나갔습니다. 그렇게 여러 날들이 흘러갔습니다. 날은 뜨거웠습니다. 열기와 갈증에 시달리며 우리는 언제 끝날지도 모를 먼 길을 끌려 갔습니다. 부모님과 누이들을 나는 더 이상 찾지 못했습니다.

낯선 나라에서

마침내 우리는 낯선 나라 바빌로니아에 도착했습니다. 우리는 파란 문을 보았고, 그 문엔 황소와 사자와 용이 그려져 햇빛을 반사했습니다. 우리는 눈이 부셨습니다. 바빌로니아의 길들이 넓은 것을 보고 나는 놀랐습니다. 길 양편에는 사람이 흙을 다져 만든 작은 언덕들과 아름다운 뜰이 보였습니다. 길은 일직선으로 도시의 한가운데로 통했습니다. 예루살렘에서는 그런 광경을 본 적이 없었습니다. 나중에 듣기로는, 그 넓은 길은 바빌로니아 사람들이 섬기는 마르독에게 바쳐진 것이었습니다. 마르독 신에게 바치는 축제를 위해서.

붙잡혀 온 우리는 지치고 더러운 꼴로 도시로 끌려 갔고, 여자와 아이들은 길가에 서서 우리가 지나가는 것을 지켜보았습니다. 긴 행렬은 자꾸만 멈춰서야 했습니다. 우리가 지나갈 때 사람들은 요란한 환호성을 질러 댔습니다.

나는 행렬에서 앞장서 걷던 두 명의 바빌로니아 병사가 번쩍이는 금은 그릇을 사람들에게 내밀어 보이는 것을 보았습니다. 나는 놀랄 수밖에 없었습니다. 그것은 우리 예루살렘의 성전에 있던 신성한 그릇들이 아니었던가?

내 옆에 걷던 하나냐라는 친구도 앞쪽을 바라보며 이렇게 말했습니다. 「예루살렘의 성전은 파괴되었다. 저들이 모든 걸 가져갔지.」 친구의 음성은 슬펐습니다. 나는 예레미야를 생각했고, 깨어진 항아리를 떠올렸습니다. 그 예언자의 말은 옳았던 것입니다! 나는 하나냐의 옷자락을 꼭 잡았습니다. 친구가 곁에 있는 게 고마웠습니다. 나는 사람들 속에서 친구를 잃어버리지 않으려고 했습니다.

잠시 후에 우리는 좁은 감옥에 갇혔습니다. 하나냐와 나, 다른 아이들과 여자들 그리고 남자들도 섞여 있었습니다.

「왕의 이름이 느부갓네살이라지.」 이렇게 말하는 목소리가 들렸습니다. 「그 왕은 화려한 보물을 좋아한다네. 또 지혜로운 남자들을 아낀다는군.」

나는 느부갓네살에 대해서 듣고 싶지도 않았습니다. 그 왕이 얼마나 호화로운 것을 가졌건 나와는 상관이 없는 일이었습니다. 나는 부모님 생각이 났고 고향이 그리웠습니다. 나는 하나냐와 나란히 전에 예루살렘 성전에서 일하던 노인 곁에 앉아 있었습니다. 우리는 전부터 그 노인을 알고 있었습니다. 우리는 옛날 이야기를 주고받았습니다. 아브라함과 사라, 요셉과 베냐민에 관해 전해지는 이야기들을 주고받았습니다.

성전지기 노인은 이렇게 말했습니다. 「하나님은 우리 조상들을 지켜 주셨다. 그러니 우리도 돕지 않으시겠느냐?」

어느 날 하나냐와 나 그리고 다른 소년들은 모두 밖으로 불려나갔습니다. 바빌로니아 사람들은 우리를 감옥 앞뜰에 일렬로 늘어 세운 뒤 앞뒤로 유심히 관찰하였습니다. 그곳에서 우리는 예루살렘에서 알던 친구들을 다시 만났습니다. 모두 예루살렘의 성전 학교에 다니던 소년과 청년들이었습니다. 금실로 짠 옷을 입은 한 높은 관리가 우리에게 엄숙한 목소리로 말했습니다. 「유다에서 온 소년들 중 너희가 가장 영리하고 뛰어나구나. 그래서 우리가 너희를 선택하였다. 이제부터 너희는 바빌로니아의 말을 배울 것이다. 앞으로 3년 동안 너희는 새로운 고향이 된 이곳에 대해 모든 걸 배우게 될 것이다. 돌과 나무와 별들과 별들과 신들에 대해서, 그리고 그 밖에도 많은 것들을 배울 것이다. 그렇게 3년이 지나면 너희는 이 나라에서도 가장 지혜로운 사람들이 될 것이다. 그러면 느부갓네살 왕께서는 궁전에서 너희가 필요할 때 부르실 것이다. 이것은 너희에겐 대단한 영광이다.」

나는 화가 솟구쳤습니다. 「난 예루살렘으로 돌아가겠어. 이 도시는 내게 새로운 고향이 될 수가 없어. 나는 절대로 이 방인의 왕을 섬기지 않겠다!」 이렇게 나는 친구 하나냐에게 속삭였습니다.

하지만 나는 곧 공부를 시작했습니다. 하나냐와 미사엘 그

리고 아사랴도 함께였습니다. 우리는 전부터 서로 아는 사이였습니다. 우리는 언제나 함께 지냈습니다. 바빌로니아에서 우리가 배운 것들은 사실 마음에 썩 들었습니다.

우리는 왕궁 근처에서 살았습니다. 우리가 먹는 음식도 왕궁에서 날라져 왔습니다. 최고의 음식들이었습니다! 매일 구운 돼지고기와 향이 짙은 포도주가 나왔습니다. 하지만 우리는 유대 인은 돼지고기를 먹어서는 안 되며 포도주는 피곤하고 멍청하게 만들 뿐이라는 걸 알고 있었습니다.

그래서 우리는 음식을 날라다 주는 바빌로니아의 시종에게 몰래 손짓을 했습니다. 그리고 이렇게 빌었습니다. 「우리에게 먹고 마실 것으로 다른 것을 가져다 주세요. 고기 대신에 야채를, 포도주 대신에 물을 주세요.」 시종은 정말로 매일 야채와 물을 가져다 주었습니다. 하나냐와 미사엘, 아사랴와 나에게만 그렇게 해주었습니다. 다른 유대 인들은 그걸 보고 어리석다며 웃었습니다. 그리고 시종은 뭐가 두려운지 이렇게 말했습니다. 「왕이 너희가 다른 학생들보다 몸이 약한 걸 보시게 되면, 사실이 들통날 거야. 그러니까 너희에게 열흘 정도만 너희가 원하는 대로 음식을 갖다 주겠어.」

하지만 열흘이 지나자 시종은 우리가 다른 학생들보다 기운이 못하지 않다는 걸 보게 되었습니다. 우리는 기운이 왕성했고 배우기도 잘했습니다. 얼마 지나지 않아 우리는 바빌로니아 말을 모국어처럼 잘하게 되었습니다. 하지만 우리는 넷이서 한 구석에서 야채를 먹으면서는 서로 예전처럼 예루살렘인 것처럼 이야기를 나누었습니다.

예루살렘의 성당지기 노인도 가끔씩 만날 수 있었습니다. 그는 왕의 정원사가 되어 있었습니다. 그는 우리에게 왕의 정원에 핀 아름다운 꽃들을 보여 주었습니다. 가끔씩 우리는 버드나무 사이로 흐르는 개울가에 앉아서 옛 이야기들을 나누었습니다. 우리는 특히 요셉의 이야기를 좋아했습니다. 요셉도 이집트에서 새로 말을 배워야 했습니다. 우리도 요셉처럼 고향이 그리웠습니다.

그렇다. 그 시절을 우리는 노래로 알고 있다. 오늘날까지 불리는 그 노래, 시편에 씌어 있는 그 노래가 존재함을 우리는 그대에게 고마워해야 한다!

바빌로니아의 큰 물가에 앉아

우리는 눈물을 흘렸다.
예루살렘을 생각할 때면
고향이 그리워서 울었다.
바빌로니아 사람들은 우리더러
〈너희 고향의 노래 가운데
즐거운 것 한 곡조 불러 보라〉 할 때
우리는 수금과 하프를
나무에 걸어 두었다.
예루살렘을 부순 자들을 위해
노래할 수는 없었으니.
「너희는 우리를 묶어 끌고 왔다.
너희를 위해 우리는
우리의 하나님 노래를 불러 줄 수 없어.
예루살렘을 잊지 않겠네,
너희가 부순 도시를.」

시편 137장

느부갓네살의 꿈

다니엘의 이야기가 계속됩니다.

3년이 지난 뒤 우리 젊은 학생들은 왕 앞으로 불려갔습니다. 그는 우리 가운데서 가장 뛰어난 자를 궁정에서 일하게 하겠다고 했습니다. 우리는 흥분되었습니다. 원래 우리는 왕의 마음에 들기를 바라지 않았습니다. 하지만 바빌로니아의 병사가 되는 것은 더 싫었습니다.

왕이 우리 가운데서 몹시 마음에 들어한 학생들은, 하필이면 하나냐와 미사엘, 아사랴 그리고 나였습니다. 「너희는 내 점술가들보다 열 배는 더 많이 아는구나. 너희가 나의 상담자가 될 것이다.」

왕은 우리에게 왕궁 근처의 집 한 채를 선물하였습니다. 우리는 언제든지 왕을 뵐 수 있었습니다. 왕은 우리가 마르독 신이나 다른 신들에게 기도를 바치지 않는 것을 알았을지도 모릅니다.

어느 날 커다란 소동이 일어났습니다. 젊은 시종 하나가 두 팔을 번쩍 치켜들고 우리 집으로 달려와서 이렇게 외쳤습니다. 「큰일 났어요! 큰일! 느부갓네살 대왕이 점술가와 현자와 상담자들을 모두 죽이려고 해요. 그러니 어서 안전한 곳으로 도망치세요.」

나는 그 젊은이를 붙들고 얼굴을 들여다보았습니다. 그는 말을 더듬고 있었습니다. 「며칠 전부터 왕은 잠을 제대로 주무시지 못했어요. 꿈을 꾸셨대요. 아주 끔찍한 꿈을. 그런데 누구도 그 꿈이 무엇인지는 몰라요. 말씀을 안 하시니까요. 그러고서는 어서 꿈을 풀이하라고 하셨죠. 왕은 결국 모조리 죽이려고 해요. 모두 다요!」 젊은 시종은 흥분해서 떨고 있었습니다.

나는 용기를 내어, 왕의 경호원을 지나, 계단을 올라가, 복도를 지나서 왕궁으로 갔습니다. 그리고 왕 앞에서 단단한 대리석 바닥에 엎드리며 이렇게 말했습니다. 「하루 밤과 하루 낮만 시간을 주십시오. 제가 도움이 될 겁니다.」

왕은 내게도 무슨 꿈을 꾸었는지 말해 주지 않았습니다. 하지만 내가 가는 것은 허락해 주었습니다. 나는 서둘러 세 친구 하나냐와 미사엘 아사랴에게 갔습니다. 우리는 하나님께 외치듯 기도하였습니다. 「하나님, 저희를 도와주십시오. 저희를 이끌어 주십시오!」

그날 밤 나는 왕이 꾸었던 꿈을 꾸었습니다. 꿈에서 깨었을 때 나는 기뻐서 소리를 질렀습니다. 나는 친구들과 함께 하나님을 찬양했습니다. 그리고 서둘러 왕에게 돌아갔습니다.

이제 나는 왕에게 그가 무슨 꿈을 꾸었는지 얘기하고 모든 걸 설명할 수 있었습니다. 나는 이렇게 말했습니다. 「어떤 현자도 점술가도 해몽가도 왕께서 원하는 걸 할 수 없습니다. 하지만 하늘엔 하나님이 계십니다. 그분만이 어려운 수수께끼를 풀 수 있습니다. 이제 왕께서 꾸신 꿈을 말하겠습니다. 왕께서는 꿈에서 거대한 조각상을 보셨습니다. 머리는 금으로 만들어졌고 가슴과 팔은 은, 배는 구리, 다리는 쇠로 되었으며, 발은 쇠와 찰흙이 반씩 섞여 있었습니다. 그런데 엄청난 바윗덩어리가 떨어져 조각상을 산산조각 냈습니다. 바윗덩어리는 온 세상을 덮었고 조각상은 사라지고 말았습니다.」

왕은 놀랄 수밖에 없었을 것입니다. 나는 왕과 단둘만 있었습니다. 「그래, 내가 그런 꿈을 꾸었노라!」 왕은 내게 나직이 말했습니다. 딱딱하게 굳어 있던 그의 표정이 부드러워졌습니다. 왕은 이렇게 물었습니다. 「그런데 그 꿈이 무슨 뜻이

겠느냐?」 나는 이렇게 대답했습니다. 「금으로 된 머리가 바로 왕이십니다. 왕이 다스리시는 이 나라는 금처럼 아름답습니다. 그 다음엔 빛이 덜 나는 나라들이 있습니다. 그 나라들은 은이나 구리, 쇠와 같습니다. 그런데 이제 하나님의 힘이 뻗칩니다. 그 힘은 꿈속의 바윗덩어리보다 강합니다. 하나님의 나라는 다른 어떤 나라보다도 더 강해질 것입니다.」

왕은 내가 보는 앞에서 무릎을 꿇었습니다. 「너희 하나님이야말로 정말 위대하구나. 그분은 수수께끼를 풀고 비밀을 밝혀 내시는 분이다. 하나님에 대해서 좀더 얘기해 보거라. 다니엘, 너는 언제나 내게 가까이 있도록 왕궁 안에서 살거라. 너의 세 친구들은 내 나라의 세 부분을 다스리게 하겠다. 이제부터 나도 너희의 하나님을 섬기리라.」

나는 왕의 곁에 머물렀습니다. 선택의 여지가 없었습니다. 왕이 명령을 내렸기 때문이었습니다. 게다가 나는 왕이 순금으로 거대한 신상을 만드는 걸 막을 수도 없었습니다. 왕은 자기의 힘이 강력하다는 걸 보여 주고 싶었으리라. 내가 할 수 있는 일은 어떤 신들을 섬길지 결정하는 것이었습니다.

바빌로니아에선 누구나 금으로 만든 신상에 기도를 바쳐야 했습니다. 그리고 누구나 그 앞에서 무릎을 꿇어야 했습니다. 하지만 사드락과 메삭 그리고 아벳느고는 그렇게 하지 않았습니다. 친구들은 나와 마찬가지로 우리의 하나님만 섬기려고 했습니다. 그들은 무릎을 꿇지 않았습니다. 느부갓네살 왕은 내가 뜻대로 지내는 것을 놔두었습니다. 하지만 왕은 내 세 친구들을 죽이려고 했습니다. 왕은 그들은 불가마 속에 가두었습니다. 불에 태워 죽이려는 것이었습니다.

하지만 하나님께서는 내 친구들을 구해 주셨습니다. 그들은 조금도 다치지 않고 노래를 부르면서 불가마에서 나왔습니다. 그 광경을 본 느부갓네살은 또 이렇게 말했습니다. 「너희의 신이야말로 진짜로구나. 이젠 분명히 알겠다. 나도 그분을 섬겨야겠다.」 하지만 나는 왕이 하는 말을 더 이상 믿지 않았습니다.

느부갓네살 왕은 무엇보다도 자신의 권력을 중요하게 생각했습니다. 왕은 도시를 둘러친 벽을 더 튼튼하게 했습니다. 왕은 궁전과 정원을 더 아름답게 꾸몄습니다. 왕은 호화로운 것을 좋아했습니다. 왕은 가장 위대한 왕이고 싶어했습니다.

그런데 왕은 오랫동안 아프거나 자주 마음이 혼란스러웠습니다.

왕은 자꾸만 나를 불러 꿈을 풀이하라고 했습니다. 때때로 나는 자신이 바로 곁에 머물던 요셉과 같다고 생각했습니다. 나도 요셉처럼 꿈을 풀이하는 사람이 되었습니다.

여전히 우리는 바빌로니아에 붙잡힌 신세였습니다. 우리는 또다시 에서와 야곱, 요셉과 베냐민이 나오는 옛 이야기들을 나누었습니다.

이스라엘 사람들 중에서는 바빌로니아의 신들에게 기도하는 이들도 있었습니다. 그들은 작은 집과 밭을 가졌습니다. 그들은 바빌로니아 사람들을 주인으로 모시고 살았으며, 그런 처지가 나쁘지 않다고 여겼습니다. 그들은 바빌로니아에 머물기로 작정했습니다. 그런 모습이 나에겐 슬프게만 보였습니다.

나는 친구들과 언제나 함께 지냈습니다. 우리는 벌써 30년이 넘도록 낯선 땅에서 살았지만 늘 예루살렘으로 돌아가고 싶었습니다. 우리는 희망을 포기하지 않았습니다. 우리는 고향을 잊을 수 없었고, 노래를 부르며 그리워했습니다.

바빌로니아의 큰 물가에 앉아
우리는 눈물을 흘렸다.
예루살렘을 생각할 때면
고향이 그리워서 울었다.
바빌로니아 사람들은 우리더러
〈너희 고향의 노래 가운데
즐거운 것 한 곡조 불러 보라〉 할 때
우리는 수금과 하프를
나무에 걸어 두었다.
예루살렘을 부순 자들을 위해
노래할 수는 없었으니.
「너희는 우리를 묶어 끌고 왔다.
너희를 위해 우리는
우리의 하나님 노래를 불러 줄 수 없어.
예루살렘을 잊지 않겠네,
너희가 부순 도시를.」

벨사살

느부갓네살이 죽자 살기는 더 어려워졌습니다. 벨사살은 아버지 느부갓네살 왕보다 잔인했습니다. 왕의 시종들과 지방의 관리들은 몹시 고되게 일해야만 했습니다.

벨사살은 귀족들과 아름다운 여자들을 초대해서 수천 가지 음식들을 먹고 마시며 성대한 잔치를 벌이기를 좋아했습니다. 그런 잔치가 벌어지면 그 도시에 사는 사람들의 절반이 왕궁에서 흘러나오는 음악 소리를 들을 수 있었습니다.

그 시절 나는 더 이상 궁전에서 살지 않았습니다. 나는 왕이 벌이는 소란한 잔치를 싫어했습니다.

그러던 어느 날, 왕궁에서 또다시 떠들썩한 음악 소리가 들리는 밤이었습니다. 갑자기 시종 하나가 내 앞에 나타났습니다. 나는 그의 번쩍이는 머리 장식을 보고서 그가 누구인지 알았습니다. 그는 등불로 내 얼굴을 비추며 이렇게 물었습니다. 「그대가 다니엘인가? 그대가 그 예언자 같다는 사람인가? 그대가 예전에 느부갓네살 왕의 꿈을 맞추었는가?」 그의 물음에 나는 고개를 끄덕였습니다. 그러자 시종은 급한 기색으로 계속해서 말했습니다. 「그럼 나를 따라오게나! 벨사살 왕이 그대를 필요로 한다네. 그대를 찾으러 온 곳을 돌아다녔네.」

우리는 서둘러 어두운 거리를 걸어서 왕궁으로 갔습니다. 나는 커다란 연회장으로 들어갔습니다. 긴 식탁 위에는 접시와 잔과 쟁반들이 있었습니다. 반쯤 빈 그릇들은 넘어져 있거나 바닥에 구르고 있었습니다. 식탁에 엎드려 잠든 손님들도 보였습니다. 잠들지 않은 손님들은 술에 취했거나 떠들썩하게 노래를 부르고 있었습니다.

식탁 가운데에는 벨사살 왕이 찡그린 얼굴에 눈을 휘번득거리며 서 있었습니다. 「저길 봐라, 저길 봐!」 그가 내게 고함을 질렀습니다. 「날 도와서 저게 무슨 뜻인지 말해라!」

그때 나는 식탁 위 벨사살의 발 옆에 나란히 놓인, 금과 은으로 된 빛나는 그릇들에 눈길을 주고 있었습니다. 그 그릇들은 우리 예루살렘의 성전에서 가져온 것들이었습니다! 그걸 보자 나는 소리를 지를 뻔했습니다. 나는 저주하고 싶었습니다.

나는 왕이 가리키는 글자들을 보았습니다. 커다란 유령의 손이 지나간 것처럼 낯선 글자들이 벽에 쓰여 있었습니다. 「저게 무슨 뜻이냐? 저게 무슨 뜻인지 어서 말해 봐라!」 벨사살은 내게 어서 대답하라고 재촉하고 있었습니다. 왕은 떨고 있었습니다. 왕은 그 글자들에서 눈을 뗄 수가 없는 모양이었습니다. 「어서, 어서!」 왕이 쉰 목소리로 외쳤습니다. 「저 글자를 읽는 자는 나와 함께 이 나라를 다스려도 좋다. 나는 그 사람에게 자주색 망토와 황금 목걸이를 선물하겠다.」

나는 대답하였습니다. 「망토와 목걸이는 왕께서 간직하소서. 저는 필요가 없습니다!」 그리고 나는 이렇게 말을 이었습니다. 「메네, 메네, 데겔, 우바르신. 저 글자들이 뜻하는 것은, 강력한 바빌로니아 왕국이 망해 간다는 것입니다. 벨사살 왕은 실패했습니다. 당신의 왕국은 쪼개질 것입니다. 그리고 두 개의 이민족이 차지할 것입니다. 그들은 바로 메대 사람들과 바사 사람들입니다.」

이 말을 듣자 벨사살 왕은 식탁에서 뛰어내렸습니다. 그의 시종이 내게 자주색 망토를 걸쳐 주고 황금 목걸이를 걸어 주었습니다. 나는 그대로 하게 놔두었습니다. 그러고는 서둘러 왕궁을 떠났습니다.

바로 그날 밤에 벨사살 왕은 시종에게 죽임을 당하고 말았습니다. 그리고 메대 왕 다리오가 바빌로니아를 차지하게 되었습니다.

사자 굴

다리오 왕에게는 내가 필요했습니다. 왕이 조언을 구할 때면 나는 언제나 불려갔습니다. 나는 이미 나이를 먹어 늙었고 바빌로니아의 사정도 잘 알았기 때문에 왕의 다른 신하들보다 훌륭하게 조언을 할 수 있었습니다. 그래서인지 다리오 왕은 내게 그를 위해 나라를 다스리게 했습니다. 그러자 다른 관리들이 나를 시기했습니다. 그들은 젊고 야심이 컸습니다. 그들은 어떻게 하면 왕에게 나에 대해 나쁘게 말할 수 있을까를 궁리했고, 비열한 음모를 만들어 냈습니다.

「다리오 왕이시여.」 그들은 절을 하며 왕에게 아첨하였습니다. 「왕께서는 위대하고 강력하십니다. 마치 신과 같으신 분이지요. 아니 모든 신들보다 위대하십니다. 그러니 바빌로니아의 모든 사람들이 왕께 기도를 드리게 법을 만들면 어떨까 합니다. 그리고 위대하신 왕 말고 다른 신에게 기도하는 자는 사자 구덩이에 처넣어야 마땅할 것입니다.」

이 말을 듣자 다리오는 자만심이 부풀어 올랐습니다. 그는 위대한 존재가 된다는 생각이 마음에 들었습니다. 〈신처럼 강력해진다는 말이지?〉 그러고는 그는 새로운 법을 만들게 했습니다.

하지만 나는 나의 하나님께만 기도를 올렸습니다. 아브라함과 야곱의 하나님, 다윗과 솔로몬의 하나님께만. 왕의 시종과 관리들이 기다린 일이 바로 이것이었습니다. 그들은 왕을 나의 집으로 모시고 와서 내가 하나님께 기도 드리는 모습을 보게 하였습니다. 「보십시오. 저 자는 자기의 하나님께 하루에 세 번씩 기도를 바칩니다. 기도할 때면 멀리 떨어진 그의 고향 예루살렘을 향합니다.」 그러고는 이렇게 말했습니다. 「저 자는 자기의 하나님을 섬깁니다. 유대 인이고 이방인이랍니다. 그걸 알고 계셨습니까?」

왕은 이 말을 듣고 크게 놀랐습니다. 그제서야 왕은 시종과 관리들이 새로운 법을 만든 것은 오직 나를 해치기 위해서였다는 것을 깨달았습니다. 다리오는 근심에 휩싸였습니다. 하지만 그는 자기가 만든 법을 인정해야만 했습니다. 「네가 기도하는 하나님이 너를 지켜 주시길 바란다.」 다리오는 이렇게 말했습니다.

그날 저녁에 나는 사자 굴로 던져졌습니다.

하지만 내겐 아무 일도 일어나지 않았습니다. 다음 날 아

침에 왕은 나를 보고 놀랐습니다. 왕은 내가 조금도 다치지 않은 것을 보고 이렇게 말했습니다. 「다니엘의 신은 정말로 살아 계신 하나님, 놀라운 하나님이시다.」

그리고 다니엘? 얼마나 오랫동안 그대는 다리오 왕과 그렇게 지냈는가? 다리오 왕은 그대의 하나님을 섬겼는가? 그대는 이 질문에는 대답하지 않았습니다. 훗날 그대는 꿈 이야기를 써서 남겼습니다. 그것은 세상의 어떤 왕국보다도 위대한 하나님의 나라에 대한 꿈이었습니다.

하지만 우리는 알고 있습니다. 그대와 그대의 민족, 그대들은 오랫동안 바빌로니아에서 살아야 했습니다. 하나님이 그대들에게 예언자를 보내셨다는 걸 우리는 알고 있습니다. 그 예언자는 그대들을 위로하고 용기를 북돋워 주었습니다.

다니엘, 우리는 알지 못합니다. 바사의 왕이 바빌로니아를 정복했을 때, 그리하여 바빌로니아의 유대 인들이 풀려났을 때, 그대는 아직 살아 있었던가? 우리는 그랬기를 바랍니다. 다니엘. 우리는 그대가 노인이 되어 예루살렘에 돌아간 것이기를 바랍니다. 모든 유대 인이 고향으로 돌아올 수 없었음을 슬퍼하면서, 또한 그대의 예루살렘과 유명한 성전이 모두 파괴된 것을 슬퍼하면서도, 그대가 그곳에 살았던 것이기를 바랍니다.

어쩌면 그대는 성전을 다시 짓는 것을 도왔을지도 모릅니다. 혹은 그저 보기만이라도 했기를. 성전이 옛날 솔로몬 왕이 계획했던 모습 거의 그대로 다시 지어지는 것을 보았기를. 그대는 알고 있었습니다. 민족은 되살아나고 하나님은 그대들을 잊지 않으셨습니다.

다니엘

용감한 에스더 왕비

수산이라는 커다란 도시를 다스리는 왕은 아하수에로라고 했습니다. 왕은 강력한 지배자였습니다. 그는 127개의 지방을 다스렸습니다.

3년 전부터 그는 바사의 왕이었습니다. 오늘 그는 커다란 잔치를 벌였습니다.

왕궁의 커다란 기둥에는 흰색과 파란색의 고운 천이 걸려 있었습니다. 금과 은으로 만든 접시에는 값진 요리가 담겨 있었습니다. 127개의 지방에서 손님들이 모였습니다.

하지만 왕의 잔치에 초대된 손님들은 하나같이 남자들뿐이었습니다. 궁전 안에 여자들만 머무는 장소에서 여자들은 와스디 왕비와 함께 따로 잔치를 벌였습니다.

잔치가 7일째 되던 날 아하수에로 왕은 신하에게 이렇게 명령했습니다. 「내 아내 와스디를 불러오너라. 보석 왕관을 쓰고 궁전으로 들라고 해라. 모든 손님들에게 그녀를 보여 주고 싶다. 나는 아름다운 와스디가 자랑스럽구나.」

하지만 와스디 왕비는 이렇게 말했습니다. 「아니오. 난 무슨 동물처럼 앞에다 세우고 구경시킬 사람이 아니에요. 난 가지 않겠습니다.」

왕비의 말을 전해들은 왕은 크게 노했습니다. 왕은 신하들과 의논을 하더니 이렇게 말했습니다. 「이 나라에 사는 여자들이 와스디 왕비를 따라하면 어찌 되겠느냐? 아내들이 남편의 말을 따르지 않는다면? 와스디는 왕비의 자격이 없다. 왕비는 이제 보석 왕관을 내놓도록 해라.」 그녀는 왕비의 자리에서 쫓겨났습니다.

그리고 왕은 127개의 지방으로 편지를 보내게 했습니다. 그리고 그 편지를 광장에 모인 사람들 앞에서 큰 소리로 읽어 주도록 했습니다. 편지에는 이렇게 써 있었습니다. 「남편은 집에서 명령을 내릴 수 있고, 아내는 그 명령에 따라야 한다.」

아하수에로 왕은 또 이렇게 말했습니다. 「내가 맞을 새 왕비를 뽑아라. 새 왕비는 젊고 예뻐야 한다. 나라 안을 다 뒤져서 찾아내라.」

모든 지방에서 가장 아름답고 젊은 여자들이 뽑혔습니다. 그들은 1년 동안 궁전 안에서 살도록 했습니다. 그들은 좋은 음식을 먹고 값비싼 향유를 몸에 발랐으며 춤과 노래를 배웠습니다. 그들은 왕비가 되어 왕을 기쁘게 할 모든 것을 배웠습니다. 에스더도 젊고 아름다운 여자들 가운데 한 명이

었습니다.

에스더는 수산이라는 커다란 도시에서 컸습니다. 에스더의 부모님은 죽었습니다. 에스더는 유대 인이었습니다. 그래서 삼촌 모르드개가 에스더를 데려다가 보살폈습니다. 모르드개도 유대 인이라는 것을 사람들은 잘 알고 있었습니다.

모르드개는 에스더를 친딸처럼 사랑했습니다. 모르드개는 날마다 여자들이 사는 왕궁 앞을 왔다 갔다 하면서 에스더가 잘 지내는지 확인했습니다.

모르드개는 자꾸만 걱정이 되었습니다. 「에스더가 나처럼 유대 인이라는 걸 아무에게도 말하지 않아야 할 텐데. 사람들이 에스더와 내가 친척이라는 걸 몰랐으면 좋겠어.」

그런데 하필이면 왕이 가장 마음에 들어하는 여자는 바로 에스더였습니다. 아하수에로는 1년이 지난 뒤 젊고 아름다운 여자들 가운데서 에스더를 선택했습니다. 결혼식 날짜가 잡히고 에스더를 위한 축제가 준비되었습니다. 그날은 가난한 사람들이 선물을 한 가지씩 받았습니다. 젊은 에스더는 보석이 박힌 왕비의 관을 썼습니다.

어느 날 모르드개는 왕궁의 문 근처에서 문지기 두 명이 나누는 대화를 들었습니다. 그 둘은 아하수에로 왕을 죽이려는 계획을 짜고 있었습니다.

모르드개는 곧장 에스더에게 자기가 들은 걸 전부 알려 주었습니다. 그러자 에스더는 왕에게 조심하라고 경고를 했습니다. 왕은 자기를 지킬 수 있었습니다. 왕실로 몰래 숨어들던 두 명의 살인자는 붙들렸습니다.

왕에 관한 일들을 쓰는 두꺼운 책이 있었습니다. 그 책에는 〈모르드개라는 선량한 유대 인이 왕의 목숨을 구했다〉고 씌었습니다.

바사 왕 아하수에로의 왕궁에서는 하만 대신이 가장 중요한 사람이었습니다. 왕은 하만을 가장 높은 관리로 삼았습니다. 왕의 명령에 따라서 모든 사람은 하만 대신 앞에서 이마가 땅에 닿도록 몸을 낮춰야 했습니다.

오직 모르드개만 몸을 낮추지 않았습니다. 「저는 유대 인입니다.」 모르드개는 절을 하라는 명령을 듣자 이렇게 말했습니다. 「저는 하나님 앞에서만 몸을 숙일 뿐, 어떤 사람에도 몸을 낮추지 않습니다.」 그러자 하만은 모르드개를 미워하게

되었습니다. 하만은 모르드개뿐만 아니라 모든 유대 인을 미워하게 되었습니다. 「유대 인을 다 죽여라. 나라 안의 모든 유대 인들을, 모조리.」 하만은 이렇게 명령했습니다. 그의 분노는 그토록 엄청났습니다. 그는 왕에게 가서 이렇게 말하기까지 했습니다. 「위대한 왕이시여, 온 나라에 흩어져 사는 유대 인들은 죽어 마땅합니다. 그들은 자기들만의 법을 갖고 있습니다. 그들은 바사 사람이 되려고 하지 않습니다. 왕이시여, 들어 보십시오! 왕께서 유대 인을 모조리 죽이시면 왕궁은 일만 개의 은화자루를 버는 셈입니다. 존경하는 왕이시여, 저에게 127개의 지방으로 편지를 보내도록 허락해 주십시오. 모든 유대 인을 죽일 것을 허락하십시오.」

왕은 잘 듣지도 않고 이렇게 대답했습니다. 「그대가 하는 일이면 옳겠지.」 왕은 하만에게 옥쇄를 주었습니다. 하만은 이제 편지에다 왕의 도장을 찍을 수 있었습니다. 하만은 왕의 이름으로 편지를 써서 127개의 지방으로 보냈습니다. 왕은 하만에게 이렇게 말했을 뿐이었습니다. 「그대 마음대로 하라. 돈은 그대가 가져도 좋다.」

하만은 웃었습니다. 그는 기뻤습니다. 그리고 부하에게 날짜를 고르게 했습니다. 부하가 뽑은 날짜는 아주 특별한 날이 될 것이었습니다. 그날은 아달월(유대 인 달력의 12월, 우리 달력의 2~3월) 13일이었습니다. 그날 왕이 모르게 모든 유대 인이 죽을 것이었습니다. 이것은 왕의 가장 높은 대신이었던 하만이 결정한 일이었습니다.

나라 안의 유대 인들은 겁에 질렸습니다. 유대 인들은 상복을 입었습니다.

모르드개는 커다란 슬픔에 사로잡혀 웃옷을 찢고 머리에 뒤집어썼습니다. 모르드개는 에스더만이 유일한 구원의 희망이라는 걸 알았습니다. 〈에스더, 그래, 에스더 왕비만이 우리를 구할 수 있을 거야. 에스더는 유대 인이면서 왕비가 아닌가?〉

모르드개는 상복을 입고는 왕궁에 들어갈 수 없었습니다. 그래서 모르드개는 왕궁의 시녀에게 부탁을 했습니다. 에스더에게 나라 안에 어떤 일이 일어났는지를 말해 달라고 했습니다. 왕궁에 있던 에스더는 이제 나라 안의 모든 유대 인이 어떤 끔찍한 위험에 처했는지를 전해 들었습니다. 「왕에게 유대 인을 구해 달라고 빌어 보세요. 왕비님이라면 왕에게 말해도 될 거예요.」 이렇게 시녀는 에스더에게 말했습니다.

에스더는 겁이 났습니다. 「아무도 왕이 부르기 전에 왕에게 가까이 갈 수 없어. 나도 안 되는 일이야. 벌써 30일 동안이나 왕은 나를 부르지 않으셨는데.」

하지만 에스더는 결국 용기를 냈습니다. 에스더는 모르드개에게 말했습니다. 「사흘 밤낮을 저는 아무것도 먹지도 마시지도 않겠어요. 왕궁 바깥에서도 수산에 사는 모든 유대 인은 저처럼 해주세요. 그리고 저를 위해서 기도해 주세요. 저와 모든 유대 인들이 사흘 동안 금식을 하고 난 다음에 제가 왕에게 가서 빌겠어요.」

에스더는 사흘 동안 아무것도 먹지도 마시지도 않았습니다. 그러고는 가장 아름다운 옷을 입고 왕실 앞으로 갔습니다. 왕은 에스더를 보았고, 기뻐하면서 손에 든 자〔尺〕 모양의 왕홀(王笏)을 내밀었습니다. 그것은 〈내게로 오라〉는 표시였습니다! 왕은 이렇게 말했습니다. 「그대는 내게 무엇이든 소원을 말해도 좋다. 나라의 절반을 달라고 해도 된다. 그만큼 나는 그대를 사랑하니까.」

에스더는 왕에게 부탁했습니다. 「하만 대신과 함께 저희 여자들의 궁에 식사를 하러 오십시오. 초대하고 싶습니다.」

왕은 에스더의 부탁을 받아들였습니다. 여자들의 궁에서 식사를 할 때 아하수에로 왕은 또다시 이렇게 말했습니다. 「그대가 원하는 걸 말해 보라. 나라의 절반이라고 해도 들어줄 테다.」

「내일 다시 한 번 저에게 와주십시오.」 에스더가 말했습니다. 「그러시면 저의 소원을 말씀드리겠습니다.」

하만은 유대 인 모르드개에 대해서 화를 냈습니다. 하만은 여자들의 궁에서 식사를 하고 돌아가는 길에 모르드개를 만났습니다. 모르드개는 하만에게 절을 하지 않았습니다. 하만은 모르드개를 더 미워하게 되었습니다. 하만은 모르드개를 목 매달 교수대를 세우게 했습니다. 「당장 내일 모르드개를 죽이리라. 다른 유대 인들보다도 먼저. 그렇게 해달라고 왕에게 빌어야겠다.」

그날 밤 왕은 늦은 시각까지 잠을 이룰 수 없었습니다. 왕은 시종에게 나라 안의 중요한 일들이 적혀 있는 두꺼운 책을 소리내어 읽어 달라고 했습니다. 시종은 왕을 죽이려던 문지기 두 명을 모르드개가 알려 주어 왕의 목숨을 구한 일에 대해서도 읽었습니다. 「모르드개는 이제라도 상을 받아야 할 것이다.」 아하수에로는 이렇게 말했습니다.

곧 날이 밝았습니다. 왕은 하만을 불러 물었습니다. 「좋은 의견을 말해 보시오. 내가 크게 명예를 높여 주고 싶은 사람에게 어떻게 해주면 좋겠소?」 하만은 기뻤습니다. 〈왕은 나를 치하하시려는 모양이구나.〉 그렇게 생각한 하만은 이렇게 대답했습니다. 「그 사람에게 왕의 잔치옷을 입히시고 왕의 관을 쓰게 하신 뒤, 왕의 말에 태워 도시 한가운데를 지나가게 하십시오. 신하 한 사람이 그 사람을 따라다니면서 큰 소리로 외치게 하면 좋을 것입니다. 〈왕께서는 이분을 높게 치하하신다〉라고요.」

「좋은 생각이오, 하만 대신. 고맙소.」 왕은 말했습니다. 「내가 높이고자 하는 사람은 바로 모르드개요. 가서 그 사람에게 가장 멋진 옷을 입히고 말을 타고 가게 하시오. 대신이 말한 그대로 해주시오. 하만 대신이 직접 모르드개가 옷 입는 것을 돌보고 말에 태우고, 그를 따라다니도록 하시오.」

하만은 분노가 치솟았지만 왕이 시키는 대로 해야 했습니다. 하만의 마음은 질투와 분노로 가득 찼습니다. 하만은 모르드개가 온 도시를 돌아다니는 동안 함께 있었습니다.

저녁이 되어 아하수에로 왕과 가장 높은 대신 하만은 다시 에스더 왕비의 궁으로 갔습니다. 오늘도 왕은 왕비에게 소원이 무엇인지 물으며 이렇게 말했습니다. 「나라의 절반을 달라고 해도 되오.」

이제 에스더는 용기가 났습니다. 「존경하는, 선하신 왕이

시여. 왕께서도 아달월 13일에 나라의 모든 유대 인을 죽인다는 걸 아실 것입니다. 이것은 하만이 127개 지방에 내린 명령입니다. 왕께서 구해 주시지 않으면 유대 인들은 모두 죽을 것입니다. 저도 죽어야 합니다. 저도 유대 인이기 때문입니다. 왕께서 명예를 높여 주신 모르드개는 저의 삼촌입니다. 그런데 저를 길러 주신 그분도 유대 인이기에 죽을 것입니다.」

왕은 그 말을 듣고 놀라서 할 말을 잊었습니다. 그러다가 질린 얼굴로 에스더를 보고 이렇게 말했습니다. 「왜 내가 전에 하만에게 마음대로 하라고 했을까? 내가 하만에게 너무 큰 권한을 준 것 같구려. 하지만 아직 유대 인들을 구할 시간은 있소. 하만은 중벌을 받을 거요.」

하만이 아무리 용서를 빌어도 소용이 없었습니다. 그는 모르드개를 죽이려고 만든 교수대에 목매달려 죽었습니다.

왕은 모르드개를 불러서 왕의 표시가 새겨진 반지를 끼워 주었습니다. 이제부터 유대 인 모르드개가 왕의 고문이 될 것이었습니다.

왕은 지혜로운 왕비 에스더를 언제나 사랑했습니다. 온 나라의 유대 인들은 커다란 기쁨을 느꼈습니다. 왕의 소식을 전하는 병사들은 온 나라에 왕의 편지를 전했습니다. 이제 유대 인들은 목숨을 구했다는 것을 알았습니다.

이 일이 있은 다음부터 모든 유대 인들은 아달월 14일을 축제의 날로 정했습니다. 이날은 사악한 하만이 모든 유대 인을 죽이려고 했던 13일의 다음날이었습니다. 하만이 뽑기를 통해서 이날을 정했기 때문에, 이 축제의 날은 부림제, 즉 뽑기의 날이라고 불립니다.

이날은 슬픔의 날이 될 뻔했다가 기쁨의 날이 되었습니다. 이날은 용감했던 왕비 에스더의 날입니다.

에스더

곤경에 빠진 욥

욥에 대한 이야기가 전해져 내려옵니다. 그는 선하고 정의로운 사람이었습니다. 그는 부유했으며 아들 일곱에 딸이 일곱이었습니다. 게다가 가축과 밭과 집들도 갖고 있었습니다. 욥에겐 부족한 게 없었습니다. 욥은 하나님께 희생의 제물을 바쳤고 기도를 올렸습니다.

어느 날 악마가 하나님께 가서 말했습니다. 「제가 땅 위를 돌아다니다 보았는데요, 당신께 제물도 바치고 기도도 잘 올리는 욥이란 자 말이지요. 당신은 욥을 몹시 아기시지만, 제가 보기에 그 사람은 단지 당신께서 잘 돌봐 주시니까, 부족한 게 없이 지내는 동안만 하나님을 잘 섬길 것 같더군요. 아마 형편이 어려워지면 곧 당신을 욕할 게 틀림 없습니다.」

하나님은 악마에게 욥의 재산을 빼앗고 어떻게 하는지 두고 보아도 된다고 허락했습니다. 우선 악마는 욥의 젖소와 나귀들을 빼앗았습니다. 그리고 양과 양치기들이 번개를 맞고 한꺼번에 죽게 하고, 낙타도 도둑 맞게 했습니다. 그의 집은 폭풍우에 무너졌고, 아들과 딸들은 담장에 깔려 죽어 버렸습니다.

하지만 욥은 여전히 하나님을 섬기며 기도하는 노래를 불렀습니다.

하나님께서 주시고
하나님께서 거두시네.
하나님의 이름을 찬양하라.

그의 형편은 더욱 어려워졌습니다. 몇 년 동안 그는 심한 병을 앓았습니다. 발목부터 허벅지까지 커다란 모기에 물린 것처럼 가려운 종기가 났습니다. 가려운 나머지 그는 벽돌조각으로 몸을 긁었습니다. 욥은 사람들과 멀리 떨어져서 잿더미에 앉았습니다.

그러자 욥의 한 아내가 이렇게 말했습니다. 「여보, 하나님이 참 원망스럽군요. 차라리 당신은 죽는 편이 더 낫겠어요.」 그러나 욥은 여전히 기도하는 노래를 불렀고 아내에게 이렇게 말했습니다. 「좋은 것은 삼키고 쓴 것만 뱉을 수 있겠소?」

욥은 어떤 괴로운 일이 일어나도 하나님을 한결같이 섬겼습니다. 악마의 말은 틀렸습니다. 욥은 시련을 이겨냈습니다.

하나님은 욥을 다시 건강하게 했습니다. 그는 다시 부자가 되었고 새 일꾼과 양과 낙타와 집들을 갖게 하셨습니다. 그리고 하나님은 다시 열 명의 아이를 낳게 해주셨습니다. 일곱 아들과 세 딸들이었습니다.

욥의 이야기는 이렇게 간단하게 얘기할 수도 있습니다. 그러면 이렇게 묻는 사람도 있겠지요. 「욥은 정말 그렇게 순하기만 했을까요? 하나님을 원망하지 않았을까요? 절망하고 분노하지 않았을까요?」 욥의 이야기는 여러분의 이야기이고 저의 이야기일 것입니다. 모든 일이 실패로 돌아가고 살기가 어려울 때는 하나님을 찬미하기가 어렵습니다. 그럴 때면 저는 이렇게 생각합니다. 「왜 하필이면 저를 이렇게 하십니까? 저를 벌주시는 것인지요? 제가 뭘 잘못했단 말입니까? 제가 남들보다 나쁜 사람인가요?」 이렇게 한탄하면서 왜 내 인생이 어려운지, 왜 내가 벌을 받는지 알고 싶어합니다.

「혹시 몰래 나쁜 짓을 저지른 적 없느냐? 하나님은 나쁜 짓을 모두 지켜보고 벌을 주신다.」 누군가 이렇게 말하면 저는 엄청나게 화를 내겠지요. 바로 병든 욥을 찾아온 친구들이 그렇게 말했답니다. 욥은 그런 말을 듣자 정말로 화가 치밀어 올랐습니다. 욥은 바로 여러분이나 내가 꼭 그랬을 것처럼 친구들 앞에서 항변했습니다. 또 한탄하고 욕을 하며 되물었습니다. 욥은 아주 길게 한탄하는 말을 남겼습니다.

욥의 불행을 간단히 얘기한 지금 그의 한탄의 노래를 옮겨
봅니다. 욥은 이렇게 말했습니다.

하나님, 당신의 손은 저를
훌륭하게 창조하셨습니다.
그런데 왜 저의 몸을 망치십니까?
당신의 예술품을?
베여 넘어진 나무처럼
저는 시듭니다.
해가 높이 솟으면 사라지는 그림자처럼
해가 구름 뒤로 몸을 감추면
사라지는 그림자처럼
그렇게 저의 기력도 빠르게 사라집니다.

베여 넘어진 나무들이라면
희망이라도 있습니다.
뿌리가 다시 뻗고
새로운 수액이 오를지도 모릅니다.
하지만 지금 제가 죽으면
저에겐 남은 것이 없습니다.
단 하나도 없습니다.

하나님은 그물을 치신 듯
저를 잡으셨습니다.
하나님이 저의 길을
막으셨습니다.
왜, 어째서 이러십니까?

살은 병들고 물러서
친척들도 저를 알아보지 못합니다.
저의 일이라면 모두들
고개를 돌리고 잊고 싶어합니다.
왜, 어째서 이렇게 하십니까?

하나님을 모른다 하는 이들은
건강하고 왕성하게 살아가는데,
그들은 나이 들어

자식과 손주들을 바라보며
수금과 하프의 음악을 즐기는데,
그들은 하나님께 기도도 하지 않고,
하나님에게 관심이 없다고 말하는데,
왜 그들은 잘살게 두시고
저는 이토록 괴롭히십니까?
왜, 어째서 이러십니까?

하나님께 절규해 보지만
당신은 제게 귀 기울이지 않으십니다.
저는 당신 앞에 서 있는데
당신은 저를 보지 않으십니다.
마치 저를 원수처럼 대하시는
하나님, 왜, 어째서 이러십니까?

하나님은 나의 빛이시다.
이렇게 저는 생각했습니다.
하지만 저는 암흑에 갇혀 있습니다.
아무도 저를 돕지 않습니다.
사막의 외로운 짐승처럼,
자칼처럼 저는 울부짖습니다.
하나님은 오로지 저만 내버려 두십니다.
왜, 어째서 이렇게 하십니까?

마침내 욥은 하나님의 음성을 듣게 됩니다. 폭풍우 속에서
하나님은 욥에게 다가오셨습니다. 욥은 하나님의 음성을 들
었습니다. 하지만 하나님은 그의 질문에는 대답하지 않으셨
습니다. 〈왜, 어째서 이렇게 하십니까〉라고 욥은 그토록 여러
번 절규했는데도, 하나님은 그 소리를 듣지 못하신 걸까요?
하나님은 그 이유가 무엇인지 대답하지 않으셨습니다.

하나님은 욥의 병과 불행과 고통에 대해서는 아무 말씀도
않으셨습니다. 하나님은 자신의 노래를 부르셨습니다. 창조와
빛과 어둠, 산과 계곡과 태양과 바다에 대한 노래였습니다.

욥은 고요해졌습니다. 욥은 더 이상 하나님께 왜냐고 묻
지 않았습니다. 「하나님, 당신은 내 곁에 계십니다.」 이렇게
욥은 말했습니다. 「예전에 저는 사람들이 하나님에 대한 말
을 하면 귀를 기울여 듣곤 했습니다. 그런데 이제는 제가

당신의 음성을 들었습니다. 그리고 제 눈으로 당신을 보았습니다. 하나님, 당신은 여기에 계십니다. 그것으로 충분합니다.」

하나님, 왜 당신은 욥에게 대답하지 않으셨습니까? 저 역시 알고 싶습니다. 질병과 고통은 어디에서 오는 것입니까? 하나님, 당신은 대답하지 않으십니다.

저는 화가 납니다. 저는 한탄합니다. 저는 거듭해서 묻습니다. 하나님, 당신은 어디에 계십니까? 아무런 힘도 없이 인간들이 굶주리는 것이 보이지 않으십니까?

하나님, 보이지 않으십니까? 수많은 인간들이 슬픔에 잠겨 있습니다. 왜 하필 그 사람들만 슬퍼해야 합니까? 그들은 악한 사람들이 아닙니다. 오직 자기 생각만 하고 하나님을 잊은 사람들은 흥청망청 살아가고 있는데, 하나님, 왜, 어째서 이렇게 하십니까?

하나님, 당신은
한없이 비밀에 싸인 분이십니다.
당신은 인간이
쉽게 살도록 하지 않으십니다.
당신의 뜻을 안다는 것은
쉽지 않습니다.
비밀의 하나님,
저를 도와주소서.
저도 욥처럼
하나님을 느끼고 싶습니다.
당신을 보고 당신을 듣고 싶습니다.
그러면 제가 알 테지요, 하나님,
당신은 여기에 계시다고.
여기에 계셔 주십시오,
비밀스러운 하나님이시여!

욥기

요나와 큰 도시 니느웨

하나님의 음성이다!

요나는 전율하듯 놀랐습니다. 하나님께서 말씀하고 계셨습니다. 「요나, 길을 떠나도록 해라! 큰 도시 니느웨로 가라! 그곳으로 가서 내 말을 전해라. 사람들은 죄에 물들었으나 깨끗해져야만 한다고 해라. 내가 원하는 것이라고 해라.」

「하나님은 내게 너무 많은 걸 원하시는구나!」 요나는 겁이 났습니다. 「먼 도시 니느웨에 사는 사람들이 죄에 물든 것과 내가 무슨 상관일까?」

요나는 하나님이 원하신 일을 아무것도 하지 않았습니다. 요나는 니느웨로 가지도 않고 고향 근처를 떠돌아다녔습니다. 그러다 바닷가에 이르렀습니다. 욥바라는 항구에서 그는 뱃삯을 치르고 다시스로 가는 배에 올라 탔습니다. 요나는 생각했습니다. 〈거기 가면 하나님에게서 멀리 떨어져 지낼 수 있겠지. 하나님 눈에 더 이상 내가 보이지 않겠지. 날 잊어버리실 거야.〉

요나는 배의 바닥으로 내려가 누웠습니다. 「하나님으로부터 도망쳐야겠어.」 배에 타고 있던 사람들은 요나의 뜻을 알지 못했습니다. 요나는 오랜 여행으로 지쳐서 깊이 잠들었습니다.

그런데 하나님은 곧 바다에 엄청난 폭풍우를 일으켰습니다. 거센 파도가 배를 때리며 이리저리 흔들었습니다. 배는 왼쪽 오른쪽으로 기우뚱거렸습니다. 뱃사람들은 겁에 질렸습니다. 사람들은 자기들의 신들에게 기도를 했습니다. 뱃사람들은 폭풍우가 부는 가운데 기도를 외쳤습니다. 그리고 배가 가벼워지도록 자루와 상자와 드럼통들을 바다에 던졌습니다. 하지만 별로 소용이 없었습니다.

그때 선장이 요나를 깨웠습니다. 「계속 잠만 잔단 말이오? 당신도 기도를 하시오. 당신의 신에게 기도를 하시오. 어쩌면 우리를 도와주실지도 모르잖아요.」

폭풍우는 점점 거세졌습니다. 뱃사람들은 배에 탄 누군가 죄를 지었다고 생각했습니다. 〈비바람이 치는 건 배에 탄 누군가 잘못을 해서일 거야. 하지만 그게 누구지?〉 사람들은 모두 모여서 제비를 뽑았습니다. 잘못을 저지른 사람이 긴 끈을 뽑을 것이었습니다. 그런데 요나가 긴 끈을 뽑았습니다. 사람들은 하나같이 질린 얼굴로 외쳤습니다. 「바로 당신이야!」

「왜 당신은 신을 피해 달아난다는 거요?」 사람들이 물었습니다. 「우리는 어쩌란 말이오? 당신은 대체 누구요? 당신의 신은 누구요?」 「나는 이스라엘에서 온 사람입니다.」 요나가 대답했습니다. 「나의 하나님은 하늘과 땅을 가르시고 바다와 육지를 만드신 분입니다. 그분은 강력하십니다. 나는 그분의 말을 따르지 않았습니다. 이렇게 폭풍우가 몰아치는 것은 나 때문입니다. 그러니 나를 바다에 던지십시오.」

요나란 자의 강력한 하나님이라는 신은 대체 누구인가?

안 돼, 사람들은 요나를 무턱대고 죽일 수는 없었습니다. 사람들은 돛을 내리고 노를 저었습니다. 있는 힘껏 노를 저었습니다. 그렇게 해서 육지로 가 닿으려는 것이었습니다. 하지만 폭풍우는 갈수록 거세지기만 했습니다. 배는 부서지는 소리가 나도록 심하게 요동쳤습니다.

뱃사람들은 물에 빠져 죽을까 봐 겁이 났습니다. 또 요나의 강력한 신도 두려웠습니다. 그들은 으르렁대는 바람과 하늘로 솟구치는 파도에다 대고 이렇게 소리쳤습니다. 「저희가 알지 못하는 신이시여, 저희가 요나를 죽여도 저희를 벌하지는 마십시오!」 그러고는 그들은 요나를 바다에 던졌습니다.

그러자 성난 바다가 잠잠해졌습니다.

「요나의 하나님은 어떤 분인가?」 이렇게 뱃사람들은 서로 물었습니다. 그리고 그 하나님께 기도를 드렸습니다. 그들은 자기들이 모를 신이 고마웠습니다. 그들은 희생 제물을 바쳤습니다. 바다 한복판에서.

하지만 하나님은 요나를 물에 빠져 죽게 하지 않았습니다. 요나는 커다란 물고기에게 삼켜졌습니다. 사흘 낮 사흘 밤을 요나는 물고기의 뱃속에 있었습니다. 요나는 거기서 작은 집에 들어앉은 것처럼 안전했습니다. 이제 요나는 깨달았습니다. 〈여기서도 나는 하나님과 함께로구나. 하나님은 나를 빠져 죽게 놔두시지 않았어.〉 요나는 기도했습니다.

하나님, 당신이 저를 구하셨습니다.
하나님과는 끝이라고 생각했지요.
폭풍우와 성난 파도
깊고 깊은 바다 앞에서
저는 겁에 질렸습니다.
당신은 저를 바다에 던지셨지요.
하지만 죽이려고 하신 것이 아닙니다.

이제는 말할 수 있습니다, 하나님,
저는 당신의 뜻에 따르겠습니다.

거대한 물고기가 요나를 다시 뱉어냈습니다. 요나는 낯선 나라에 와 있었습니다.

요나는 하나님의 음성을 들었습니다. 「이제는 정말로 니느웨로 가거라! 도시의 광장에서 네가 할 말을 내가 알려 주겠다.」

니느웨는 엄청나게 큰 도시였습니다. 요나는 그렇게 큰 도시를 들은 적도 본 적도 없었습니다. 끝없이 이어지는 집들을 지나 사흘을 걸었습니다. 도시의 한쪽 끝에서 다른쪽 끝까지 사흘이나 걸렸습니다.

요나는 훌륭한 집들과 꽃이 만발한 정원들을 보았습니다. 사람들은 부자인지 화려한 마차를 탔고 화려한 옷을 입고 튼튼한 개를 데리고 다녔습니다. 왕궁 앞에 선 왕도 보았습니다.

요나는 또 거지들을 보았습니다. 더러운 집과 아이들과 굶주린 고양이들과 몸을 숨기는 도둑들을 보았습니다.

요나는 하나님이 시킨 대로 광장에서 그리고 궁전 앞에서 설교를 했습니다. 「40일이 지나면 니느웨는 파괴될 것입니다. 여러분이 사는 모습이 하늘과 땅을 만드신 하나님의 마음에 들지 않기 때문입니다. 그분은 여러분을 벌하실 겁니다.」

니느웨의 사람들은 요나의 말을 귀 기울여 들었습니다. 사람들은 입고 있던 화려한 옷을 벗고 단식을 시작했습니다. 그리고 잿빛 옷을 입고 말했습니다. 「우리는 나아지겠습니다. 하나님을 섬기겠습니다. 가난한 사람들을 돕고 새로운 삶을 시작하겠습니다.」 니느웨의 강력한 왕도 잿빛 옷을 입고 무릎을 꿇어 기도를 하였습니다. 「위대하신 하나님, 저희를 벌하지 마옵소서! 저희는 다르게 살겠습니다.」

요나는 니느웨의 정의롭지 않은 일들을 눈으로 보았습니다. 도둑과 사기꾼, 가난과 더러움, 부자들이 버린 쓰레기들을. 그리고 요나는 사람들이 이제 더 선하게 살아 보려고 애쓰는 것도 보았습니다. 하지만 요나는 생각했습니다. 〈그래도 니느웨의 사람들은 죽을 수밖에 없다. 그것이 정의다. 하나님은 이제 내가 설교한 대로 니느웨를 멸망시키실 것이다. 그 일로 하나님은 나를 이곳으로 보내신 것이니까.〉

요나는 언덕에 올라 도시를 굽어보았습니다. 요나는 도시가 멸망하기를 기다렸습니다. 요나는 40일 동안 기다렸습니다. 하지만 아무 일도 일어나지 않았습니다. 그러자 요나는 화가 났습니다. 어째서 이스라엘의 하나님, 나의 하나님은 이 낯설고 사악한 사람들을 도우시려는가?

요나는 혼자였습니다. 요나는 짜증을 내며 이렇게 말했습니다. 「하나님, 저를 죽여 주십시오. 제 인생은 아무런 의미도 없습니다.」 그러자 하나님은 요나가 머물던 곳에 피마자가 자라게 하셨습니다. 하룻밤 사이에 피마자는 쑥쑥 자라서 다음 날엔 촉촉한 손 모양 잎사귀들이 우산처럼 요나에게 그늘을 드리워 땡볕을 피할 수 있게 해주셨습니다.

요나는 다시 웃었습니다. 그는 기분이 좋았습니다. 그리고 화가 싹 가시어서 이렇게 말했습니다. 「하나님이 나와 함께 하신다. 하나님이 나를 도우시는구나.」

하지만 하나님은 피마자 뿌리를 벌레가 갉아먹게 하셨습니다. 하룻밤이 지나자 피마자는 시들고 말았습니다. 다시 요나의 머리에 땡볕이 내려 쬐었습니다. 그러자 요나는 다시 불평을 터뜨리며 이렇게 말했습니다. 「이제야말로 난 죽어야겠다! 내 훌륭한 피마자가 시들다니. 이제 내 삶은 아무런 의미도 없는 거야.」

하나님은 이렇게 말씀하셨습니다. 「너는 피마자 한 그루가 시든 것 때문에 한탄하느냐? 그렇다면 니느웨의 모든 사람들, 심지어 12만 명이나 되는 어린아이들까지 다 죽는 것은 마땅한 일이겠느냐? 그게 너한테는 아무런 일도 아니냐? 내가 그 사람들을 용서하고 목숨을 구해 주는 것이 옳지 않겠느냐?」

「요나, 내 말을 듣느냐? 내가 너의 종이냐? 아니면 모든 인간을 구해 주는 하나님이냐?」

요나가 뭐라고 대답했는지는 아무도 모른답니다.

요나

신약 이야기

예수님의 탄생

새로운 시대를 기다리며

이스라엘 사람들은 살기가 어려웠습니다. 남자들은 손으로 입을 가리고 수근거렸습니다. 「로마 사람들을 쫓아내야만 해! 왜 그들은 헤롯을 왕의 자리에 앉힌 거지? 우리는 자유를 원해!」 누군가는 이렇게 덧붙였습니다. 「우리가 가난한 이유는 관세와 세금을 내야 하기 때문이야. 모든 것이 로마 사람들을 위한 거지!」

하나님이 자신들을 떠났다고 생각하는 사람들도 있었습니다. 그들은 이렇게 물었습니다. 「예언자들이 우리에게 약속한 그 사람, 우리를 도와줄 메시아는 대체 어디에 있는 거야?」

아이들이 올리브 나무 아래서 놀거나 함께 모여 있을 때면 아버지나 할아버지께 들은 멋진 이야기들이 나왔습니다. 「힘있는 왕이 올 거야. 그 왕은 빛나는 왕관을 쓰고 색깔이 멋진 망토를 입었어. 그럼 모든 사람들이 잘살게 될 거고 그 왕은 평화의 왕이라고 불릴 거야.」

하지만 엄마들은 아이들이 그렇게 말하며 웃는 소리를 듣고 한숨을 내쉬었습니다. 「우리 가난한 사람들에게 하나님의 심부름꾼 하나라도 온다면 얼마나 좋을까. 사라와 아브라함에게 그리고 사막의 엘리야에게 천사가 나타났던 것처럼!」 그들은 하나님이 엘리사벳과 마리아에게 천사 가브리엘을 보내신 것을 몰랐습니다. 그리고 구세주가 곧 오신다는 것도 몰랐습니다.

하지만 구세주는 아이들이 기대했던 것처럼 오지는 않았습니다.

사가랴와 엘리사벳

사가랴는 자기가 사는 산골마을로 걸어 올라갔습니다. 그의 얼굴엔 주름이 가득했습니다. 벌써 나이가 많았지만 가까이서 보면 그는 입가엔 웃음을 띠었고 눈은 반짝였습니다.

그는 어깨에 둘둘 만 제사장의 외투를 메고 있었습니다. 그는 커다란 도시 예루살렘의 교회에서 오는 길이었습니다. 여러 제사장들이 모여서 제비를 뽑았는데 그만이 주님의 성소 안으로 들어가 금 제단에 놓인 희생의 제물에 불을 붙이기로 정해졌습니다. 향을 태우는 연기가 났고 향료에서는 좋은 냄새가 퍼졌습니다.

사가랴는 멈추어 섰습니다. 그러자 예루살렘에서 겪었던 모든 일들이 다시 떠올랐습니다. 그 모든 냄새와 소리를 지금도 느낄 수 있었습니다. 그는 교회 안에서 홀로 분향 제단 앞에, 희생의 불길 앞에 서 있었습니다. 그런데 갑자기 낯선 남자 하나가 제단 오른쪽에 나타났습니다. 사가랴는 깜짝 놀랐습니다. 그는 그 남자가 이렇게 말을 걸었을 때 아주 무서웠습니다. 「겁내지 마시오, 사가랴! 하나님께서 당신의 기도를 들어 주셨습니다. 당신과 당신의 아내 엘리사벳은 아들을 낳을 것입니다. 당신은 그 아이의 이름을 요한이라고 하십시오. 당신이 기뻐하듯이 이스라엘의 다른 많은 사람들도 그 아이의 탄생을 기뻐할 것입니다. 하나님께서 요한에게 큰 일을 준비하시기 때문입니다. 구세주가 몸소 사람이 되어 오시기 전에 요한이 먼저 사람들에게 구세주에 대해 알릴 것입니다.」

사가랴는 생각했습니다. 〈처음에는 그 낯선 사람의 말을 믿지 않았다. 하지만 서서히 나는 그가 하나님의 심부름꾼인 천사라는 것을 깨닫게 되었지. 그 천사는 내게 자기 이름이 가브리엘이라고 가르쳐 주었다. 나는 이렇게 물었지. 내가 당신을 어떻게 믿을 수 있겠습니까? 지금 우리 부부가 이렇게 늙었는데 어떻게 아이를 낳을 수 있단 말입니까? 나에게 당신이 진실을 말한다는 징표를 주십시오. 그러자 천사는 내가 말을 하지 못하게 만들었다. 당신은 그 일이 이루어질 때까지 아무 말도 할 수 없을 것입니다. 이것이 징표입니다.〉

사가랴는 다시 천천히 걸어갔습니다. 그는 정말 말을 할 수가 없었습니다. 그가 성소에서 나왔을 때 사람들은 그를 이상하게 여기며 쳐다보았습니다. 그는 입을 움직여 보았지

만 한마디도 할 수가 없었습니다. 지금도 그는 말을 할 수가 없습니다.

그는 마을로 올라갔고 아내 엘리사벳이 다가오는 것을 보았습니다. 그는 언제나처럼 아내에게 말을 걸고 싶었습니다. 그러나 목소리가 나오지 않았습니다. 그는 손짓을 했습니다. 그의 눈은 여전히 빛나고 있었습니다. 엘리사벳이 그를 껴안았습니다. 그녀는 남편을 오랫동안 바라보았습니다. 사가랴는 굳게 다물어진 자기 입을 가리켜 보였습니다. 엘리사벳은 성소에서 무언가 놀라운 일이 일어났다는 것을 알아차렸습니다.

며칠이 지난 뒤 엘리사벳의 눈이 빛났습니다. 그녀는 아기를 가진 것을 느끼고 기뻐했습니다. 「하나님이 우리의 기도를 들어 주셨어요, 사가랴.」 그가 고개를 끄덕였습니다. 그는 이미 모든 것을 알고 있었습니다.

그런데 엘리사벳은 그 사실을 숨겼습니다. 그녀는 부끄러웠습니다. 〈나는 나이가 너무 많은 엄마가 아닌가?〉 그녀는 말 못하는 사가랴와 함께 다섯 달 동안 집 안에만 있었습니다. 배가 불러 둥그렇게 되고 나서야 그녀는 집 밖으로 나갔습니다. 그러자 이웃사람들이 모두 깜짝 놀랐습니다.

엘리사벳은 그렇게 태어난 아기에게 요한이라고 이름을 붙였습니다. 친척들은 다시 한 번 놀랐습니다. 〈왜 이런 이름을 지었을까? 왜 아버지처럼 사가랴라고 하지 않았을까?〉 그들은 사가랴를 불렀습니다. 「당신의 아들을 무어라 부르려 합니까?」 그들이 물었습니다. 사가랴는 작은 칠판에다 요한이라는 이름을 썼습니다. 그는 여전히 말을 할 수 없었기 때문입니다.

그러나 아기에게 이름을 지어 주자 그때부터 홀연히 아버지의 입이 열렸습니다. 그의 혀가 다시 움직였습니다. 사가랴는 찬미의 노래를 불렀습니다.

하나님, 우리의 주님,
당신은 당신의 백성을 해방시키셨습니다.
당신은 아브라함에게 약속하신 것을
오늘도 잊지 않고 계십니다.
당신은 우리와 함께 계십니다.
당신은 이 아이를 우리에게 보내셨고

예언자가 될 아이입니다.
이 아이는 우리의 구세주보다 먼저 와서
그분이 오실 길을 마련해 줄 것입니다.

이웃사람들과 친구들은 〈이 아기가 나중에 어떤 사람이 될까?〉라고 하였습니다. 그들은 요한의 놀라운 탄생에 대한 이야기를 온 유다 산골에 전하였습니다.

사가랴와 엘리사벳에게는 새로운 삶이 시작되었습니다. 그들은 행복하였고 하나님이 그들의 아이를 통해 뭔가 커다란 일을 준비하시는 것을 알았습니다.

누가복음 1장 5~25절, 57~80절

천사가 마리아를 찾아오다

하나님은 천사 가브리엘을 갈릴리 지방의 작은 도시 나사렛에 사는 젊은 여자 마리아한테도 보내셨습니다.

천사가 갑자기 문 앞에 나타났습니다. 천사는 마리아 앞에 서서 이렇게 말했습니다. 「기뻐하소서, 마리아여! 하나님께서 당신을 선택하셨습니다. 하나님께서 당신 곁에 계십니다.」 마리아는 그 말을 듣고 놀랐습니다. 〈이 사람이 천사인가?〉 마리아는 겁이 나서 이렇게 물었습니다. 「왜 당신은 나에게 그런 말을 합니까? 마치 내가 아주 중요하고 신분이 높은 사람이라는 듯이 말이에요.」 그러자 천사가 대답했습니다. 「두려워 마시오, 마리아여. 나는 천사 가브리엘입니다. 당신은 아들을 하나 낳을 것입니다. 그 이름을 예수라 하십시오. 그는 하나님의 아들이라 불리실 것입니다. 그는 영원히 선한 왕이 될 것입니다. 그는 다윗 왕의 가문에서 나왔으니 다윗 왕의 왕좌에 앉으실 것입니다.」

마리아는 다시 한 번 놀랐습니다. 「어떻게 그런 일이 있을 수 있지요?」 그녀가 물었습니다. 「저는 아직 남편도 없습니다.」 그녀는 요셉과 약혼하였습니다. 하지만 그녀가 곧 아이를 낳게 된다는 것은 상상할 수가 없었습니다.

그러나 천사 가브리엘은 이렇게 말했습니다. 「하나님의 힘인 성령이 당신에게 오실 것입니다. 그러므로 당신의 아이는 하나님의 아들이라 불릴 것입니다. 하나님께서는 못하실 일이 없습니다. 당신의 친척인 나이 많은 엘리사벳도 오랫동안

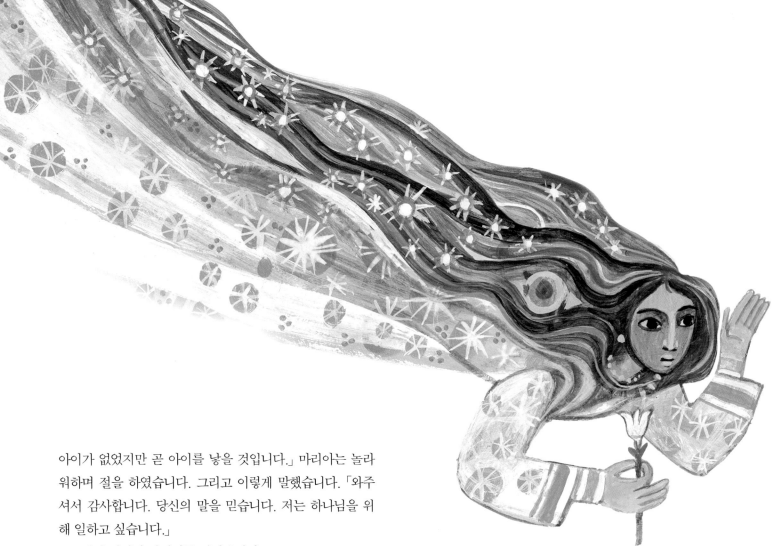

아이가 없었지만 곧 아이를 낳을 것입니다.」마리아는 놀라워하며 절을 하였습니다. 그리고 이렇게 말했습니다. 「와주셔서 감사합니다. 당신의 말을 믿습니다. 저는 하나님을 위해 일하고 싶습니다.」

그러자 천사가 마리아를 떠났습니다.

마리아는 그 일이 있고 나서 곧 유대의 산골 동네에 사는 엘리사벳과 사가랴를 찾아갔습니다. 그들은 마리아의 친척이었습니다. 이 여행을 하는 데 사흘이 걸렸습니다.

엘리사벳이 마리아의 인사말을 들었을 때 엘리사벳은 아이가 뱃속에서 뛰노는 것을 느꼈습니다. 그녀는 큰 소리로 외쳤습니다. 「우리 주님의 어머니가 오셨습니다. 마리아여, 모든 여인들 중에서 주님이 당신을 선택하셨습니다.」

마리아는 엘리사벳 옆에 앉아 하나님을 찬미하는 노래를 불렀습니다.

하나님 나의 구세주여, 감사합니다
저는 젊고 가난하지만
당신은 저를 선택하셨습니다.
모든 시대의 사람들이 저를 행복하다고 할 것입니다.
하나님이 저에게 큰 일을 하셨기 때문입니다.
하나님은 모든 사람을 위해 큰 일을 하십니다.

힘센 사람들을 권좌에서 쫓아내시고
비천한 사람들을 높여 주십니다.
굶주린 사람을 배부르게 하시고 행복하게 하십니다.
부유한 사람을 빈손으로 떠나게 하십니다.
하나님은 당신의 백성 이스라엘을 잊지 않으셨습니다.
하나님은 도와주실 것입니다.

마리아는 석 달 동안 엘리사벳과 사가랴의 집에 머물렀습니다. 그리고 나서 약혼자 요셉이 있는 나사렛으로 돌아갔습니다.

요셉은 목수였습니다. 그는 유명한 다윗 왕의 후손이었습니다.

누가복음 1장 39~56절

베들레헴에서

때는 겨울이었습니다. 이스라엘에는 많은 사람들이 여행을 하고 있었습니다. 그들은 사막을 지나고 바위가 많은 산을 넘었습니다. 그들은 작은 무리를 지어 길을 걸어갔습니다. 그리고 지쳐 있었습니다. 사람들이 길가에서 쉬면서 서로 이야기할 때면 이런 말들이 들렸습니다.「아우구스투스 황제는 대체 왜 이런 명령을 내렸어? 왜 우리 민족이 모두 몇 명인지 다 센다는 거지? 쓸데없는 일이야, 쓸데없는 일!」

모든 사람들이 로마 황제의 말에 복종했습니다. 두렵기 때문이었습니다. 모든 사람들이 자기 고향이 있는 마을이나 도시로 갔습니다. 거기에 가서 자기 이름을 장부에 적어야만 했습니다.

목수인 요셉도 고향으로 가는 중이었습니다. 그는 마리아와 함께 나사렛에서 베들레헴으로 갔습니다. 다윗 가문 전체가 베들레헴에서 났기 때문이었습니다. 여행은 오래 걸렸습니다. 길에는 먼지가 많았습니다.

그들이 베들레헴에 도착하고 나서 곧 아이가 태어났습니다. 마리아와 요셉은 마땅한 장소가 없어서 빈 외양간에서 아기를 낳았습니다. 마리아는 아들을 포대기에 싸서 구유에 눕혔습니다.「이 아이의 이름은 예수라고 해야 합니다. 천사 가브리엘이 내게 그렇게 말했습니다.」

베들레헴 근처에서 목자들이 양 떼를 지키고 있었습니다. 목자들은 밤에도 들판에서 지내며 양 떼를 돌보았습니다. 예수님이 태어나던 날 밤에도 그랬습니다. 그러다 목자들은 잠이 들었습니다. 그들 곁에선 남은 모닥불이 타고 있었습니다.

갑자기 그들은 놀라며 잠에서 깨어났습니다. 한밤중인데 환한 빛이 그들을 둘러싸고 있었습니다. 하나님의 천사가 나타나 그들에게 말하였습니다.「겁내지 마십시오. 나는 여러분에게 기쁜 소식을 알려 주려고 왔습니다. 오늘 밤은 이 세상에 살고 있는 모든 사람들에게 기쁜 밤입니다. 다윗의 도시에서 오늘 여러분의 구원자가 나셨습니다. 여러분 모두가 기다리던 그리스도 주님입니다. 여러분은 그분이 외양간에서 나신 것을 보게 될 것이며 그분을 당장 알아볼 것입니다. 그분은 작은 아기로 여러분에게 오셨습니다. 그 아기는 여기서 멀지 않은 곳에 포대기에 싸여 구유에 누워 있습니다.

그리고 나서 갑자기 수많은 천사들의 무리가 목자들에게 나타나 하나님을 찬미하며 노래했습니다.

하늘 높은 곳에선 하나님께 영광
하나님은 사람들을 사랑하시니
땅에서는 모든 사람들에게 평화

천사들이 사라지고 다시 어두워졌습니다.

목자들은 등불을 켜고 서로 이야기를 나누었습니다.「어서 가자. 외양간을 찾아보자. 천사가 말한 그 아이를 보러 가자.」

그들은 양 떼들을 어둠 속에 남겨두고 한밤중에 언덕과 들판을 넘어 마리아와 요셉과 함께 있는 아기를 찾아내었습니다. 아기는 천사가 말한 그대로 구유에 누워 있었습니다.

「이 아이의 이름은 예수입니다.」마리아가 무릎을 꿇고 있는 목자들에게 조용히 말했습니다. 목자들은 아기를 오랫동안 바라보고 가까이 다가가 대답하였습니다.「저희는 이 아기가 우리의 구세주라는 것을 알고 있습니다. 그래서 저희가 온 것입니다. 이제 저희가 본 것을 초원과 마을, 도시에 두루 알리겠습니다. 우리를 도와주실 분이 나셨습니다! 아무도 거들떠보지 않는 우리같이 천한 목자들이 그분을 제일 처음 보았습니다.」

목자들이 어두운 밤에 다시 언덕을 넘고 들판을 지나 양 떼를 돌보러 돌아가는 동안, 마리아는 사람들이 말한 모든 것에 대해 생각했습니다. 마리아는 알고 있었습니다. 이 조그마한 아기가 하나님의 아들이라는 것을. 이 아기가 선한 왕이 되리라는 것을. 천사 가브리엘이 그것을 미리 알려 주었습니다.

마리아는 기뻤습니다.

누가복음 2장 1~20절

두 노인이 기뻐하다

예루살렘의 성전 뜰 한구석에 한 할머니가 앉아 있었습니다. 할머니는 이불을 둘둘 감고 있었습니다. 날이 추웠습니다. 할머니는 입술을 움직였지만 소리를 내지는 않았습니다. 「저 할머니는 매일 저기에 앉아 있어요.」 뜰을 지나가던 제사장이 다른 사람에게 말했습니다. 「저 할머니는 여든네 살이고 과부지요. 이름은 한나라고 해요. 저렇게 기다리고 또

기다립니다. 뭘 기다리는지 모르겠어요.」 남자들은 성전 안으로 들어갔습니다.

그런데 그날 아침에 그 할머니는 갑자기 자리에서 뛰듯이 일어섰습니다. 할머니의 두 다리가 움직였습니다. 할머니는 온 성전 뜰을 가로지르며 춤을 추었습니다. 할머니는 젊은 부부를 따라가고 있었습니다. 남편은 비둘기 두 마리를 들고 있었고 아내는 조그마한 아기를 안고 있었습니다. 아기는 따뜻한 포대기에 싸여 있었습니다. 첫 아기를 성전으로 데리고 가는 부모였습니다. 그들은 하나님께 제물을 바치러 가는 길이었고 아기를 주신 하나님께 감사하였습니다. 무엇이 그렇게 특별해 보였을까요?

한나는 계속 춤을 추고 노래를 불렀습니다. 그리고 큰 소리로 이렇게 외쳤습니다. 「우리의 구세주가 나셨네. 우리를 도와주실 분이 여기 계시다! 그분이 여기 계시다! 이제 더 이상 기다리며 단식을 할 필요가 없네! 나는 그분을 보았네!」 한나는 기둥에 몸을 기대었습니다.

그러자 한나의 옆에서 어떤 할아버지가 큰 소리로 말하기 시작했습니다. 그는 성전을 돌보는 일을 하던 시몬이었습니다. 그도 몇 년 동안 구세주를 기다리고 있었습니다. 그는 아기를 데리고 온 부모에게 다가가서 아기를 팔에 안고 모두에게 들릴 만큼 큰 소리로 기도를 했습니다. 「이제 저는 마음놓고 죽을 수 있습니다. 선하신 하나님. 제게 약속하신 일이 이루어졌습니다. 제 눈으로 메시아를 보았습니다. 이 분은 구세주이시며 어둠 속의 빛이십니다.」

많은 사람들이 고개를 흔들었습니다. 어떤 사람들은 한나와 시몬을 보고 비웃었습니다. 이 젊은 부부와 아기가 그렇게 대단하단 말인가? 성전 뜰에는 점점 더 많은 사람들이 모였습니다.

아기를 데리고 온 부부는 성전 안으로 사라졌습니다. 그들은 마리아와 요셉 그리고 아기 예수님이었습니다.

한나는 가벼운 발걸음으로 문밖으로 나가 시내의 거리로 향했습니다. 이제 기다림은 끝났습니다. 한나는 모든 사람들에게 예수님이 태어나셨다고 말하고 싶었습니다. 한나는 모든 사람들에게 자기가 본 아기 예수님에 대해 알려 주고 싶었습니다.

누가복음 2장 25~39절

동방박사들이 아기 예수를 찾아가다

몇 달 후 멋진 색색깔의 옷차림을 한 사람들이 산을 넘어 예루살렘으로 다가오고 있었습니다. 머리에 터번을 두른 남자들이었습니다. 짐을 가득 실은 낙타들이 그들의 뒤를 따르고 있었습니다. 그들은 화려하게 수놓은 옷을 입고 있었지만 피곤해 보였고 발걸음을 옮길 때마다 먼지가 일었습니다. 그들은 계속해서 저 앞쪽 먼 곳의 탑들을 바라보았습니다.

밤이 되어 길가에서 담요를 두르고 쉴 때면 그들은 하늘을 가리켰습니다. 「그래, 왕의 별이야! 저 별이 아직도 있네. 저 별이 우리를 따라오면서 우리에게 길을 가르쳐 주는 거야.」 그들은 서로 이렇게 말하다가 지쳐서 잠이 들었습니다. 금색 지붕들이 보이는 예루살렘에 다가가자 그들은 묻기 시작했습니다. 묻고 또 물었습니다. 「왕궁으로 가는 길을 가르쳐 주시겠습니까? 거기에서 유대 인의 왕이 태어나셨다고 합니다. 저희들은 그분을 뵙고 싶습니다.」 그런데 왜 아무도 대답하는 사람이 없었을까요?

어떤 젊은이가 이 낯선 사람들에게 다가왔습니다. 그는 낙타의 등에 실린 자루와 상자들을 만져 보려고 했습니다. 그는 수놓은 안장덮개를 쓰다듬으며 마침내 이렇게 대답했습니다. 「우리의 헤롯 왕은 무서운 지배자입니다. 우리는 모두 그를 무서워하지요. 여기 새로 태어난 왕은 없어요. 그런데 당신들은 대체 누구십니까? 어디서 오신 분들인가요?」

그러자 이 낯선 사람들의 하인 하나가 이야기했습니다. 「우리는 바빌로니아에서 오는 길입니다. 이분들은 별을 연구하는 분들이고 지혜로운 박사님들입니다. 하늘에서 커다란 별을 보시고 그 별을 따라 여기까지 오셨습니다.」 다른 하인이 그 뒤를 이어 말했습니다. 「그 별은 왕의 별이었습니다. 네, 우리는 새로 나신 유대 인의 왕을 찾고 있습니다. 낙타에 싣고 온 것은 그분께 드릴 선물들입니다.」

그러는 사이 점점 더 많은 사람들이 동방박사의 무리를 둘러쌌습니다. 「우리도 새 왕을 기다리고 있답니다. 우리에게 평화를 주고 가난한 이들을 부유하게 하실 선한 왕이 오시길 기다리고 있어요.」 도시로 통하는 문을 나서며 한 여자가 말했습니다. 「예언자들이 그 왕에 대해 말해 주었습니다.」 나이 많은 한 남자가 덧붙였습니다. 「하지만 나는 그것이 동화 같은 이야기라고 생각해요. 맞아요. 헤롯 왕은 잔인하지요.

저 위에 왕궁이 있습니다.」 이런 말을 듣고도 동방박사들은 왕궁을 향해 걸어갔습니다.

그런데 헤롯 왕은 벌써 터번을 쓴 낯선 사람들에 대해 들어 알고 있었습니다. 헤롯 왕은 갑자기 겁이 났습니다. 〈왕은 오직 나 하나가 아닌가? 왜 이 사람들은 새 왕에 대해 이야기하는 거지? 온 이스라엘 사람들이 기다리는 구세주가 태어났단 말인가? 그런데 내가 그걸 모르고 있다는 말인가? 내가, 왕인 내가?〉

헤롯 왕은 무서운 눈길로 주위를 둘러보았습니다. 그리고 나서 모든 학자들과 성전의 선생들을 불러들였습니다. 그들이 도착하여 문을 열고 들어서자 헤롯 왕은 급한 마음에 소리쳤습니다. 「너희는 옛 성경을 잘 알렸다! 어서 내게 말하여라, 어서! 백성들이 기다리는 구세주가 어디에서 태어났느냐? 빨리 말하여라! 어서 빨리!」 학자들은 한사람씩 허리를 굽혀 절을 하였습니다. 그리고 모두 똑같은 대답을 하였습니다. 「폐하, 베들레헴이라고 예언자들이 말하였나이다.」

「베들레헴입니다, 베들레헴입니다.」 그리고 모두 절을 하였습니다.

헤롯 왕은 그때까지 동방박사들을 왕궁 밖에서 기다리라고 했었습니다. 그러나 이제 왕은 그들을 불러들였습니다. 그리고 그들을 베들레헴으로 보냈습니다. 「너희는 거기서 새 왕을 찾을 것이다.」 왕은 친절하게 말해 주었습니다. 「너희가 그 왕을 보거든 다시 나에게로 돌아와 그에 대해 이야기해야 한다. 나도 가서 그 아이에게 경배 드리고 싶구나.」

동방박사들은 베들레헴으로 발걸음을 옮겼습니다. 저녁이었고 날이 어두웠습니다. 갑자기 그들이 기뻐 소리쳤습니다. 「별이다, 왕의 별이야, 여전히 하늘에 떠 있구나! 저 별이 우리와 함께 왔다! 작은 집 위에 별이 멈추었구나! 저기에 유대 인의 새 왕이 계신다.」

동방박사들은 조용히 그 집에 들어갔습니다. 그들은 마리아와 어린 아기 주위에 서서 무릎을 꿇었습니다. 모든 것이 그들이 상상했던 것과 달랐습니다. 하지만 그들은 알고 있었습니다. 그들이 올바로 찾아왔다는 것을, 그리고 그 아기가 장차 위대한 구세주가 되리라는 것을. 그들은 마리아와 아기 앞에 선물을 내려놓았습니다. 황금과 향기로운 유황과 몰약 한 단지였습니다.

그리고 나서 그들은 외양간 옆에서 잠을 잤습니다. 하늘에는 커다란 별이 떠 있었습니다. 꿈에 하나님께서 이렇게 말씀하셨습니다. 「헤롯 왕에게 돌아가지 말아라. 이 아기에 대해 헤롯 왕에게 아무런 이야기도 하지 말아라.」

그래서 동방박사들은 다른 길을 택해 고향으로 돌아갔습니다. 예루살렘을 빙 둘러서 돌아간 것이었습니다.

하나님은 요셉의 꿈에도 나타나 말했습니다. 「헤롯 왕이 그 아이를 죽일 것이다. 아기와 마리아를 데리고 이집트로 도망가거라. 그리고 헤롯 왕이 죽을 때까지 거기에 머물거라.」

그래서 요셉과 마리아도 길을 떠났습니다. 그들은 이집트로 도망쳤습니다.

헤롯 왕은 동방박사들이 자기에게 돌아오지 않아서 화가 났습니다. 그는 새로 태어난 왕이 두려웠습니다. 그래서 군인들을 시켜 베들레헴의 모든 아기들을 죽이게 하였습니다. 그가 아기 예수님을 죽이려 했기 때문이었습니다. 그러나 마리아와 요셉은 아기를 데리고 벌써 멀리 달아나 거의 이집트 부근에까지 가 있었습니다.

나중에 그들은 아기 예수님과 함께 이집트에서 돌아왔습니다. 헤롯 왕은 더 이상 살아 있지 않았습니다. 마리아와 요셉은 다시 요셉의 목공소가 있는 나사렛으로 돌아와 살았습니다.

마태복음 2장

예수님의 행적을 좇아서

소년 예수를 찾아다니다

예루살렘은 사람들과 짐을 실은 나귀들, 음악과 꽃들로 가득 찼습니다. 매년 돌아오는 유월절을 축하하는 중이었습니다. 하나님이 어떻게 히브리 사람들을 해방시켜 주셨는지, 모세가 어떻게 이스라엘 민족을 이집트에서 이끌고 나왔는지를 거듭해서 새롭게 이야기하는 것을 들을 수 있었습니다. 사람들은 이 축제일에 그 일들을 마음속에 기억하고자 하였으며 성전에서 감사의 기도를 바쳤습니다. 모든 사람들이 성전으로 희생 제물을 가지고 왔습니다. 제물로 바칠 어린양을 어깨에 메고 오는 사람들도 있었습니다. 희생 제물로 바쳐질 동물들이 성전 앞마당에서 팔리고 있었고 이 동물들의 울음소리가 크게 들렸습니다.

축제일이 끝나자 온 나라에서 예루살렘을 찾아온 사람들이 다시 고향으로 돌아가느라고 물결을 이루었습니다. 웃고

노래하며 행복해 하는 사람들이 성문을 나서서 돌아가고 있었습니다.

어느 날 저녁 예루살렘에서 빠져나가는 길가에서 사람들이 갑자기 멈추어 서게 되었습니다. 「앞으로 가라, 앞으로 가.」 무슨 일이 일어났는지 모르는 사람들은 이렇게 소리쳤습니다. 그런데 한 여자와 한 남자가 흥분해서 사람들에게 소리쳐 묻고 있었습니다. 「아무도 우리 아이를 못 보았어요? 우리 아들 말이에요. 열두 살이에요. 오늘 아침 나사렛에서 온 사람들과 함께 예루살렘을 떠났어요. 그런데 갑자기 아이가 없는 걸 알게 되었어요!」 여자가 외쳤습니다. 「아이가 없어졌어요!」 그녀는 성문을 지나 다시 예루살렘 안으로 뛰어 들어 갔고 남편도 그 뒤를 쫓아갔습니다.

축제는 끝났습니다. 예루살렘의 거리를 메웠던 사람들의 물결도 이제는 한결 줄어들었습니다. 나사렛에서 온 여자와 남자는 큰길부터 조그만 골목길까지 헤매고 다니며 사람들에게 아들을 보았느냐고 물었습니다. 여관과 시장도 뒤지듯 돌아다니며 똑같이 물어보았습니다.

마지막으로 그들은 성전으로 돌아갔습니다. 성전의 입구에서 그들은 깜짝 놀라 그 자리에 서고 말았습니다. 거기에 아들이 학자들에게 둘러싸여 앉아서 옛 성경을 읽고 있었습니다. 「어른들처럼 질문을 하는구나.」 아버지가 속삭였습니다. 「저 소년이 현자들에게 대답을 하고 있는 거예요. 자기가 마치 랍비, 선생인 것처럼요.」 옆에 서서 귀를 기울이고 있던 한 남자가 말했습니다.

그러나 어머니는 소년에게 달려갔습니다. 어머니는 아들을 껴안고 말했습니다. 「우리가 얼마나 걱정했는지 모른다. 온 도시를 헤매며 너를 찾아다녔구나.」

그러자 소년은 이렇게 말했습니다. 「제가 하나님의 성전에, 내 아버지의 집에 있을 거라는 것을 모르셨어요?」

부모는 이 말을 듣고는 놀라서 아들의 얼굴을 쳐다보았습니다. 그들은 아들이 하는 말을 이해하지 못했습니다.

예수님과 마리아 그리고 목수 요셉, 이렇게 세 사람은 다 함께 다시 고향으로 돌아가 나사렛에 머물렀습니다.

그러나 예수님의 부모는 아들이 성전에서 했던 말이 무슨 뜻일까 하고 늘 생각하였습니다.

누가복음 2장 41~52절

세례자 요한

아우구스투스 황제는 이미 오래전에 죽었고 15년 전부터 디베료 황제가 로마를 다스렸습니다.

「저 앞에 무슨 일이지?」 한 로마 군인이 동료에게 물었습니다. 두 사람은 요단 강 쪽으로 다가갔습니다. 「저기 좀 봐. 예루살렘에서 오는 길에 사람들이 점점 더 많이 모이고 있네. 저 아래 강가에서 뭘 하려는 거지?」 두 군인은 궁금해 하며 사람들이 모인 곳으로 다가갔습니다.

남자와 여자 그리고 아이들이 한 이상한 남자를 둘러싸고 둥그렇게 모여 있었습니다. 「저 사람 좀 봐, 짐승털옷 하나만 하나 걸치고 있네. 저렇게 말랐는데도 목소리는 아주 우렁찬걸.」 군인들은 모여 있는 사람들을 헤치고 앞으로 나아갔습니다.

여자들 몇 명이 그들에게 자리를 내주었습니다. 여자들은 군인들을 두려워했습니다. 하지만 여자들은 가만가만 나누던 이야기를 계속했습니다. 「저 사람은 사가랴의 아들 요한이야, 나는 저 사람의 가족을 알아.」 한 여자가 말했습니다. 「그래, 저 사람이 예언자래. 아주 오랫동안 사막에서 혼자 살았다지. 메뚜기와 들꿀만 먹었대. 그래서 저렇게 마른 거야.」 「사막에서 고독하게 지내며 하나님의 음성을 들었다는 거야.」 다른 여자가 덧붙였습니다.

「그런데 왜 저 사람은 갑자기 물속으로 들어가는 거야?」 한 아이가 큰 소리로 외쳤습니다. 그러자 사람들이 이야기를 멈추었습니다. 그들은 이제 요한의 설교에 귀를 기울였습니다. 「나는 우리의 주님, 우리를 도와주실 분이 오시는 길을 준비하려고 왔습니다. 그분을 위해서 여러분 모두 준

비시키려고 합니다. 여러분에게 세례를 베풀려 합니다. 요단 강물로 여러분 마음속의 나쁜 것을 씻어내려고 합니다. 하나님이 여러분의 죄를 용서하시기 때문입니다. 여러분은 더 바르게 살아가려고 해야 합니다. 여러분의 삶을 전부 바꿔야만 합니다!」

「우리가 어떻게 해야 하나요?」 여기저기서 사람들이 물었습니다.

요한은 먼저 여자들을 가리키며 말했습니다. 「외투가 두 벌 있지 않습니까? 말해 보세요!」 여자들이 움찔하며 고개를 끄덕였습니다. 「그렇다면 한 벌은 옷이 없는 가난한 여자에게 주시오. 그리고 먹을 것도 주시오.」

그때 세관원이 물었습니다. 「선생님, 선생님께 세례를 받으려면 저는 무엇을 해야 합니까?」 「당신은 정해진 것보다 더 많은 세금을 요구하지 마십시오. 당신의 주머니에는 아무 것도 챙겨 넣으면 안 됩니다.」

「그럼 우리는요?」 군인들이 요한에게 가까이 다가갔습니다. 「여러분이 받는 봉급으로 만족하시오! 여러분은 사람들을 무기로 위협해서 돈을 받아내서는 안 된다는 것을 잘 알고 있습니다.」

군인들은 땅을 쳐다보았습니다. 그들은 자기들이 옳지 못한 일을 한다는 것을 알고 있었습니다. 그들은 세례를 받았습니다. 그들은 강물 속에서 요한 앞에 서 있었습니다. 요한은 자기의 빈 손에 물을 채워 그들의 머리 위에 부었습니다.

세례를 받는 사람들 뒤에서 여자들이 말하는 소리가 다시 들려왔습니다. 「우리가 기다리던 구세주가 저분인가? 저분이 그리스도인가?」 요한은 그 말을 알아듣고 이렇게 대답했습니다. 「아니오. 나는 그리스도가 아닙니다. 하지만 그리스도가 내 뒤에 오십니다. 그분은 나보다 더 강한 분입니다. 나는 여러분에게 물로 세례를 주지만 그분은 하나님의 영(성령)으로 세례를 주실 것입니다.」

두 명의 군인은 가만히 서 있었습니다. 그들은 많은 사람들에게 세례를 주는 요한을 계속해서 바라보았습니다.

그때 그들은 요한이 갑자기 팔을 내리는 것을 보았습니다. 요한은 자신에게 다가오는 한 사람에게 말하였습니다. 「당신은 주님이신데 왜 저에게 세례를 받으려고 하십니까? 당신이 저에게 세례를 주셔야 합니다.」 그러자 요한의 앞에 선 사람은 이렇게 대답했습니다. 「하나님이 이렇게 되기를 바

라십니다.」

요한이 그에게 세례를 베풀자 그들 위에 커다란 빛이 나타 났습니다. 하늘이 열리고 성령이 비둘기처럼 날아서 강물에 서 있는 그분 위에 내려앉았습니다. 「이것이 성령입니다.」 요한이 외쳤습니다. 그리고 하늘에서 이런 소리가 들렸습니 다. 「너는 내 아들이다. 나는 너를 사랑하노라.」

두 군인은 깜짝 놀라서 말을 하지 못하였습니다. 한참이 지나고 다른 많은 사람들이 세례를 받은 후에야 이들은 묻기 시작했습니다. 「그 사람은 누구였나요? 그 빛을 보았습니 까? 하늘의 창문이 열리는 것 같았지요. 비둘기 같았어요! 마치 비둘기 같았어요!」

군인들은 주위를 둘러보았습니다. 나이 많은 농부 하나가 땅에 뿌리를 내린 것처럼 서 있었습니다. 「그분은 예수님이 십니다. 그래요. 나사렛의 예수님이십니다. 목수의 아들이시 지요.」

잠시 후 농부도 떠났습니다.

마태복음 3장 1~17절

예수님의 제자들

게네사렛 호숫가에 어부 셋이 앉아 있었습니다. 아침 햇살 에 눈이 부셨습니다. 그들은 기분이 좋지 않았습니다. 시장에 내다 팔 물고기가 단 한 마리도 잡히지 않았기 때문입니다. 그들은 바닷풀과 갈대, 작은 나뭇가지들을 고기잡이 그물에 서 떼어냈습니다. 「쓰레기뿐이군, 팔 수 있는 건 아무것도 없 어!」 셋 중 한 남자가 한숨을 내쉬며 말했습니다. 다른 한 사 람은 배에다 깨끗한 그물을 걸고 나서 잠이 들었습니다.

그런데 어부들이 있는 곳에서 그리 멀지 않은 곳에서는 많 은 사람들이 한 남자를 둘러싸고 있었습니다. 그들은 그를 선생님, 랍비라고 부르며 그가 하는 말에 귀를 기울이고 있 었습니다. 「나는 안식일에 저분이 회당에서 말씀하시는 것을 들었습니다. 그러고 나서 저분을 따라왔지요.」 한 노인이 옆 사람에게 속삭였습니다. 「아무도 저분처럼 옛 성경을 읽고 설명할 수 없어요. 정말 굉장한 분이에요. 그렇다는 걸 저분 이 어떻게 말씀하는지 듣기만 하면 느낄 수 있어요.」 「저분이 나를 다시 건강하게 해주셨어요.」 또 다른 사람이 말했습니 다. 「그래요. 저를 보세요. 제가 어땠는지 아시죠. 저는 전처 럼 아프지 않아요. 전처럼 미쳐 있지 않아요. 선생님이 제 속 에 있던 악령을 내쫓아서 저를 낫게 해주셨지요. 그분은 예 수님이세요. 나사렛 예수님, 목수인 요셉의 아들이시지요.」

「예수님이라고요?」 이제 모든 사람들이 그분의 이름을 알 게 되었습니다. 그분은 설교를 하였고 모든 사람이 귀 기울 여 들었습니다. 들것에 실려 왔던 병자들이 그분 앞에서 일 어나 걸어갔습니다.

이제 예수님은 호숫가로 걸어갔습니다. 예수님은 그물을 청소하고 있던 어부들을 발견했습니다. 예수님은 달려드는 사람들을 옆으로 물리치고 배와 어부들 쪽으로 걸어갔습니 다. 그리고 작은 배 하나에 올라탄 뒤 이렇게 물어보았습니 다. 「이 배는 누구의 것입니까? 당신은 나를 도와줄 수 있습 니까? 조금 더 멀리 나가고 싶습니다.」

잠자고 있던 어부가 깨어났습니다. 그는 물에다 배를 밀어 띄우면서 말했습니다. 「선생님, 이 배는 저의 것입니다. 저는 시몬 베드로입니다.」 그는 더 이야기를 하고 싶었습니다. 물 고기를 하나도 잡지 못했다고 예수님께 말하고 싶었습니다. 그러나 많은 사람들이 호숫가에 서서 예수님을 바라보았고,

예수님은 벌써 이야기를 시작하고 계셨습니다. 예수님은 배에 탄 채 설교했습니다. 〈저분이 랍비이신가?〉 하고 베드로가 생각하였습니다. 베드로는 놀라서 귀 기울였습니다. 그리고 좋지 않던 기분이 사라졌습니다. 이제 모든 사람이 예수님이 하는 말을 잘 알아들을 수 있었습니다. 베드로는 그제서야 자기의 배가 선생님께 왜 중요했는지 알게 되었습니다. 예수님이 말을 마치고 다시 호숫가에 서 있을 때 베드로는 그의 배를 붙들어 매려고 했습니다. 그러나 예수님이 그의 팔을 붙들고 말했습니다. 「아닙니다, 베드로. 당신의 배가 한 번 더 필요합니다. 호수 저 멀리 가서 아주 깊은 곳에 이르면 그물을 던지시오.」 「지금 그물을 던진다고요?」 베드로가 웃었습니다. 「우리는 밤새도록 물고기를 한 마리도 못 잡았습니다. 그리고 지금 같은 대낮에는 물고기가 잡히지 않습니다.」 하지만 베드로는 곧 진지하게 말하였습니다. 「예수님, 당신이 저에게 말씀하셨으니 제가 그렇게 해보겠습니다.」

베드로는 배에 뛰어들어 호수 한가운데로 나아갔습니다. 다른 두 친구들도 다른 배를 타고서 호수로 나아가 그물을 던졌습니다. 베드로가 곧 외쳤습니다. 「내 그물이 꽉 찼어. 묵직해. 점점 더 무거워져. 친구들! 날 도와주게! 나 혼자선 끌어 올릴 수가 없어.」

친구들의 그물도 넘쳐서 배가 흔들릴 정도였습니다. 하지만 그들은 베드로를 도왔습니다. 세 사람이 배 두 척을 잡은 물고기로 가득 채웠습니다. 베드로는 펄떡이는 물고기들 한가운데에 겨우 서 있었습니다. 그들은 두 척의 배를 몰고 행복하게 호숫가로 돌아왔습니다. 거기에 예수님이 서 있었습니다.

베드로가 예수님 앞에 무릎을 꿇고 이렇게 외쳤습니다. 「떠나가 주십시오, 주님. 저는 겁이 납니다. 저는 나쁜 사람입니다. 작고 힘없는 사람입니다. 그러나 당신은 이런 일을 하실 수 있으니 정말 힘있는 분이십니다.」 「베드로, 겁내지 마시오.」 예수님이 말했습니다. 「나와 함께 갑시다. 이제부터 당신은 물고기를 낚는 것이 아니라 사람을 낚게 될 것입니다. 내 곁에서 나를 도와주시오.」 그러자 베드로가 일어섰다. 그는 물고기가 가득 찬 배를 그대로 둔 채 예수님과 함께 갔습니다. 그의 친구 두 사람도 예수님을 따라갔습니다. 그들은 세배대의 아들인 야고보와 요한 형제였습니다. 그들도 자기들의 배와 집, 농사짓던 땅을 떠났습니다. 그들은 자기들의 가족까지도 떠났습니다. 그들은 이렇게 말했습니다. 「우리는 사람 낚는 어부가 될 것이다. 예수님이 우리를 필요로 하신다.」

시간이 지나면서 더 많은 사람들과 제자들이 예수님과 함께 갈릴리를 돌아다녔습니다. 그들은 가난했습니다. 누구나 옷 한 벌만을 걸치고 있었습니다. 그들은 자주 밖에서 잠을 잤습니다. 그들에게는 집이 필요없었습니다.

예수님은 열두 사람을 제자로 삼았습니다. 그들은 언제나 예수님 곁에 있었습니다. 그들은 시몬 베드로와 그 동기 안드레아, 야고보와 요한 형제, 빌립, 바돌로매, 마태, 도마, 알패오의 아들 야고보, 열혈당원이라고 하는 시몬, 야고보의 아들 유다, 그리고 예수님을 배반하게 될 가룟 유다였습니다.

누가복음 4장 14~15절, 5장 1~11절, 6장 12~16절

이 사람은 어디서 이런 힘이 나는 거지?

남자 넷이 올리브 그늘 아래에 앉아 쉬고 있었습니다. 매일 들것에 실려 들판을 다니던 중풍병자는 친구들이 가까이 온 것이 기뻤습니다. 가죽으로 만든 물주머니가 손에서 손으로, 입에서 입으로 전해졌습니다. 그들 가운데 하나가 웃으며 말했습니다. 「한번 상상해 봐, 우리가 마시는 이 물이 갑자기 포도주로 변한다면 어떨까? 환한 대낮에 느닷없이 훌륭한 포도주로 말이야!」 그러고 나서 그는 진지하게 말을 이었습니다. 「정말이라네, 친구들. 그런 일이 얼마 전에 가나라는 저 산 윗마을에서 일어났다네. 결혼잔치에서 어떤 사람이 물을 포도주로 변하게 했다는 거야. 그분의 이름은 예수님이라지. 나사렛 예수님.」 「나는 예수님의 제자 둘을 알아! 이 도시 출신이지.」 또 다른 남자가 그렇게 말하며 가파르나움의 하얀 집들을 가리켰습니다. 〈그리고 그분이 병자들을 고쳐 주신대〉라고 조용히 덧붙였습니다.

남자들 넷은 다시 일하러 갔습니다. 중풍병자는 다시 혼자 남아 들것에 누워 있었습니다. 그는 지루했습니다.

남자들은 점심때가 되기 전에 다시 도시로 돌아갔습니다. 그들은 들일을 해서 피곤했습니다. 중풍환자를 실은 들것은 무거웠습니다. 그들은 아주 느릿느릿 앞으로 나아갔습니다.

그때 사람들의 목소리가 골목길에서부터 요란하게 들려왔습니다. 더운 한낮에 웬 사람들이 이렇게 많지? 남자들은 궁금했습니다. 「대체 여기 무슨 일이죠?」 그들이 물었습니다. 모두가 어떤 집을 향해 서둘러 가고 있었습니다. 그 집에는 벌써 사람들이 많이 모여 있었습니다. 「무슨 일입니까?」 남자들은 이번에는 더 큰 소리로 물었습니다. 「나사렛 예수님이 와 계십니다. 그분이 설교를 하십니다.」 한 여자가 그들에게 큰 소리로 알려 주었습니다. 그 여자는 문을 열고 사람들이 가득 찬 집 안으로 들어갔습니다.

네 남자는 중풍환자를 실은 들것을 내려놓았습니다. 그리고 이마의 땀을 닦았습니다. 그중 한 명이 갑자기 병든 친구를 쳐다보았습니다. 「그분은 자네를 건강하게 만들어 주실 거야. 그래, 예수님은 하실 수 있지. 하실 수 있을 거야. 자, 힘을 내! 저 사람들을 뚫고서 그분에게 가보자.」 하지만 거기에는 너무 많은 사람들이 서로 밀치고 서 있어서, 들것을 들고는 앞으로 나아갈 수가 없었습니다. 하마터면 병자가 들

것에서 떨어질 뻔했습니다. 그래서 남자들은 돌아서야만 했고 다시 병자를 내려놓았습니다. 날이 정말 더웠습니다. 그들은 근처에 있는 집 대문의 그늘에 서서 위를 올려다보았습니다. 지친 그들은 숨소리가 무거웠습니다.

하지만 그들은 아직도 예수님이 와 계신 집을 한사코 바라보았습니다. 「그분이 너를 도와주실 수 있을 텐데. 그분은 하실 수 있을 거란 말이야.」 그들이 말했습니다. 그중 한 명이 위쪽을 가리켰습니다. 그의 손가락은 그 집의 벽에 붙은 작은 계단이 지붕으로 이어지는 것을 가리켰습니다. 「가자, 지붕 위로! 우리는 예수님께 가야만 해! 어쩌면 지붕 위에서 집 안으로 들어갈 수 있겠어.」 그들은 힘겹게 들것을 평평한 지붕 위로 끌어올렸습니다. 지붕 위에는 무화과나무 열매가 햇볕을 받아 마르고 있었고 그 집에 사는 사람들의 요도 널려 있었습니다. 〈서늘한 별밤에 여기 누워 있으면 얼마나 멋질까!〉 하지만 지금 지붕은 불타는 듯 뜨거웠습니다.

지붕 위의 네 남자들은 요를 한켠으로 밀쳐놓고 구멍으로 아래를 내려다보았습니다. 예수님이 집 안에서 설교를 하고 계셨습니다. 그리고 사람들은 모두 귀 기울여 듣고 있었습니다. 율법학자들도 와 있었습니다. 그들은 성경을 아주 잘 알

고 있는 선생들이었습니다. 그들은 이렇게 말했습니다. 「우리는 하나님에 대해 알고 있습니다. 우리는 새로 온 선생이 무엇을 이야기하는지 알고 싶습니다.」 그래서 사람들은 율법학자들에게 자리를 마련해 하나밖에 없는 긴 의자에 앉게 해주었습니다. 그 방에는 작은 창문이 하나만 있었고 등불 두 개가 켜 있었습니다. 그 옆에 예수님이 서 있었습니다.

갑자기 집 안이 소란스러워졌습니다. 사람들 머리 위에서 자욱한 먼지가 일었고 심지어 돌멩이까지 떨어졌습니다. 천장에 뚫린 조그만 구멍을 통해 밝은 빛이 방 안으로 비쳐들었습니다. 예수님의 말을 듣던 사람들이 방바닥에 떨어진 진흙 벽돌을 보고 빙 둘러섰습니다. 천장의 구멍은 점점 더 커졌습니다. 힘센 손들이 조심스럽긴 하지만 빠르게 지붕의 벽돌들을 하나씩 치워내 구멍을 점점 더 크게 만드는 것이 보였습니다. 집주인은 화가 났습니다. 「그만둬. 멈춰, 멈추라니까. 집이 다 무너지겠어!」 그는 흥분해서 소리를 질렀습니다.

다른 모든 사람들처럼 집 주인은 놀라지 않을 수가 없었습니다. 그의 집 지붕에 뚫린 구멍으로 들것이 보였습니다. 들것의 네 귀퉁이에는 이은 옷가지가 밧줄처럼 묶여 있었습니다. 들것은 점점 아래로 내려왔습니다. 이제 중풍병자는 들것에 누운 채로 예수님 바로 앞까지 오게 되었습니다. 병자는 흥분해서 아무 말도 할 수가 없었습니다. 그는 예수님을 쳐다보았고, 걱정스러운 얼굴로 구멍 너머에서 자기를 내려다보는 네 친구들도 쳐다보았습니다. 그 친구들은 이제 속옷만 입고 있었습니다. 예수님도 위를 쳐다보았습니다. 「여러분은 내가 도울 수 있다는 것을 알았습니다. 여러분의 믿음이 큽니다.」 그러더니 예수님은 중풍병자에게 이렇게 말했습니다. 「당신의 죄가 용서를 받았습니다.」 모든 사람이 그 말을 들었습니다. 왜 예수님은 〈당신의 죄가 용서를 받았습니다〉라고 한 것일까? 사람들이 갑자기 조용해졌습니다.

율법학자들은 흥분하며 화를 냈습니다. 〈이 예수라는 사람은 대체 무슨 말을 하는 것인가? 죄를 용서하는 것은 오직 하나님만이 하실 수 있는 일이다. 이자는 혹시 자기가 하나님이라는 것인가? 말도 안 되는 소리!〉 율법학자들이 투덜거렸습니다. 예수님은 그들이 무엇을 생각하는지 아시고 이렇게 말했습니다. 「어느 편이 더 쉽겠습니까? 〈당신의 죄가 용서를 받았습니다〉라고 말하는 것이겠습니까? 아니면 〈일어나서 당신의 들것을 드시오, 당신은 그것을 들고 집으로

갈 수 있습니다〉라고 말하는 것이겠습니까?」 모든 사람이 긴장하며 듣고 있었습니다. 아무도 대답을 하지 않았습니다. 예수님이 계속 말했습니다. 「하나님이 나에게 죄를 용서할 수 있는 힘을 주셨습니다. 그분은 또 병자를 건강하게 할 수 있는 힘도 주셨습니다. 그래서 나는 말합니다. 일어나십시오, 들것을 드십시오. 당신은 들것을 직접 들고 집에 갈 수 있을 것입니다.」 그러자 중풍병자가 조심스럽게 일어섰습니다. 그리고 나서 그는 발로 땅을 꽉 디디고 섰습니다. 그는 발도 굴렀습니다. 껑충껑충 뛰었습니다. 그는 자기 친구들에게 손을 흔들었습니다. 이제 그는 그의 팔과 손을 모두 움직일 수 있었습니다. 들것은 가벼웠습니다. 그는 그것을 팔 밑에 끼었습니다. 「하나님, 감사합니다. 예수님, 감사합니다.」 그는 수줍게 말하며 문 쪽으로 걸어갔습니다. 모든 사람이 그에게 길을 내주었습니다.

사람들은 놀라서 서로 쳐다보았습니다. 「이 사람이 어디서 이런 힘이 나는 거지?」 〈이렇게 놀라운 일을 보았으니 하나님을 찬양해야겠습니다〉라고 말했습니다.

다음 날 다섯 명의 남자가 들에서 일을 하고 있었습니다. 물주머니를 손에서 손으로, 입에서 입으로 건네면서 그들은 하나님에게서 그런 힘을 받으신 예수님에 대해 거듭해서 이야기하였습니다.

마가복음 2장 1~12절, 누가복음 5장 17~26절, 요한복음 2장 1~11절

두려움에 맞선 사람

또 많은 사람들이 예수님을 기다리고 있었습니다. 「일어나, 저기 배가 온다.」 아이들이 소리쳤습니다. 「틀림없어. 예수님이 호수 건너편에서 오시는 거야!」 어른들은 그 말을 들으면서도 고개를 저었습니다. 「우리 돛단배는 전부 다 똑같아 보이지 않아?」 그러나 항구의 맨 앞까지 나가 서 있던 아이들은 확신했습니다. 「난 베드로 안다!」 「나는 요한을 알아!」 「확실해요, 예수님의 제자들이에요!」 이렇게 아이들은 도시의 골목골목을 다니며 외쳤습니다. 그러자 갑자기 많은 사람들이 모여들었습니다. 남자와 여자와 아이들이 모두 모였습니다. 「누가 예수님이지? 그분을 보고 싶어!」 「물에 빠지겠어!」 「대체 무슨 일이야?」 그들은 이렇게 서로 뒤죽박죽 소리를 질렀습니다.

남자들이 배에서 내렸고 사람들이 그들을 둘러쌌습니다.

「무슨 일이 있었어요? 당신들은 얼굴이 아주 하얗게 질렸군요! 멀미를 했나요?」 제자들은 더듬거리며 말했습니다. 「끔찍했어요. 엄청난 돌풍에 휩싸였지요. 산같이 높은 파도였어요. 배가 위아래로 흔들렸어요. 물은 배 안으로 쏟아져 들어와 출렁거렸고요. 배는 지진이 났을 때처럼 흔들렸지요.」

어부 하나가 방파제에서 배 안을 들여다보았습니다. 「그러네, 아직도 배 안에 물이 있어!」 「하지만 그래도 여러분은 무사히 육지로 돌아올 수 있었군요, 다행이에요!」 제자들은 열심히 고개를 끄덕였습니다. 그들의 낯빛은 창백했지만, 그래도 기뻤습니다. 제자들은 이야기를 계속했습니다. 「그래요. 돌풍이 점점 더 심하게 날뛰고 있었을 때 우리는 예수님이 조용히 주무시는 것을 발견했습니다. 그저 주무시는 거였어요. 배 맨 뒤쪽에서 베개를 베고서요. 우리는 그분을 흔들어 깨우고 그분의 귀에 대고 소리쳤지요. 〈주님, 도와주세요, 도와주세요! 보이지 않으십니까? 우리 모두 가라앉고 있어

요!〉 마침내 예수님이 깨어나셨지요. 그분은 흔들리는 배 안에서 일어나셨어요. 그리고 바람을 향해 손을 뻗으셨지요. 예수님은 거센 파도에게 외치셨어요. 멈추어라, 잠잠해져라! 그러자 호수가 조용해졌어요. 배는 더 이상 흔들리지 않았어요. 순식간에 일어난 일이었지요. 예수님은 우리를 보시고 이렇게 말씀하셨어요. 여러분은 왜 두려워합니까? 내가 여러분 곁에 있다는 것을 잊었습니까? 여러분은 나의 아버지이신 하나님이 바람이나 날씨보다 더 강하시다는 것을 알고 있지 않습니까?」 얼굴이 창백한 제자들은 이야기를 멈추었습니다. 그들은 고개를 숙이고 땅을 내려다보았습니다.

남자와 여자 몇 사람은 항구에서 그 이야기를 귀 기울여 잘 들었습니다. 그들은 처음에는 조용히, 그러다가 점점 더 큰 소리로 물었습니다. 「대체 예수님이 어떤 분이시기에 바람과 파도가 그분에게 복종하는 것입니까?」 그들은 주위를 둘러보았습니다. 길 하나가 사람들로 가득 차 있었습니다. 거기에 예수님이 계셨습니다!

제자들도 그들의 선생님을 따라갔습니다.

갑자기 신분이 높은 사람 하나가 예수님과 제자들 옆으로 왔습니다. 야이로였습니다. 그가 회당장(한 교구의 대표)이었기 때문에, 모든 사람이 그를 알았습니다. 교회에서 그는 언제나 맨 앞에 서 있었습니다. 성경이 씌어진 두루마리를 준비해 놓고 안식일이 지나면 다시 장 속에 넣고 잠그는 사람이 바로 그였습니다. 그는 중요한 일을 하는 사람이었고 모두 그를 조금씩 무서워했습니다.

제자들은 그를 비켜가려고 하였습니다. 그러나 야이로는 그들을 알아보았습니다. 「여러분은 그분, 예수님과 함께 있는 사람들이지요! 그분은 어디에 계십니까? 그분이 필요합니다!」 그렇게 말하는 그는 벌써 예수님을 찾아냈습니다. 그는 예수님에게 달려가 무릎을 꿇고 큰 소리로 청했습니다. 「예수님, 저의 집으로 와주십시오! 제 딸이 죽어 가고 있습니다. 너무 두렵습니다. 예수님, 와주십시오! 저는 당신이 도와주실 수 있다는 것을 알고 있습니다. 제 아이를 건강하게 해주십시오!」 예수님은 정확히 듣고 있었습니다. 「제가 같이 가겠습니다. 길을 알려 주십시오.」 그들은 함께 야이로가 사는 집으로 갔습니다. 많은 사람들이 그들을 따라갔습니다.

야이로는 사람들이 밀려드는 통에 예수님을 잃어버릴까 봐 두려웠습니다. 그는 예수님 가까이에 머물렀습니다. 사방에서 사람들이 밀치고 있었습니다. 갑자기 예수님이 멈추어 섰습니다. 그리고 돌아보았습니다. 예수님은 뒤돌아 섰습니다. 그리고 이렇게 물었습니다. 「누가 내 옷을 만졌습니까?」 제자들이 대답하였습니다. 「모든 사람들이 예수님 곁에 있으려고 서로 밀치는 것이 보이지 않으십니까?」 그러자 예수님이 말했습니다. 「나는 바로 지금 나의 능력이 다한 것을 느꼈습니다.」 그분은 다시 한 번 주위를 둘러보았습니다. 그때 한 여자가 예수님 앞에 엎드렸습니다. 그녀는 떨며 말했습니다. 「예, 예수님, 제가 뒤에서 당신의 옷을 붙들었습니다. 저는 12년 동안 아팠습니다. 제가 가진 돈을 의사에게 내느라 다 썼습니다. 아무도 저를 도울 수 없었습니다. 그러나 당신은 저를 도와주셨습니다, 예수님. 제가 당신의 옷을 만졌을 때 저는 제가 건강해졌다는 것을 느꼈습니다. 화내지 마십시오, 예수님!」 예수님은 그녀를 보고 말했습니다. 「당신은 내가 하나님에게서 왔다는 것을 믿었습니다. 당신은 내가 도울 수 있다는 것을 믿었습니다. 그 때문에 당신은 나았습니다. 지금부터 당신의 삶은 새롭고 좋아질 것입니다.」

주위의 모든 사람들이 놀랐습니다. 많은 사람들이 예수님 곁에 있고 싶어했습니다. 또 다른 사람들은 그 여자에게 어떻게 된 일인지 자세히 물어보고 싶어했습니다. 그러나 야이로는 예수님과 계속 가고 싶었습니다. 그는 아픈 자기 딸을 생각하고 있었습니다. 그들은 앞으로 갈 수가 없었습니다. 갑자기 야이로가 몸을 움찔 했습니다. 그의 하인들이 다가오고 있었습니다. 〈따님이 죽었습니다!〉라고 그들이 외쳤습니다. 「이 설교자가 이제 무엇을 더 도울 수 있겠습니까? 죽은 것은 죽은 것입니다.」 그러나 야이로는 예수님의 손을 잡았습니다. 주위의 많은 사람들이 예수님이 이렇게 말하는 것을 들었습니다. 「두려워하지 말고, 그저 믿기만 하십시오!」

야이로의 집 가까이 가자 죽은 사람을 위한 노랫소리가 들렸습니다. 피리를 부는 소리도 조용히 들렸습니다. 몇몇 사람은 작은 북을 치고 있었습니다. 죽은 여자아이를 위한 장송곡이었습니다. 울음소리가 크게 들렸습니다. 「왜 울고 있습니까?」 예수님이 물었습니다. 「그 아이는 죽은 것이 아니라 자고 있습니다.」 그러자 사람들이 예수님을 비웃었습니

다. 「당신은 우리가 살아 있는 것과 죽은 것을 구별하지 못한다는 말입니까?」 그러나 예수님은 듣지 않았습니다. 예수님은 이웃 사람들과 남자와 여자 종들에게 나가라고 했습니다. 예수님은 집 안으로 들어갔습니다. 아이가 침대에 누워 있었습니다. 아이는 움직이지 않았습니다. 예수님은 그 여자아이의 손을 잡고 말했습니다. 「딸아, 내가 말한다. 일어나거라!」 그러자 아이가 움직였습니다. 아이가 눈을 뜨고 일어났습니다. 그리고 걸어다녔습니다. 아이는 건강했습니다. 아이는 12살이었습니다.

아이의 부모와 제자들도 놀랐습니다. 「당신은 우리가 가장 힘들 때에 도와주셨습니다, 예수님.」 야이로가 말했습니다. 「당신은 불가능한 일을 가능하게 하셨습니다.」 아이의 어머니가 덧붙여 말했습니다. 그러자 예수님은 말했습니다. 「아이에게 먹을 것을 주십시오. 그리고 지금 일어난 일을 이야기하지 마십시오. 아무도 이 일을 알아서는 안 됩니다.」 야이로는 더욱더 놀랐습니다. 「당신은 누구십니까, 예수님? 당신은 두려움보다도 강하고 죽음보다도 강하십니다.」

야이로에게 이날부터 새로운 삶이 시작되었습니다. 그는 알았습니다. 예수님이 힘을 갖고 계시며 하나님에게서 오신 분이라는 것을.

예수님은 제자들과 함께 다른 도시와 마을로 계속 다니며 설교를 하였고 또 병을 낫게 하였습니다. 많은 사람들이 그분을 기다렸습니다.

마가복음 4장 35~41절, 5장 21~43절

하늘에 계신 우리 아버지

예수님은 갈릴리를 두루 다녔습니다. 예수님은 제자들만을 위해 설교를 한 적도 많았습니다. 제자들은 언제나 그분이 말씀하실 때면 귀 기울여 들었습니다. 제자들은 예수님의 말을 아주 정확하게 들었습니다. 예수님이 그들을 보내서 하나님에 대한 말씀을 계속 전하라고 했기 때문이었습니다.

그러나 예수님이 쉬면서 이야기할 때면 언제나 다른 사람들도 왔습니다. 그들은 예수님께 배우고 싶어했습니다.

오늘 예수님은 혼자 계시고 싶었습니다. 제자들은 예수님이 나무 아래에 무릎을 꿇고 계시는 것을 보았습니다. 그분은 기도하고 계셨습니다. 여자들과 아이들도 제자들과 함께 언덕 아래에서 기다렸습니다. 「예수님은 무슨 기도를 하고 계실까?」 그들은 서로 물었습니다. 그러자 한 남자아이가 중얼거렸습니다. 「찬미 받으소서, 주님, 우리의 하나님, 세상의 왕이시여, 당신은 세상에 양식을 주시나이다.」 그것은 그들 모두가 알고 있는 식사 기도였습니다. 「그래, 하나님은 왕이시란다. 그리고 그분에게서 모든 양식이 온단다.」 어머니가 아들에게 속삭였습니다.

「저것 좀 봐, 예수님이 오신다! 이리로 오신다!」 다른 아이들이 외쳤습니다. 그들은 자리에서 일어섰습니다. 모두가 예수님을 쳐다보았습니다. 제자 한 명이 말했습니다. 「예수님, 저희를 도와주십시오. 저희가 어떻게 기도해야 할지 가르쳐 주십시오. 당신은 하실 수 있지만 저희는 할 수 없습니다.」 예수님이 말했습니다. 「나는 여러분에게 언제나 할 수 있는 새 기도를 알려 주겠습니다. 여러분은 다른 기도를 더 할 필요가 없습니다. 하나님께서 여러분을 아시기 때문입니다. 그분은 여러분에게 무엇이 필요한지 아십니다.」 그리고 예수님은 이렇게 기도했습니다.

하늘에 계신 우리 아버지여,
이름이 거룩히 여김을 받으시오며,
나라이 임하옵시며,
뜻이 하늘에서 이룬 것같이 땅에서도 이루어지이다.
오늘날 우리에게 일용할 양식을 주옵시고,
우리가 우리에게 죄 지은 자를 사하여 준 것같이
우리 죄를 사하여 주옵시고,

우리를 시험에 들게 하지 마옵시고,
다만 악에서 구하옵소서.
대개 나라와 권세와 영광이
아버지께 영원히 있사옵나이다. 아멘.

처음에는 아주 조용했습니다. 〈하나님은 아버지와 같으시다〉라고 한 사람이 말했습니다. 「좋으신, 아주 좋으신 아버지 같아.」 다른 사람들이 말했습니다. 「하나님은 우리를 아버지처럼 사랑하신다.」 「그분은 우리를 어머니처럼 사랑하세요.」 한 아이가 끼어들며 말했습니다. 그리고 예수님이 대답했습니다. 「그렇습니다. 하나님이 여러분을 사랑하신다는 것이 가장 중요한 것입니다.」

「하나님 아버지, 당신은 나를 나의 어머니처럼, 좋은 아버지처럼 사랑하십니다.」 아이들도 이렇게 기도할 수 있었습니다. 많은 사람들이 이 기도를 이해하지 못했습니다. 그들은 예수님에게 물어보았습니다. 「우리는 하나님에게 양식을 청할 수 있습니다. 언제나 그렇게 해도 되나요?」 「늘 그렇게 할 수 있습니다.」 예수님이 고개를 끄덕이셨습니다. 「여러분이 내 말을 더 잘 이해할 수 있게 이야기를 하나 하겠습니다.」

그리고 나서 예수님이 이야기했습니다.

한밤중에 어떤 남자에게 손님이 왔습니다. 오랫동안 보지 못한 친구가 찾아온 것이었습니다. 그 친구가 이렇게 물었습니다. 「내가 자네 집에서 저녁을 먹고, 자고 가도 되는가? 나는 여행을 하는 중인데 내일 또 길을 떠날 거라네.」 그 사람은 문을 활짝 열었습니다. 「자네는 내 손님일

세. 들어오게.」 그러고 나서 남자는 깜짝 놀랐습니다. 집안에 먹을 것이 하나도 없기 때문이었습니다. 남아 있던 음식을 모두 먹어 버렸던 것입니다. 그의 아내는 내일 아침에 다시 빵을 구우려고 하였습니다. 어떻게 해야 하지? 남자는 이웃에 사는 사람이 그날 빵을 구웠다는 생각이 났습니다. 그는 나에게 빵을 빌려 줄 수 있을 거야. 하지만 이 밤중에? 이웃사람은 자고 있었습니다. 옆집은 아주 조용했고 문은 굳게 잠겨 있었습니다.

그러나 그는 자기가 가진 용기를 다 내서 옆집 문을 두들겼습니다. 처음에는 조용히, 그러고는 점점 더 세게 두들겼습니다. 「빵 세 개만 빌려주게! 내 친구가 나를 찾아왔네!」 그 사람은 계속 두들겼습니다. 마침내 이웃사람이 깨어났습니다. 「나를 괴롭히지 말게. 이 염치없는 사람아. 문은 잠겨 있고 우리는 자려 하네. 우리를 가만히 내버려 두게.」 그러나 갑자기 무거운 빗장을 옆으로 미는 소리가 들렸습니다. 문이 열리고 조그만 등불 하나만이 깜박거렸습니다. 아이들이 자고 있었고 부인은 놀라서 일어났습니다. 이웃집 사람은 빵 세 개를 가져와서 남자에게 주었습니다. 문은 벌써 닫혔습니다. 깜깜하고 조용한 밤이었습니다. 그 남자는 빵을 꼭 껴안았습니다. 그는 행복했습니다.

예수님은 여기서 이야기를 멈추셨습니다. 모든 사람이 예수님의 이야기를 열심히 듣고 있었습니다. 〈예수님은 무슨 이야기를 하시려는 것일까?〉 예수님은 이렇게 말을 이었습니다. 「여러분은 이 사람처럼 문을 두드리고 청해야 합니다. 여러분이 기도할 때 소리를 지르고 원하는 것을 달라고 빌 수 있습니다. 하나님이 여러분의 기도를 들으십니다. 그분은 언제나 문을 열어 주십니다. 아이들을 보고 기뻐하는 아버지, 어머니처럼 말이지요. 기도할 때도 그와 같습니다.」

점점 더 많은 사람들이 예수님 곁에 모여 귀를 기울였습니다. 어린아이들은 잠이 들거나 집으로 뛰어갔습니다. 그 아이들은 예수님이 말하는 것 모두를 이해하기는 힘들었습니다. 예수님은 새들에 대해 이야기했습니다. 하늘을 나는 새들은 색도 곱고 예쁩니다. 새들은 먹을 것이 충분히 있고 힘써 일할 필요가 없습니다. 하나님이 그들을 돌보십니다. 그리고 예수님은 멋진 옷을 입은 백합꽃에 대해서도 이야기했습니다. 들판의 백합꽃들은 비단 망토를 입은 솔로몬 왕보

도 아름답습니다. 하나님은 꽃들도 돌보십니다. 꽃들은 애써 일하지 않아도 됩니다. 그들은 필요한 것들을 모두 얻습니다. 「하나님은 우리 사람들에게 무엇이 필요한지도 알고 계십니다. 그분은 여러분을 새나 꽃보다 더 잘 돌보아 주십니다. 그러니 걱정하지 마십시오.」

이야기를 듣던 사람들은 곰곰이 생각했습니다. 예수님은 무슨 말씀을 하시는 거지? 한밤중의 그 사람처럼 우리가 빌고 소리지르고 문을 두들겨서 하나님께 도와달라고 해야 하는 건가? 아니면 들판의 꽃처럼 참고 기다려야 하나? 하나님은 정말 우리에게 무엇이 필요한지 알고 계실까?

그러나 예수님이 가르쳐 주신 기도의 첫머리 〈하늘에 계신 우리 아버지〉는 아무도 잊어버리지 않았습니다. 사람들은 이렇게 기도하며 청할 수 있었습니다. 그들 모두는 하나님의 자녀였습니다. 할아버지, 할머니, 어머니와 아버지, 아이들. 하나님은 이 모든 사람을 돌보아 주시는 분이었습니다.

마태복음 6장 9~15절, 누가복음 11장 1~10절, 12장 22~31절

사마리아 여자

예수님을 따르는 사람 가운데 여자들도 있었습니다. 여자들이 언제나 예수님과 함께 머물거나 함께 다니기는 어려웠습니다. 「여자들은 아이들이나 나이 드신 부모님들을 돌봐야지. 여자들은 집에 있어야지, 길거리에 나와 있으면 안 돼.」 제자들은 이렇게 말했는데 예수님이 오랫동안 여자들과 이야기하시는 것을 보고 놀랐습니다. 그리고 그들은 예수님이 여자들의 말을 특별히 주의 깊게 들으시는 것을 보고 놀랐습니다. 예수님이 여자들에게서 무엇을 들으시려는 것일까?

예수님과 제자들을 위해 돈으로 후원을 하는 부유한 여자들도 늘 있었습니다. 예수님과 제자들을 식사에 초대하거나 자기 집에 묵게 하는 여자들도 있었습니다. 예수님은 집이 없었습니다. 예수님은 돈을 벌지 않았습니다. 그분은 늘 친구들과 함께 길을 가고 계셨습니다.

어느 날 그들은 사마리아 근처를 지나고 있었습니다. 제자들은 기분이 좋지 않았습니다. 그들은 빨리 그곳을 지나치려고 했습니다. 「사마리아 사람들은 언제나 싸움을 걸어.」 한 제자가 말했습니다. 또 다른 사람이 조용히 덧붙여 말했습니다. 「나는 그들이 여기서 우상을 숭배한다는 말을 들었어. 그들은 예루살렘에 있는 성전에 가지도 않지. 그들은 제대로 된 유대 인이 아니야.」

그러나 예수님은 서두르지 않으셨습니다. 바로 이 위험한 지역에서 예수님은 쉬고자 하셨습니다. 그분은 마을 부근의

우물가에 앉아 계셨습니다. 점심때였습니다. 사람들은 시원한 집 안에 들어가 있었습니다. 뜨거운 기운이 텅 빈 길 위로 쏟아지고 있었습니다. 예수님은 제자들을 마을로 보내며 말했습니다. 「뭔가 먹을 것을 좀 사오십시오.」 예수님은 우물가에서 기다렸습니다.

그때 마을에서 한 여자가 왔습니다. 그 여자는 혼자였습니다. 그 여자는 서늘한 저녁에 우물가로 오면서 웃고 수다 떠는 다른 여자들과는 달랐습니다. 어깨에는 커다란 물항아리를 메고 있었습니다. 그 여자는 물항아리를 우물가에 내려놓다가 놀란 얼굴로 예수님을 바라보았습니다. 예수님이 〈나에게 마실 것을 좀 주십시오〉 하고 말하자 그 여자는 더욱 놀랐습니다. 그 여자는 옷차림과 말씨를 보고 예수님이 그곳 사람이 아니라 게네사렛 호수에서 온 것을 알았습니다. 그 여자가 물었습니다. 「당신은 유대 인입니다. 그런 당신이 사마리아 여자에게 물을 달라고 하시다니요? 유대 인들은 우리와 상대를 하지 않으려고 하는데요!」 예수님이 대답했습니다. 「만일 당신이 내가 누군지 알았다면 이렇게 말했을 것입니다. 〈저에게 마실 것을 주십시오!〉라고 말입니다. 내가 당신에게 생명의 물을 줄 수 있기 때문입니다.」 「생명의 물이라고요?」 그 여자는 놀라서 멈칫하고 예수님을 자세히 보았습니다. 「당신은 물항아리도 하나 없는데 어떻게 내게 물을 주신다는 거지요?」 그 여자는 고개를 저으며 묻고는, 물항아리에 밧줄을 걸어 깊은 우물 속으로 내려뜨렸습니다.

예수님이 말했습니다. 「이 우물의 물을 마시는 사람은 다시 목마르게 될 것입니다. 그러나 내가 주는 물을 마시는 사람은 다시는 목마르지 않을 것입니다.」 〈이 유대 인 방랑자가 마술의 물이라도 가지고 있나?〉 여자는 물이 가득 든 항아리를 위로 당겨 올렸습니다. 여자는 웃으면서 말했습니다. 「그렇다면 저에게 당신이 갖고 계신 물을 주십시오. 그러면 저는 이제 더 이상 우물에 올 필요가 없고 무거운 항아리를 들고 집으로 가지 않아도 되겠지요.」

그 다음에 예수님이 하는 말을 듣고는 그녀는 깜짝 놀랐습니다. 예수님은 자기에 대해 모든 것을 알고 있었습니다! 그녀가 다섯 번 결혼했었다는 것을 알고 있었습니다. 그녀는 부끄러웠습니다. 그리고 이렇게 생각했습니다. 〈이분은 예언자인가? 이 유대 인은 정말 능력이 있구나!〉 그러나 그 여자는 예수님이 무섭지 않았습니다. 여자는 우물가에 그대로 앉

190

아 있었습니다.

「저는 구원자가 하나님으로부터 사람들에게 올 것을 알고 있습니다.」 잠시 후에 그 여자가 말했습니다. 「사람들은 그를 메시아, 그리스도라고 부릅니다. 당신은 그분에 대해 좀 아시나요?」 예수님은 그 여자를 쳐다보셨습니다. 「그렇습니다, 내가 바로 구원자입니다. 나는 하나님에게서 왔습니다. 나를 아는 사람은 생명의 물을 얻게 됩니다.」

그 말을 듣고 여자는 펄쩍 뛰었습니다. 기뻐서 껑충껑충 뛰었습니다. 그녀는 제자들이 먹을 것을 가지고 돌아온 것도 알지 못했습니다. 그리고 흥분해서 항아리를 우물가에 놓은 채 마을로 급히 달려갔습니다. 갑자기 그 여자는 더 이상 부끄러워하지 않게 되었습니다. 여자는 낮잠을 자고 있는 사람들을 깨우고 소리쳤습니다. 「우물 있는 데로 가요, 빨리 가요! 예수님이 거기 계셔요. 그분은 하나님으로부터 오셨어요. 생명의 물을 갖고 계세요. 우물 있는 데로 가요!」

사람들은 처음에는 그 여자가 하는 말을 이해하지 못했지만 점점 호기심을 느꼈습니다. 많은 사람들이 예수님에게로 갔습니다. 그들은 귀를 기울여 예수님의 말씀을 들었습니다. 「저희와 함께 계셔 주십시오.」 사람들이 말했습니다. 「당신을 해치지 않을 것입니다. 당신이 저희들 모두가 기다리던 구원자라는 것을 믿기 때문입니다.」

그러나 이틀 후에 예수님은 그곳을 떠났습니다. 그리고 다시 갈릴리에 갔습니다.

요한복음 4장 1~42절

마르다와 마리아

예수님과 제자들은 또다시 하루 종일 뜨거운 날씨에 길을 걸어갔습니다. 그들은 어떤 마을에 도착했습니다. 예수님이 말했습니다. 「여기가 마르다의 집이구나. 내가 오늘은 마르다의 집에 가려고 한다. 너희도 묵을 만한 곳을 찾아가도록 해라.」 벌써 예수님은 대문을 두드리고 있었습니다.

문이 천천히 열렸습니다. 「당신이 마르다인가요? 수산나가 당신에게 안부 인사 전합니다. 내가 오늘 이 집의 손님이 되어도 좋은지요?」 예수님이 조용히 말했습니다. 여자의 얼굴에서 두려움이 사라졌습니다. 「당신은 설교자이신 예수님이군요, 틀림없어요. 들어오세요! 수산나가 당신에 대해 이야기를 많이 했답니다.」 마르다는 기뻤고 흥분이 되었습니다. 그녀는 예수님께 좋은 음식을 대접하고 싶어했습니다. 그녀는 먼지투성이인 예수님의 발을 씻겨 드렸습니다. 그녀는 밀가루와 우유, 고기와 야채를 꺼내서 음식 준비를 하느라고 이리저리 왔다 갔다 하며 애를 썼습니다.

〈내 동생 마리아는 어디로 간 거지, 나를 좀 도와주면 좋을 텐데.〉 마르다는 이렇게 생각했습니다. 그때 마르다가 마리아를 찾아냈습니다. 마리아는 큰 방 한쪽 구석에서 예수님 곁에 무릎을 꿇고 있었습니다. 마리아는 마르다가 얼마나 힘들게 일하는지 알지 못했습니다. 그저 귀를 기울여 듣고만 있었습니다. 예수님의 이야기를 듣고 있었습니다. 마르다는 화가 났습니다. 「선생님! 마리아가 집안일을 모두 저에게만 미루는 것이 보이지 않으십니까? 마리아에게 저를 도와야 한다고 말씀 좀 해주세요.」 그러나 예수님은 이렇게 말했습니다. 「마리아가 앉아 있게 그냥 두십시오. 그녀는 옳은 일을 하고 있는 것입니다.」

마르다는 처음에는 깜짝 놀랐습니다. 〈내가 예수님께 문을 열어 드렸고 발을 씻어 드리지 않았던가? 모든 음식을 내가 준비하지 않았던가? 이게 옳은 일이 아니란 말인가? 손님이 오시면 음식과 마실 것이 제일 중요한 일이 아닌가?〉

예수님은 마르다의 이런 생각을 알고 계셨습니다. 「우리에게로 와서 앉으시오, 마르다. 마리아는 내 이야기를 잘 들었습니다. 그것이 다른 어떤 것보다도 중요합니다.」 마르다는 놀랐습니다. 그리고 나서 그녀도 자리에 앉았고 마음이 평안해졌습니다. 예전에 수산나가 예수님에 대해 이야기한 것이

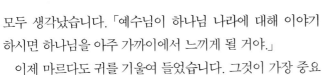

모두 생각났습니다. 「예수님이 하나님 나라에 대해 이야기
하시면 하나님을 아주 가까이에서 느끼게 될 거야.」

이제 마르다도 귀를 기울여 들었습니다. 그것이 가장 중요
한 일이었습니다. 예수님의 말씀이 옳았습니다.

그후에도 예수님은 여러 번 그들의 집을 찾았습니다. 그들
은 예수님과 제자들을 위해 요리를 했고 발을 씻어 드렸으며
옷을 빨아 드리기도 했습니다. 그러나 무엇보다도 예수님의
말씀에 귀를 기울였습니다.

누가복음 10장 38~42절

예수님이 하나님 나라에 관해 이야기하다

형과 동생이 야채시장에 앉아 있었습니다. 이른 아침부터 그들은 도시로 와서 호박과 멜론을 솜씨 좋게 쌓아 놓았습니다. 시장이 조금 조용해지면 그들은 힘찬 목소리로 외쳤습니다. 「맛있는 멜론이요! 달콤한 멜론! 갈릴리에서 최고로 좋은 호박이요!」

날은 점점 더 더워졌습니다. 두 젊은이는 바닥에 앉았습니다. 그들은 서로 기대었습니다. 눈이 반쯤 감겼습니다. 그래도 그들은 시장에서 일어나는 일들을 다 듣고 있었습니다.

갑자기 그들은 힘찬 목소리를 들었습니다. 「저기 모퉁이에 나사렛 예수님이 서 계신다. 그분의 말씀을 듣고 싶으면 서둘러요!」 그 말을 듣고 형제는 잠이 확 깨었습니다. 그들은 서로 얼굴을 쳐다보았습니다. 도시로 오는 길에 친구 하나가 형제에게 예수님에 대해 이야기해 주었습니다. 시골 집에서도 이웃사람들이 예수님에 대해 말한 적이 있었습니다. 그들은 예수님을 보고 그분의 말씀을 듣고 싶었습니다.

시장 한쪽 구석에 사람들이 빽빽이 모여 있었습니다. 사람들은 모두 귀 기울여 들었습니다. 〈그럴 수는 없지, 자기가 하나님의 아들이라니〉 하고 한 노인이 중얼거렸습니다. 「조용히 하세요.」 다른 사람들이 속삭였습니다. 「말씀을 계속하게 하세요. 하나님 나라에 대한 이야기를 하고 싶어하세요.」

이제 두 형제는 예수님 앞으로 가까이 다가갔습니다. 예수님은 손을 앞으로 내밀며 말했습니다. 「여기 내 손에는 작은 겨자 씨가 하나 있습니다. 점처럼 작지요. 여러분은 보이지 않을 겁니다. 하지만 여러분은 모두 농부이니 겨자 씨를 알고 있지요. 나는 이 씨를 불어 공중으로 날려 버릴 수도 있습니다. 그러면 없어져 버리겠지요. 만일 여러분 중 한 사람이

그것을 밭에 심고 나서 잊어버릴 수도 있겠지요. 그러나 어느 날 갑자기 아주 작은 씨에서 싹이 나오고 나무가 되어 그 밭의 다른 식물들보다 더 커질 것입니다. 가지가 멀리 뻗어 가고 나뭇잎들이 그늘을 만들어 주고, 가지가 아주 빽빽해서 새들이 집을 짓고 그 안에 숨을 수도 있습니다.」

예수님이 이야기를 하는 동안에 주위는 아주 조용했습니다. 농부들은 자기들의 밭을 생각하였습니다. 「하나님 나라는 이 겨자 씨와 같습니다.」 예수님이 계속 말했습니다. 「너무나 작아서 눈에 띄지 않을 정도입니다. 그러다가 갑자기 크고 멋있어집니다.」 한 남자가 비웃었습니다. 「하나님이 채소밭에 계신다니 도대체 이게 무슨 소리람?」 또 다른 사람이 단호한 목소리로 말했습니다. 「이 설교자는 자기가 우리 율법학자들보다도 하나님을 더 많이 이해한다고 합니다. 하지만 우리는 옛 경전을 공부했습니다. 우리가 더 잘 알고 있습니다.」

예수님은 이야기를 계속하셨습니다. 그분은 서너 명의 여자들에게 손짓을 했습니다. 「여러분에게도 하나님 나라에 대해 이야기하고 싶습니다.」 「여러분이 빵을 구울 때 밀가루를 단지에 넣지요. 그런 다음 거기에 누룩 한 줌과 물을 넣고 섞습니다. 누룩과 밀가루가 아주 잘 섞일 때까지 반죽을 하고 또 하지요. 누룩은 사라져서 보이지 않게 됩니다. 밀가루 반죽 속에 숨겨져 있지요. 하지만 그 누룩은 반죽 전체를 변화시킵니다. 반죽은 천천히 부풀어 오르고 누룩을 넣었기 때문에 빵은 맛이 좋아집니다. 하나님과 하나님의 나라는 이와 같습니다.」

예수님이 계속 여자들과 이야기를 하고 계시는 동안에 형제는 그들의 가게로 돌아갔습니다. 〈하나님을 볼 수 있다면 얼마나 좋을까〉 하고 형이 말했습니다. 「하지만 하나님은 누룩처럼 보이지 않아. 그리고 겨자 씨처럼 작지.」 「그렇지만 그분은 큰 힘을 갖고 계시지.」 동생이 덧붙였습니다. 「하나님 나라에 대한 이야기를 더 많이 듣고 싶어.」

호박과 멜론을 모두 팔고 난 다음 이들 형제는 정말 저녁에 다시 한 번 예수님을 만났습니다. 예수님은 제자들과 함께 길을 향해 나 있는 마당에 앉아 있었습니다. 형제는 서서 예수님의 이야기를 들었습니다. 「하나님 나라는 밭에 묻혀 있는 보물과 같습니다. 일꾼이 땅을 팝니다. 쟁기가 갑자기

무언가 딱딱한 것에 부딪혀 멈춥니다. 일꾼은 처음에는 화를 냅니다. 그러고 나서 그는 놀랍니다. 보물상자를 발견했기 때문이지요. 그 일꾼은 그것을 빨리 다시 묻어 놓습니다. 그리고 자기가 가진 것을 서둘러 다 팝니다. 자기 집과 포도 짜는 기계, 작은 정원 모두를 말이지요. 그 돈으로 그는 보물이 묻혀 있는 밭을 삽니다. 그는 정말 기뻐합니다.

하나님 나라는 또한 아름다운 진주를 모으는 상인과도 같습니다. 그는 그때까지 본 것 중에서 가장 크고 귀한 진주를 봅니다. 그때 그의 눈은 빛이 납니다. 그리고 그가 가지고 있던 다른 진주와 보석들을 모두 다 팝니다. 그 돈으로 그는 크고 귀한 진주를 삽니다. 그는 정말 기뻐합니다.」

날이 저물고 있었습니다. 제자들은 커다란 대문을 닫았습니다. 어두워졌기 때문에 형제는 서둘러 집으로 돌아갔습니다. 형이 말했습니다. 「상인에게는 진주가 다른 모든 것보다 더 중요했지. 참 이상해. 맨 나중에 그는 진주가 하나 남고 다른 진주는 전부 없어졌잖아!」 동생이 덧붙여 말했습니다. 「그리고 그 일꾼 말이야. 그는 자기 집까지도 다 팔았지. 더 이상 아무것도 남아 있지 않았어. 그는 예수님과 함께 온 나라를 돌아다니는 그 남자들처럼 가난했지. 그렇지만 그는 아주 기뻐했어.」

그들은 어둠 속을 걸어서 집에 거의 도착할 때까지 예수님에 대해 이야기했고, 그러면서 중요한 것을 깨달았습니다. 가장 중요한 것은 바로 기쁨이었습니다. 기쁨은 하나님의 나라에 속했습니다. 기쁨은 예수님에게 속한 것이기도 하였습니다.

집에 돌아가 그들은 예수님과 함께 체험한 일을 거듭 이야기했습니다.

마태복음 13장 31~35절, 44~46절

마음씨 착한 사마리아 사람

「이 율법학자는 예수님한테 무엇을 바라는 걸까? 왜 그는 예수님께 성경에 대해 자세히 묻는 걸까? 예수님을 시험하려는 걸까?」 제자들은 율법학자가 예수님과 어떤 집에 들어가 앉아 있는 동안 밖에서 서로 물으며 이야기를 나누었습니다. 제자들은 호기심이 나서 그 집 입구에 서서 귀를 기울였습니다. 율법학자가 이렇게 묻고 있었습니다. 「내가 죽은 다음에 하나님께 가려면 무엇을 해야 합니까?」「당신은 그것에 관해 성경에 어떻게 씌어 있는지 잘 알고 있지요. 그걸 말해 보십시오!」 율법학자는 고개를 끄덕였습니다. 「나는 마음을 다해 하나님을 사랑해야 합니다. 그리고 나의 이웃을 나 자신처럼 사랑해야 합니다. 그러나 예수여, 누가 나의 이웃인지 말해 주시오.」 그러자 예수님이 이런 이야기를 했습니다.

한 남자가 여행을 한다고 합시다. 그는 예루살렘에서 여리고로 가는 중입니다. 이 길은 여러분이 알고 있듯이 험한 바위가 있고 좁은 골짜기가 있어서 위험한 곳입니다. 이 여행자는 오랫동안 아무도 만나지 못했습니다. 그러다 강도들을 만났습니다. 그들은 그가 가진 것을 모조리 빼앗고 입은 옷도 찢어 놓았습니다. 그는 다쳐서 피를 흘렸습니다. 강도들 때문에 그는 반쯤 죽어 누워 있었습니다.

상처입은 그 남자는 지체 높은 사람이 다가오는 것을 보았습니다. 〈저 사람도 예루살렘에서 오는 거구나. 입은 옷을 보니 제사장이로구나〉 하고 그는 생각했습니다. 저 사람은 틀림없이 나를 도와줄 거야. 그러나 그 제사장은 지나가 버렸습니다.

그후 상처입은 그 남자는 또다시 발소리를 들었습니다. 그는 너무나 기운이 없어서 소리 치기도 힘들었습니다. 그러나 그는 성전을 지키는 사람이 가까이 오는 것을 보았습니다. 저 사람이 자신을 꼭 도와줄 거라고 길가에 쓰러진 사람은 생각했습니다. 그는 기다렸습니다. 그는 신음했습니다. 그러나 성전을 지키는 사람은 다른 쪽을 쳐다보며 지나가 버렸습니다.

상처입은 남자는 움직일 수가 없었습니다. 날은 더웠습니다. 그는 너무 아파서 눈을 감고 생각했습니다. 〈이렇게 더운 대낮에는 지나가는 사람이 하나도 없을 거야. 나는

죽겠구나.〉그런데 그때 조용하다가 점점 커지는 발소리를 들었습니다. 당나귀 소리였습니다. 그 발걸음은 느려지더니 멈추었습니다. 그는 누군가 나귀에서 내리는 소리를 들었습니다. 그리고 자기 어깨를 감싸고 깔개 위에 눕혀 주는 손길을 느꼈습니다. 누군가 그의 바싹 마른 입술을 물로 적셔 주었습니다. 피로 얼룩진 그의 얼굴을 씻겨 주고 상처를 천으로 매어 주었습니다. 그제서야 다친 남자는 눈을 뜨고 쳐다보았습니다. 그의 앞에는 사마리아 출신의 한 남자가 서 있었습니다. 그 남자의 옷을 보고 알 수 있었습니다. 〈유대 인이 아닌데〉하고 생각했지만 너무 기운이 없어서 자꾸만 그의 눈이 감겼습니다.

사마리아 사람이 그를 나귀에 태우고 난 후 다친 사람은 정신을 잃었습니다. 그를 구해 준 사마리아 사람은 그를 부축하며 조심스럽게 나귀를 몰았습니다. 그리고 여리고에 도착해 한 여관을 찾아 다친 사람을 눕히고 상처에 약을 발라 주었습니다. 그는 마실 것과 먹을 것을 주었고 아픈 사람을 돌보며 밤을 새웠습니다.

다친 사람은 깨어날 때마다 자기 곁에 희미한 등잔 불빛을 받으며 사마리아 사람이 있는 것을 보았습니다. 그는 놀라운 생각이 들었습니다. 사람들은 늘 말했습니다. 「사마리아 사람을 조심해야 해. 그들은 유대 인이 아니거든. 우리와는 달라.」그런데 지금 하필이면 사마리아 남자가 그를 도와주고 있었습니다. 그는 물어보고 싶었습니다. 그러나 말을 하기에는 너무 기운이 없었습니다. 그는 다시 잠에 빠져 들었습니다.

그리고 아침이 되었습니다. 사마리아 사람은 길을 떠나야만 했습니다. 그는 여관주인에게 돈을 주며 말했습니다. 「다시 건강해질 때까지 이 사람을 잘 돌보아 주십시오. 만일 돈이 모자라면 내가 나중에 모두 드리겠습니다. 여행에서 돌아오는 길에 다시 찾아오겠습니다.」

예수님의 이야기는 여기서 끝났습니다. 모든 사람이 조용했습니다. 율법학자는 예수님 앞에 앉아 예수님을 바라보았습니다. 조용한 가운데 예수님이 말했습니다. 「당신은 내게 누가 당신의 이웃인지 물었습니다. 이제 내가 당신에게 묻습니다. 당신은 길에 쓰러진 남자 곁을 지나간 세 사람에 대한 이야기를 들었습니다. 지체 높은 제사장과 성전 지키는 사람 그리고 사마리아 사람이었습니다. 그들 중 누가 강도를 만난 사람의 이웃이 되어 주었습니까?」「사마리아 사람이었습니다! 그냥 지나가지 않은 마음씨 착한 사마리아 사람이었습니다.」율법학자가 조그맣게 말했습니다. 그는 방바닥을 쳐다보았습니다. 다른 때에는 사마리아 사람에 대해 나쁘게만 말했었기 때문에 그는 기분이 좋지 않았습니다. 그는 사마리아 사람들과는 상관을 하고 싶지 않았습니다. 「당신 대답이 맞습니다.」「사마리아 사람처럼 사십시오.」

그 율법학자는 예수님의 말씀을 들은 사람들을 뚫고 나가서 그 집을 떠났습니다. 그는 더 이상 말을 하지 않았습니다. 그는 생각했습니다. 〈맞아. 예수님 말씀이 옳아.〉그러나 사마리아 사람만이 다친 사람을 도와주었다는 이야기는 그의 마음에 들지 않았습니다.

제자들도 잠잠해졌습니다. 그들은 더 물어보려고 했습니다. 하나님을 사랑하고 이웃을 사랑하는 것, 그것이 예수님에게는 가장 중요한 일이었습니다. 그렇지만 어떻게 해야 할까? 그것이 어려웠습니다. 제자들은 예수님과 함께 시골길을 걸어가는 동안 계속해서 곰곰이 생각했습니다.

누가복음 10장 25~37절

빵 다섯 개와 물고기 두 마리

한 남자아이가 도시로 가고 있었습니다. 그 아이는 빵과 물고기를 팔아야 했습니다. 빵이 다섯 개, 생선이 두 마리였습니다. 엄마가 빵을 구웠고 아빠가 물고기를 잡았습니다. 남자아이는 바구니를 머리에 이고 갔습니다.

도시로 가는 길에 그 아이는 계속 마주 오는 사람들을 만났습니다. 처음에 서너 명의 여자들을 만났고 그 다음에는 거지를 만났고 아이 둘이 이끌어 주는 장님도 만났습니다. 〈이들이 어디로 가는 거지? 도시에서 나오는 이 길은 보통 때에는 거의 언제나 텅 비어 있는데.〉「저기 무슨 일이에요?」마침내 아이는 길가에서 쉬고 있던 두 여자에게 물어보았습니다. 한 여자가 얼른 대답했습니다. 「저기 예수님이 계시단다!」「그분은 설교를 하시고 병자들을 고쳐 주신단다. 그분에 대해 못 들어 봤니?」이렇게 말하고 두 여자는 곧 길을 떠났습니다.

아이는 멈추어 섰습니다. 아이는 호숫가가 아니라 시장으로 가야 했습니다. 아이는 아직 예수님에 대해 들어 본 적이 없었습니다. 호기심이 생겼습니다. 「너도 같이 가자!」서너 명의 아이들이 외쳤습니다. 그 아이들도 예수님을 보러 가는 길이었습니다.

이제 그 남자아이도 다른 사람들과 같은 방향으로 가고 있었습니다. 도시는 점점 멀어졌습니다. 아이는 걸음을 빠르게 재촉했습니다. 예수님 이야기를 하며 가던 세 남자가 있었는데, 아이는 어른들의 이야기를 같이 듣고 싶었습니다. 그러자면 성큼성큼 걸어야만 했습니다. 「저기 좀 봐. 그분이 배를 타고 가시네. 시몬 베드로의 배야.」한 남자가 말했습니다. 두 번째 남자가 이어서 말했습니다. 「예수님은 혼자 있고 싶어하셨지. 피곤하셨거든. 그분은 이렇게 말씀하셨어. 〈나는 호수를 건너 저 건너편 한적한 초원으로 가고 싶구나.〉」그러자 세 번째 남자가 얼른 말했습니다. 「그래, 서두르자! 우리는 예수님보다 먼저 저 아래 호숫가에 갈 수 있을지도 몰라. 초원에서 그분을 기다리자.」

남자아이는 자기가 방향이 다른 도시로 가던 중이었다는 걸 잊었습니다. 아이는 예수님에 대한 기대에 마음이 부풀었습니다. 머리에 인 바구니는 여전히 꽉 차 있었습니다.

갑자기 아이의 눈앞에 커다란 호숫가 초원이 나타났습니다. 많은 사람들이 모여 있어서 마치 수많은 양 떼 같아 보였습니다. 저편 앞 호숫가에 시몬 베드로의 배가 막 도착했습니다. 사람들이 모두 그리로 몰려가는 것이 보였습니다. 「그분은 양들을 돌보는 착한 목자 같으시단다.」남자아이 옆에서 어떤 여자가 말했습니다. 「그분이 어제 설교하신 얘기를 들었어. 그분은 경건한 사람과 부자들에게만 가지 않으셔. 그분은 모든 사람들에게 하나님 나라에 대해 이야기하시지.」

여자들과 남자들 그리고 아이들이 예수님 주위로 몰려갔습니다. 모든 사람이 그분 가까이 있고 싶어했습니다. 그러나 날씨가 서서히 추워졌습니다. 안개가 호수 위로 드리워졌습니다. 예수님의 제자 한 명이 말했습니다. 「이들을 가라고 하십시오. 식사할 시간입니다. 사람들이 배고파하는 것이 보이지 않으십니까? 그들은 시내에 가서 먹을 것을 사야 합니다.」「너희가 사람들에게 먹을 것을 주어라!」예수님이 대답하였습니다. 제자들은 고개를 흔들었습니다. 「주님, 저희가 어떻게 시내에 가서 빵을 살 수 있습니까? 저희는 돈이 없습니다! 은화가 200개는 들 텐데요!」「빵이 얼마나 있느냐?」 예수님이 물으셨습니다. 그러자 제자들이 사람들의 무리를 뚫고 가며 외쳤습니다. 「누가 빵을 갖고 있습니까? 빵 가진 사람 있어요?」 모두 고개를 흔들었습니다. 그들은 빈손만 쳐들어 보였습니다. 「우리는 아무것도 없습니다. 아무것도!」

남자아이는 여전히 머리에 바구니를 이고 있었습니다. 아이는 가슴이 뛰었습니다. 갑자기 예수님의 제자 하나가 그 아이를 예수님께 가까이 갈 수 있도록 앞으로 밀었습니다. 「보리빵 다섯 개와 물고기 두 마리, 이게 우리가 찾아낸 전부입니다. 이 아이의 바구니에 담긴 것이지요. 이 정도라면 다 살 수는 있겠습니다.」 제자들이 말했습니다. 그런데 예수님은 사람들 모두에게 손짓을 하시며 이렇게 외치셨습니다.

「여러분, 모두 풀밭 위에 편안히 앉으십시오. 무리를 지어 함께 자리를 잡으십시오. 이제 식사를 하려 합니다.」 아이는 자기가 가진 바구니를 예수님의 발 앞에 놓았습니다. 아이는 예수님이 기도하시는 소리를 들었습니다. 식전 기도였습니다. 「찬미 받으소서, 하나님, 세상의 왕이시여. 당신은 땅에서 빵이 자라게 하십니다.」

아이는 예수님의 손을 바라보았습니다. 예수님의 손은 아이의 엄마가 구워 준 빵을 쪼갰습니다. 그리고 나서 예수님은 큰 빵조각들과 작은 물고기 토막들을 제자들에게 주셨습니다. 제자들도 빵과 물고기를 나누었습니다. 나누고 쪼개는 많은 손들이 있었습니다. 아이들, 여자들과 남자들의 손이 모두 가득 찼습니다. 모든 사람이 빵을 받았습니다. 사람들

은 자리에 앉았습니다. 사방이 조용해졌습니다. 모두 음식을 먹었습니다. 모두 배가 불렀습니다. 「5천 명입니다.」 제자 한 명이 말했습니다.

「남은 빵조각과 물고기를 모아라.」 예수님이 말했습니다. 시장에서 야채를 팔고 온 여자들이 빈 광주리를 들고 왔습니다. 남은 음식이 열두 광주리를 채웠습니다. 남자아이의 바구니도 다시 채워졌습니다.

사람들이 놀라서 말했습니다. 「예수님이 우리를 배부르게 하셨다. 우리 모두를.」 그리고 그들은 자리에서 일어났습니다. 날은 거의 저물어 캄캄해졌습니다. 거기 있던 사람들은 예수님이 하신 일을 더 이야기하고 싶었습니다. 〈처음에 우리 손은 비어 있었는데 곧 가득 채워졌지〉 하고 말했습니다.

어떤 사람들은 이렇게 말했습니다. 「그분은 하나님에게서 오셨어. 그분은 예언자이셔.」 또 다른 사람들은 이렇게 말했습니다. 「그분은 우리의 왕이 되셔야 해.」

아이는 바구니를 다시 머리에 이었습니다. 〈내 바구니가 전보다 더 무거워졌네〉 하고 아이는 생각했습니다. 아이는 이제 더 이상 도시로 갈 필요가 없었습니다. 그러나 그 아이는 애기할 것이 있었습니다. 예수님 이야기입니다. 아이는 기뻤습니다.

요한복음 6장 1~15절, 마가복음 6장 30~44절

잔치에 초대받아

어느 안식일이었습니다. 사람들이 모두 쉬고 있었습니다. 집집마다 안식일에 먹을 음식이 준비되어 있었습니다.

잘 사는 바리새파 사람의 집 식탁에도 음식이 잔칫날처럼 잘 차려져 있었습니다. 그의 집에는 지위가 높은 사람들만 손님으로 초대받았습니다. 그런데 허술한 여행자 옷차림을 한 예수님도 거기에 계신 것은 무엇 때문이었을까요? 까다로운 바리새파 사람들이 예수님을 시험해 보려 했던 것일까요? 그들이 예수님에 대해 알고 싶어서 그분의 이야기를 들으려고 한 것일까요?

손님 가운데 한 명이 말했습니다. 「예수님, 우리에게 하나님 나라에 대해 이야기해 주십시오!」 예수님은 다음과 같은 이야기로 대답을 하셨습니다.

한 남자가 잔치에 사람들을 많이 초대했습니다. 물론 자기처럼 돈이 많고 지위 높은 사람들이었습니다. 음식이 준비되고 잔칫상이 차려졌을 때 그는 하인 하나를 보냈습니다. 그 하인은 초대할 손님 모두에게로 가서 이렇게 말했습니다. 「우리 주인님께서 저를 보내셨습니다. 오십시오! 준비가 다 되었습니다. 잔치가 시작됩니다. 저와 같이 가시면 됩니다!」 그런데 갑자기 초대를 받은 손님들이 한결같이 이렇게 말했습니다. 「미안해. 갈 수가 없다네.」

한 사람이 말했습니다. 「나는 막 땅을 샀다네. 그건 정말 중요한 일이고 돈이 아주 많이 들었지. 이제 그 땅을 재어 보려는 참일세. 정말 미안한데 지금은 갈 수가 없겠네.」

또 다른 사람은 이렇게 말했습니다. 「나는 큰 농장에서 쓰려고 황소 다섯 쌍을 샀네. 우마차를 모는데 필요해서지. 나는 그 소들을 좀더 자세히 살펴보아야겠어. 급한 일이라서, 정말 미안한데 시간이 없구나.」

또 다른 사람은 막 결혼식을 올렸습니다. 「결혼식 다음날 내 아내를 혼자 둘 수는 없지. 자네도 이해하겠지. 갈 수 없어 미안하네.」

하인이 돌아가 사정을 전하자 주인은 화가 많이 났습니다. 그는 다시 한 번 하인을 보냈습니다. 「다시 한 번 시내로 가라. 하지만 이번에는 지위가 높고 돈 많은 사람들에게는 가지 말아라. 좁은 골목길에 있는 허름한 집으로 가라. 아무것도 가진 것이 없는 가난한 사람들, 길가에서 동냥을 해야만 하는 장님과 병자, 불구자들을 불러오너라.」 이번에 하인이 초대한 거지들은 모두 잔치에 왔습니다. 그들은 기뻐했습니다.

하지만 잔칫상에는 아직도 빈자리가 있었습니다. 주인은 하인을 다시 한 번 보냈습니다. 「도시 밖의 길거리나 포도밭 옆에서 구걸하는 가난한 자들도 불러오너라. 그들을 불러서 내 집을 가득 채워라. 처음에 초대받은 사람들은 더 이상 앉을 자리가 없을 것이다.

여기서 예수님의 이야기는 멈추었습니다. 바리새파 사람들과 높은 지위에 있는 사람들은 고개를 흔들었습니다. 〈이 이야기가 우리와 무슨 상관이 있단 말인가?〉 그들은 이 안식일 식사에 초대를 받았고 시간을 잘 지켜서 왔습니다. 〈모든 것이 아주 잘 되어가고 있지 않은가?〉 거지들이 그 자리에 온다면 방해만 될 뿐이라고 그들은 생각했습니다.

그런데 한 남자가 그 부잣집 대문 그늘에서 엿듣고 있었습니다. 그도 부자였습니다. 도시에서 가장 아름다운 정원이 있는 멋있는 집을 가지고 있었습니다. 그러나 그는 한 번도 다른 부잣집에 초대를 받아보지 못했습니다. 그들은 안식일을 이 남자와 함께 보내고 싶지 않았습니다. 〈그는 우리를 다스리는 로마 인들을 위해 일하고 있어. 그래서 돈을 많이 벌지〉라고 말하는 사람도 있었고, 〈그는 사기꾼이야, 너무 많은 돈을 받아가〉 하고 말하는 사람도 있었습니다. 「그는 예배 시간에 들어오면 안 돼. 반은 로마 사람이잖아.」 지금 어둠 속에서 귀를 기울이고 있는 그 남자는 세리였고 그의 이름은 삭개오였습니다.

삭개오는 날마다 시내 입구의 문에 있는 세관에 서 있었습니다. 그는 세관장이었습니다. 도시로 들어가는 사람들은 모두 그에게 세금을 내야 했습니다. 시장에 팔러 가는 과일에 대해서도, 그리고 자기 자신을 위해서도 사람들은 삭개오의 세관에 세금을 내야 했습니다. 「로마 사람들이 길을 만들어 주었고, 성을 쌓아서 이 나라를 안전하게 지켜 주었지요.」 삭개오는 이렇게 말하며 왜 그가 돈을 걷어야만 하는지를 설명하려고 했습니다. 하지만 세관을 지나는 모든 사람들은 욕을

했습니다. 「뭐라고? 로마 사람들은 그저 우리를 억누르려고만 하잖아! 우리를 도와주지는 않고 말이야. 그리고 너 못된 놈 삭개오는 로마 인들이 요구하는 것보다 훨씬 더 많은 돈을 거두어 가지. 그래서 너는 그렇게 부자가 되었지.」

삭개오는 날마다 여리고에 있는 세관에 서 있었습니다. 그러나 그는 매일매일 예수님과 예수님이 하신 이야기들을 생각했습니다. 그는 외로웠습니다. 「예수님은 나를 초대하실까?」 이렇게 그는 자신에게 물었습니다. 예수님이 하신 잔치 이야기에서는 심지어 거지들까지도 잔치에 초대를 받았습니다. 〈나같이 나쁜 사람들도 그 잔치에 갈 수 있을까?〉

어느 날 세관 앞길에 유난히 사람들이 많았습니다. 세리에게는 돈벌이를 할 좋은 기회였습니다! 많은 사람들이 시내에서 나와 큰 소리로 외치며 앞으로 밀치고 있었습니다. 「예수님이 오신다. 그분이 우리 도시에 오신다. 예수님! 예수님!」 외치는 목소리들이 서로 뒤섞였습니다. 〈예수님이라고?〉 삭개오는 세관 문을 잠갔습니다. 시내로 들어가는 사람들은 세금을 내지 않아도 된다며 좋아했습니다. 삭개오는 예수님을 기다리는 사람들을 따라갔습니다. 삭개오는 예수님을 보고 싶었습니다. 그는 사람들을 밀며 앞으로 앞으로 나아갔습니다. 길은 꽉 막혀 있었습니다. 삭개오보다 키가 큰 사람들이 서 있거나 밀치고 있었습니다. 삭개오는 키가 아주 작았습니다. 〈어떻게 해야 할까?〉

삭개오는 길에서 벗어나 사람들을 옆으로 앞질러 달려가서 길가에 서 있는 돌무화과 나무 위로 기어올라 갔습니다. 그는 키가 작았지만 나무 위에 올라가니 모든 것이 다 보였습니다.

삭개오는 거기서 정말 모든 것을 다 보았습니다. 조금 후에 그는 예수님이 오시는 것을 보았습니다. 〈야! 그분이시다!〉 제자들이 예수님을 둘러싸고 있었습니다. 사람들은 예수님께 손짓을 했습니다. 하지만 삭개오는 가만히 있었습니다. 그는 예수님을 그저 바라보고 싶었습니다. 아주 가까이에서. 예수님은 나무 밑에서 멈추어 섰습니다. 그리고 말했습니다. 「삭개오, 어서 나무에서 내려 오시오. 내가 오늘 당신의 손님이 되고 싶소.」 〈우리 집에 오신다고?〉 삭개오는 믿을 수가 없었습니다. 그는 나무에서 뛰어 내렸습니다. 그리고 웃었습니다. 그는 기뻤습니다. 그는 예수님을 자기 집

으로 모셨습니다. 그는 하인들을 불렀습니다. 「잔치 음식을 준비하여라! 예수님이 오셨다!」 그는 예수님께 자신이 가진 모든 것을 다 대접했습니다. 예수님은 잔칫상에서 가장 좋은 자리에 앉으셨습니다.

예수님을 기다리던 다른 여리고 사람들은 불평을 했습니다. 그들은 화가 났습니다. 「하필이면 저 못된, 로마 사람들 편만 드는 놈 집에 예수님이 가시다니! 삭개오란 놈 집에!」

그러나 삭개오는 예수님 곁에 행복하게 앉아 있었습니다. 그는 예수님이 이야기했던 잔치를 생각하였습니다. 그 이야기에서 주인은 다른 잔치에는 초대받을 수도 없는 가난한 사람들과 병자들을 불렀습니다. 〈나도 그렇게 하고 싶다!〉

삭개오가 말했습니다. 「예수님, 당신은 알고 계십니다. 제가 돈이 많은 부자이지만 아무도 저를 좋아하지 않습니다. 이제 저는 제가 가진 것의 절반을 가난한 사람들에게 주겠습니다. 저는 사람들에게서 돈을 너무 많이 거두어들였습니다. 그 사람들에게 네 배로 돌려주겠습니다. 예수님, 그렇게 하겠습니다.」

예수님은 삭개오 쪽으로 가까이 가셨습니다. 그분은 가장 친한 친구처럼 삭개오 옆에 다가가 앉으셨습니다. 그리고 이렇게 말했습니다. 「오늘 하나님이 당신을 새로 만드셨습니다. 하나님의 사랑이 이 집에 오셔서 모든 것을 변화시켰습니다. 나는 버림받은 사람을 찾아 구원하려고 이 세상에 왔습니다.」

이날부터 삭개오는 행복했습니다. 그는 예수님의 친구였습니다. 그는 말했습니다. 「나는 외롭고 버림받아 있었습니다. 나는 길을 잃은 양과 같았습니다. 하지만 예수님이 나를 구원해 주셨습니다.」

누가복음 14장 15~24절, 19장 1~10절

204

잃었다가 다시 찾으면

바리새파 사람들과 율법학자들은 예수님이 하시는 일에 화를 내며 투덜거렸습니다. 「예수님은 세리 삭개오의 집을 찾아가셨어.」 그들이 예수님에게 말했습니다. 「당신은 하나님의 가르침을 전하는 분입니다. 그런데 동시에 죄인들의 친구라니, 이럴 수는 없습니다.」 「잘 들으시오.」 예수님이 대답하셨습니다. 「여러분에게 이야기를 하나 들려 드리겠습니다.」

양을 100마리 가진 목동이 있다고 합시다. 그는 양들을 훤히 알고 있었습니다. 목동은 양들에게 이름을 붙여 불렀습니다. 그런데 어느 날 저녁 목동이 양들의 수를 세었습니다. 세고 또 세었지만 99마리밖에 없었습니다. 한 마리가 사라진 것입니다. 그는 바위틈과 가시 덤불 속을 헤매며 잃어버린 양을 찾아다녔습니다. 그는 99마리의 양들은 사막에 있는 울타리 안에 남겨두고, 잃어버린 양을 찾을 때까지 돌아다녔던 것입니다. 양을 찾았을 때 목동은 기뻐서 양을 꼭 껴안았습니다. 그리고 나서 목동은 양을 어깨에 둘러메고 바위를 넘고 가시덤불을 지나 99마리의 다른 양들이 있는 곳으로 돌아왔습니다. 목동은 나중에 100마리의 양을 모두 데리고 집으로 가서, 친구들과 이웃들을 부른 다음 이렇게 말했습니다. 「나와 함께 기뻐해 주시오. 나와 함께 잔치를 합시다. 잃어버렸던 양을 다시 찾았소. 이것 좀 보시오. 내 어깨에 있지 않소.

예수님은 이야기를 멈추었습니다. 어떤 이야기가 계속 이어졌을까요? 예수님은 이렇게 말했습니다. 「하나님과 사람은 이 목동과 양과 같습니다. 목동은 잃어버린 양 하나를 찾아 헤맵니다. 양을 찾으면 목동은 크게 기뻐합니다. 하나님도 삶을 바꾸고 하나님께로 돌아오는 사람들 하나하나를 보고 기뻐하십니다. 길을 잃은 단 한 사람이 하나님의 도움을 필요로 하지 않는 다른 모든 사람들보다 더 소중합니다.」

삭개오도 이 이야기를 들었습니다. 그는 뒷자리에 물러서 있었습니다. 〈그래, 내가 바로 예전에 길을 잃었다가 자신을 변화시킨 그 사람이야.〉 삭개오는 큰 소리로 외치고 싶었습니다. 〈바로 나예요! 내가 그 잃어버린 양이에요! 그리고 예수님이 나에게 오셨어요!〉 하지만 삭개오는 아무 말도 하지 않았습니다. 그는 또다시 율법학자들의 기분을 건드리고 싶지는 않았습니다. 그런데 예수님은 이야기를 하나 더 했습니다. 예수님은 바리새파 사람들과 율법학자들이 예수님을 더 잘 이해하기를 바랐습니다.

　어떤 남자에게 아들이 둘 있었습니다. 두 아들은 농장에서 아버지를 도와 일했습니다. 어느 날 작은 아들이 아버지에게 말했습니다. 「저도 이제 어른이 되었습니다. 저 스스로 살아갈 수 있습니다. 저를 세상에 내보내 주시고 저에게 돈을 주십시오. 아버지 재산의 절반을 주십시오. 아버지가 돌아가시고 나면 어차피 물려받을 제 몫입니다.」 아버지는 깜짝 놀랐지만 아들을 떠나보냈습니다. 아버지는 아들에게 자루 하나 가득 돈을 담아 주었습니다. 금화가 아주 많았습니다.

　아들은 자기가 가진 것을 모두 챙겨서 낯선 나라로 떠났습니다. 거기서 그는 방탕한 생활을 하였습니다. 그는 멋진 옷을 사고 새로 사귄 친구들과 먹고 마시며 많은 돈을 썼습니다.

　그런데 갑자기 그 나라에 흉년이 들어서 곡식이 하나도 없었습니다. 그리고 오랫동안 비가 내리지 않았습니다. 빵은 아주 비싸졌습니다. 농부의 아들은 불평을 했습니다. 「배가 고파! 목도 마르고! 이제 금화가 하나도 남지 않았어. 먹을 것을 살 수가 없어.」 그는 어떤 농부에게 가서 물었습니다. 「내가 이 집에서 일할 수 있습니까? 일을 하면 돈을 주시겠습니까?」 농부는 그를 들판에 내보냈습

니다.「거기서 내 돼지들을 돌보아라.」그래서 아들은 돼지먹이통 옆에 앉았습니다. 그는 돼지치기였습니다. 돼지들이 그의 곁에서 먹이를 먹었습니다. 그러나 그는 먹을 것이 하나도 없고 먹을 것을 살 수도 없었습니다.

그제서야 이 젊은이는 아버지를 생각하였습니다. 〈우리 아버지의 일꾼들은 빵과 우유를 먹는데! 먹고도 남는데! 내가 여기서 굶어죽기 전에 집으로 가고 싶어. 아버지의 집에서 일하고 싶어. 아버지께 이렇게 말씀드려야지. 제가 집을 나간 것은 어리석은 일이었습니다. 아버지께서 주신

돈은 하나도 남지 않았습니다. 저는 나쁜 놈입니다. 하나님이 알고 계십니다. 아버지도 알고 계십니다. 저를 제일 하찮은 일꾼으로 써주십시오.〉이렇게 생각한 아들은 집을 향해 길을 떠났습니다.

멀리 아버지의 농장이 보였습니다. 저기 누군가가 서 있는 것일까? 한 남자가 아들에게 다가왔습니다. 그 남자가 팔을 벌렸습니다. 그제서야 아들은 그 남자가 누구인지 알아보았습니다. 아버지였습니다! 아버지는 아들을 껴안았습니다. 아들에게 입을 맞추었습니다. 아버지는 아들에게

화를 내지 않았습니다. 그리고 일꾼들에게 소리쳤습니다. 「내 아들에게 제일 좋은 옷을 가져 오너라. 손에는 금으로 된 반지를 끼우고 새 신을 신겨 주어라. 살찐 송아지를 잡아서 구워라! 내 아들이 돌아왔으니 나와 함께 즐기자! 내 아들이 살아 있으니 나는 행복하다. 잃어버렸던 아들을 이제 다시 찾았다.」 농장에서 큰 잔치가 벌어졌습니다. 모든 사람들이 춤추고 노래하고 먹고 마셨습니다.

그때 밭에 나가 일하고 있던 큰아들이 돌아왔습니다. 「무슨 일이냐?」 음악 소리를 듣고 그가 물었습니다. 「둘째 아드님이 돌아오셨습니다.」 일꾼이 대답하였습니다. 「주인님께서 아주 기뻐하십니다. 그래서 살찐 송아지를

잡으셨습니다.」 「더 이상 이야기하지 말라!」 큰아들이 말을 막았습니다. 그는 화가 나고 질투가 났습니다. 그는 그 잔치에 끼고 싶지 않았습니다.

그때 아버지가 나왔습니다. 아버지는 큰아들이 어깨를 감싸며 안으로 불러들이려고 했습니다. 아들은 손으로 아버지를 밀쳤습니다. 그는 음악 소리를 듣지 않으려고 귀를 막았습니다. 그리고 이렇게 말했습니다. 「아버지, 저는 여러 해 동안 집에 머무르면서 아버지를 위해 일했습니다. 하지만 저와 저의 친구들을 위해서는 한 번도 잔치를 해주지 않으셨지요! 염소 한 마리도 잡아 주지 않으셨습니다.」 아버지는 다시 한 번 큰아들의 어깨에 손을 얹으

며 말했습니다. 「아들아, 너는 늘 내 곁에 있었다. 너는 편하게 살았고 내가 가진 모든 것이 곧 너의 것이다. 와서 우리 함께 기뻐하며 즐기자. 네 동생이 죽었다고 생각했는데 다시 살아서 돌아왔다. 잃어버렸던 아들을 다시 찾은 것이다.」

사람들이 모두 귀 기울여 들었습니다. 이야기는 여기서 끝나는 것일까요? 그래서 큰아들은 마음을 돌려 잔치에 함께했을까요? 예수님은 그 이야기는 하지 않았습니다.
예수님은 제자들과 함께 그곳을 떠나 더 나아갔습니다.

이야기를 들은 남자와 여자들은 가만히 서 있었습니다. 그들은 서로 조용히 이야기를 나누었습니다. 「예수님은 하나님에 대한 이야기를 하신 거야.」 한 여자가 말했습니다. 「예수님은 착한 목동과 같으시고 팔을 벌린 그 아버지와 같으셔.」 다른 여자가 이어 말했습니다. 「맞아, 하나님은 길을 잃은 사람을 찾으셔.」 「예수님도 길을 잃은 사람에게로 가시지.」 삭개오가 말했습니다. 그는 생각에 잠겨 집으로 돌아갔습니다.

누가복음 15장 1~7절, 11~13절

예수님과 아이들

미리암은 마당에서 놀았습니다. 유리구슬을 가지고 혼자서 놀았습니다. 미리암은 심심했습니다. 엄마는 부엌에서 일을 하거나 동생들을 돌보느라 바쁘셨습니다. 아빠는 나가고 안 계셨습니다. 〈예수님이 다시 오셨어. 그분을 보고 싶어. 그분의 설교를 듣고 싶어〉라고 아빠는 말했습니다.

〈아빠는 한 번도 나를 데리고 가지 않아.〉 미리암은 생각했습니다. 미리암은 아빠가 예수님에 대해 이야기할 때면 언제나 귀 기울여 들었습니다. 미리암은 예수님이 야이로의 딸을 낫게 해주셨다는 것을 알고 있었습니다. 사람들이 모두 그 이야기를 했던 것입니다. 「나도 그분을 한 번 보고 싶어요. 예수님이라는 분을.」 미리암은 예전부터 이렇게 말했습니다. 그러나 아빠는 엄하게 말했습니다. 「너는 어려. 너무 어리단다. 너는 예수님이 말씀하시는 것을 이해하지 못한단다.」 그러고 나서 아버지는 대문을 닫았습니다. 길을 걸어가시는 아버지의 힘찬 발걸음이 점점 멀어져 갔습니다.

그때 엄마는 시원한 집안에서 미리암의 여동생을 요람에 눕히고 흔들며 재우고 있었습니다. 아주 연약한 아이였습니다. 엄마는 걱정이 되었습니다. 〈이 아이가 나중에 어떻게 될까?〉 엄마는 생각했습니다. 엄마는 먹을 것이 모자라서 매일 걱정했습니다. 엄마는 굶어죽을까 봐 걱정을 했고 로마 사람들이 무서웠습니다. 〈우리가 그렇게 많은 세금을 내지 않아도 되면 좋으련만!〉

엄마도 예수님을 생각했습니다. 예수님에 대한 이야기를 몇 번이나 들었었습니다. 엄마도 예수님을 보고 싶었습니다. 엄마는 예수님이 놀라운 능력을 갖고 계시다는 것을 알고 있었습니다. 그분은 하나님으로부터 오셨고 하나님의 도움을 받는다고 사람들이 늘 말했습니다.

갑자기 미리암의 엄마는 예수님께 가기로 마음먹었습니다. 그분의 말씀을 듣고 싶었습니다. 아이들을 데리고 가서 그분의 축복을 받고 싶었습니다. 〈예수님은 남자들만을 도와주시는 걸까?〉 그럴 리가 없었습니다! 그분은 아이들에게 꼭 필요한 분이셨습니다!

「미리암, 이리 오렴, 아빠를 따라가자. 우리도 예수님의 이야기를 들어 보자. 신발 신어.」 미리암은 기뻐서 이리저리 뛰었습니다. 미리암은 엄마가 동생을 포대기에 싸는 동안 유리구슬을 모았습니다. 그들은 곧 시골길을 걸어 도시로 향했습니다.

저기다! 남자들이 아주 많이 모여 있었습니다. 더 잘 보려고 담 위에 기어 올라가 있는 사람들도 있었습니다. 〈저기에 예수님이 계시는 것이 틀림없어.〉 미리암의 어머니는 사람들을 밀고 앞으로 나갈 생각은 하지 하지 않았습니다. 팔에 안고 있는 아이가 사람들에게 눌릴 수도 있었습니다. 그러나 예수님에게로 다가가려 하는 다른 여자들이 보였습니다. 그 여자들도 아이들을 데리고 있었습니다. 엄마는 그 여자들 쪽으로 가서 섰습니다. 그들은 예수님이 하시는 말씀을 듣고 싶어했습니다. 몇몇 여자들이 아이들을 높이 들어올렸습니다. 「예수님이 보이니?」 여자들이 물었습니다. 「어디 계신데?」 「아무것도 안 보여.」 아이들이 말했습니다.

그때 젊은 남자 둘이 여자들과 아이들에게 다가왔습니다. 「너희는 대체 여기서 뭘 하려는 거냐? 이 아이들 좀 조용히 있게 할 수 없어?」 한 남자가 말했습니다. 「예수님이 지금 남자들하고 이야기하고 계셔. 방해를 하면 안 되지.」 다른 남자가 말했습니다. 어떤 여자들은 그 말을 듣고 다시 집으로 돌아가려고 했습니다. 그들은 두려웠습니다. 미리암은 엄마를 쳐다보았습니다. 엄마를 아주 똑바로 보면서 속삭였습니다. 「그냥 있어, 엄마. 그냥 여기 있어.」 한 여자가 대들며 외쳤습니다. 「예수님은 남자들을 위해서만 계시는 게 아니야. 나는 그걸 잘 알고 있어. 그분은 마르다와 마리아의 집에서도 식사를 하셨어.」

갑자기 남자들이 옆으로 비켜섰습니다. 아이들과 여자들이 예수님을 보았습니다. 그들은 당장에 알아차릴 수가 있었습니다. 〈바로 이분이 예수님이시다!〉 예수님은 길가의 무화과나무 아래 나지막한 담에 앉아 계셨습니다. 「여자들에게 자리를 내주시오. 얘들아, 이리 오렴. 아이들이 내게로 오게 해주시오.」 예수님은 그분의 앞에 빈자리가 생길 때까지 계속 이렇게 말했습니다. 여자들은 처음에는 그냥 서 있었습니다.

어린아이들이 예수님에게 걸어갔습니다. 좀 큰 아이들은 호기심에 차서 예수님을 바라보며 어린아이들을 따라갔습니다. 예수님이 어린아이들을 무릎에 앉혔습니다. 예수님은 아이들을 껴안고 쓰다듬어 주었습니다. 그리고 그들의 머리에 손을 얹어 주었습니다. 「예수님이 아이들을 축복하신다. 자

신의 능력을 아이들에게 주신다.」한 여자가 다른 사람들에게 말했습니다. 엄마들도 이제 용기가 났습니다. 그들은 제일 어린 아이들을 예수님에게 데려갔고 예수님이 그 아이들을 만졌습니다. 예수님은 아이들을 팔에 안아 주었습니다. 「예수님은 꼭 좋은 어머니 같으시네.」제자들이 놀라서 말했습니다. 「예수님, 저희는 당신께서 아이들의 친구이시라는 것을 전혀 몰랐습니다.」그들은 여자들을 쫓아내려고 했던 것을 부끄러워했습니다.

예수님은 예수님 앞에 서 있는 모든 사람들, 아이들과 여자들, 남자들에게 말했습니다. 「하나님 나라로 가려고 하는 사람은 이 아이들처럼 되어야 합니다.」

나중에야 제자들은 서로 물었습니다. 「아이들처럼 되다니. 그 말을 어떻게 이해해야 하지? 하나님 나라로 가는 길을 찾는 것이 그렇게 간단하단 말인가? 아이들은 성경을 전혀 이해하지 못하잖아. 아이들은 선과 악도 제대로 분간하지 못하는데.」예수님이 그들의 말을 들었습니다. 「그렇지만 여러분은 아이들처럼 되어야 합니다. 하나님에게 가까이 가는 것, 하나님을 믿는 것, 그것이 가장 중요한 일입니다.」

아이들과 여자들은 다시 집으로 갔습니다. 미리암의 여동생은 이미 잠이 들었습니다. 미리암은 이제 알았습니다. 「나는 예수님께 속한 사람이야. 그리고 내 어린 여동생도. 예수님은 우리가 너무 어리다고 하시지 않아.」

마가복음 10장, 13~16장

등 굽은 여자

회당 맨 뒤에 등 굽은 여자가 앉아 있었습니다. 그 여자는 18년 전에 심한 병을 앓았고 그때부터 똑바로 설 수가 없었습니다. 그 여자는 날마다 천천히 등을 구부린 채 도시의 큰 길을 걸어갔습니다. 그 여자가 웃는지 우는지 아무도 알 수가 없었습니다. 그 여자가 언제나 고개를 숙이고 있기 때문이었습니다. 그래서 사람들은 그 여자를 그냥 〈등이 굽은 여자〉라고만 불렀고 이름은 잊어버렸습니다. 〈저 여자는 귀신이 붙은 거야〉라고 말하는 사람들이 있었고 〈등에 악마가 앉아 있어〉라고 놀리는 아이들도 있었습니다.

예수님은 안식일에 회당에서 설교를 했습니다. 예수님은 앞쪽에 서 계셨습니다. 예수님은 성경의 뜻을 설명했고 하나님 나라에 대해 이야기했습니다. 회당 안에는 사람들이 꽉차 있었습니다. 갑자기 예수님이 이야기를 멈추었습니다. 그리고 뒤쪽을 가리키셨습니다. 누군가에게 앞으로 나오라고 손짓하셨습니다. 누구를 부르시는 것일까? 사람들이 모두 뒤를 돌아보았습니다. 그리고 그 여자가 허리를 구부린 채 고개를 약간 들고는 삐뚜름히 앞쪽을 바라보는 것을 발견했습니다. 그때 모든 사람들이 그 여자의 얼굴을 보았습니다. 여자가 일어섰습니다. 여자는 예수님이 자기를 부르신다는 것을 깨달았습니다. 그 여자는 지팡이에 의지해서 천천히 앞으로 나아갔습니다. 사람들이 그 여자에게 길을 비켜 주었습니다. 회당 안은 조용했습니다. 발이 끌리는 소리만 들렸고, 마침내 그 여자가 예수님 앞에 섰습니다.

예수님은 모든 사람들에게 다 들릴 정도로 크게 말했습니다. 「여인이여, 당신은 건강해졌습니다.」예수님은 그 여자의 어깨에 손을 얹으셨습니다. 그러자 그녀가 똑바로 섰습니다. 그녀는 고개를 번쩍 들었고 등을 쭉 폈습니다. 여기저기서 사람들이 수군거렸습니다. 「꼭 귀신이 들린 것 같아.」사람들이 이렇게 속삭였습니다. 그러나 그 여자는 놀라서 주위를 둘러보았습니다. 그리고 예수님에게 외쳤습니다. 「하나님, 가장 높으신 분이여, 저를 도와주셔서 감사합니다.」

「조용히 하시오, 여러분, 잘 들으시오.」회당장이 앞에 서서 말했습니다. 「조용히 하시오.」그가 다시 한 번 말했습니다. 사람들이 모두 말을 멈추었습니다. 병이 나은 그 여자도 말을 멈추었습니다. 예수님도 귀를 기울이셨습니다. 회당장

212

이 교회 안에서의 질서를 맡은 사람이기 때문이었습니다. 「잘 들으시오! 여러분 모두 우리의 안식일 계명을 잘 알고 있습니다. 여러분은 6일 동안 일해야 합니다. 그러나 안식일은 주님의 날입니다. 축하를 하고 쉬는 날입니다. 이날은 아무도 일해서는 안 됩니다. 여러분은 6일 동안 병자를 치료할 수 있습니다. 그러나 안식일에는 안 됩니다. 예수 당신도 우리의 계명을 지켜야 합니다. 당신은 안식일에 일을 하였습니다. 그건 허락되지 않은 일입니다.」 회당장은 화가 나서 이마에 깊은 주름이 생겼습니다. 그의 엄격한 눈초리는 특히 예수님을 향했습니다. 나이 많은 다른 남자들도 앞으로 나섰습니다. 〈그렇소, 이 예수라는 사람이 우리의 계명을 지키지 않았소. 우리의 법을 어긴 것이요. 예수는 경건한 유대 인이 아니요〉라고 말했습니다. 그러나 예수님은 그들 앞으로 나와 대답하셨습니다. 「쓸데없는 소리 그만두어라, 이 위선자들아! 너희는 마치 안식일에 아무도 돕지 않는 척하는구나. 너희도 자기 소나 나귀에게 물을 먹이지 않느냐. 물을 마실 수 있게 그들을 풀어 주고 우물에 데려가지 않느냐. 이 여자가 너희가 키우는 짐승만 한 가치도 없단 말이냐? 이 여자가 18

년 동안 괴로움을 겪지 않았느냐?」

예수님에게 욕을 했던 몇몇 사람들이 부끄러워했습니다. 이 광경을 지켜보고 귀를 기울였던 많은 사람들이 기뻐했습니다. 「예수님은 구원자이시다. 예수님은 놀라운 일들을 하신다.」 그들은 이렇게 말하며 회당을 떠나 병이 나은 여자를 둘러쌌습니다. 그러나 신자 중 가장 나이가 많은 사람들, 율법학자들 그리고 회당장은 불만이었습니다. 「예수는 법을 지키지 않았어. 저렇게 하면 안 되지.」 그들은 되풀이해서 말했습니다. 「우리는 그가 다른 곳에서 안식일에 병자들을 낫게 해주었다는 이야기를 들었다. 손이 오그라든 남자를 안식일에 고쳤다고 한다. 대체 왜 그런단 말인가? 그 남자도, 등 굽은 여자도 기다릴 수는 있지 않은가!」 「그래, 그건 하나도 급한 일이 아니었어. 오늘 일만 해도 그렇지. 예수는 일부러 우리를 화나게 하려고 하는 거야. 옛부터 내려오는 계명을 중요하게 여기지 않는다는 것을 우리에게 보여 주려는 거야.」

예수님은 이 모든 말들을 조용히 들으셨습니다. 사람들이 욕을 하게 내버려 두셨습니다. 그리고 제자들과 함께 길을 떠나 더 가셨습니다.

남아 있던 두 남자가 회당 앞뜰에서 오랫동안 서로 이야기를 나누었습니다. 「우리는 안식일에 우리 민족이 이집트에서 감옥살이를 하다가 해방된 것을 생각해야지. 해방이라구! 너 이해하겠어? 예수님도 그 여자를 해방시키셨지. 그건 안식일에 잘 어울리는 일이 아니야?」 「한편으로는 네 말이 맞아.」 다른 남자가 망설이다가 말했습니다. 「예수님에게는 사람이 계명보다 더 중요해. 난 그게 좋은 것 같아. 하지만 바리새파 사람들과 율법학자들에게는 맞지 않는 이야기지. 예수님은 경건한 유대 인들과는 전혀 맞지 않아. 예수님은 그들에게 방해가 돼. 예수님이 걱정된다. 지금 예수님이 제자들과 함께 유월절을 지내러 예루살렘으로 가고 계시잖아. 나는 예수님이 걱정돼!」

누가복음 13장 10~17절

길가의 맹인

바디매오는 햇빛을 피하기 위해 다 떨어진 회색 천을 머리에 둘렀습니다. 벌써 세 시간 동안 그는 먼지가 이는 길가에 앉아 있었습니다. 매일 어머니가 그를 거기로 데려다 주고 얼른 집으로 다시 돌아갔습니다. 어머니는 부끄러웠습니다. 「아마 당신이 뭔가 나쁜 짓을 한 거겠지. 그래서 하나님이 당신에게 앞 못 보는 아들을 주신 거야.」 이웃사람들은 이렇게 말했습니다.

바디매오도 구걸을 하는 게 수치스러웠습니다. 그의 곁에는 지팡이가, 앞에는 동냥그릇 하나가 놓여 있었습니다. 그는 되풀이해서 그릇을 만져 보았습니다. 〈그래, 아직도 있구나!〉 그러나 그릇에서 소리가 나는 일은 아주 드물었습니다. 어쩌다 그릇에 던져지는 것도 잔돈뿐이었습니다. 때로는 과일을 던져 주는 사람도 있었습니다. 거의 항상 그는 몹시 목이 말랐습니다. 그는 하루 종일 혼자인 날이 많았습니다. 그에게는 깊이 생각할 수 있는 시간이 있었습니다. 아주 많은 시간이 있었습니다. 슬픔에 잠겨 있을 시간도 많았습니다.

바디매오는 아무것도 볼 수가 없었습니다. 그러나 그의 귀는 아주 건강했습니다. 그랬습니다, 그는 아주 잘 들을 수 있었습니다. 여리고에서 오는 사람들은 그들이 시장에서 무엇을 팔았는지 서로 이야기를 나누었습니다. 얼마나 많은 세금을 냈는지 이야기했고 여리고에서 들은 이야기도 했습니다. 그래서 바디매오는 언제나 시내로 들어가는 문 근처의 같은 자리에 앉아 있으면서도 많은 것을 알고 있었습니다.

예수님에 대해서도 바디매오는 들어서 알았습니다. 그분은 여기 여리고에서 세리인 삭개오의 집에 손님으로 계셨습니다! 세리의 집에! 그건 이해하기 어려운 일이었습니다. 바디매오는 예수님이 자기처럼 여러 해 동안 아팠던 사람들을 낫게 해주셨다는 이야기도 들었습니다. 그는 예수님에 대해 더 많이 알고 싶었습니다. 묻고 싶은 것도 많았습니다. 그러나 예수님 이야기를 하던 사람들은 그 자리에 머물지 않고 가버렸습니다. 「예수님은 다윗 왕의 후손이야.」 「그분은 하나님의 아들이야.」 수수께끼 같은 이런 말들이 그가 바로 오늘 예수님에 대해 들은 말들이었습니다. 그는 생각했습니다. 왜 예수님과 제자들은 한 번도 여기를 지나가지 않으시는 거지? 오늘도 바디매오는 슬픔에 잠겨 있는 시간, 깊이 생각할 시간이 아주 많았습니다.

눈먼 거지 바디매오는 졸고 있었습니다. 그러다 소란한 소리에 잠이 깼습니다. 〈무슨 일이지?〉 바디매오는 급히 동냥 그릇을 챙기고 내용물을 만져 보았습니다. 그릇은 여전히 거의 비어 있었습니다. 「너 거기 있니? 뭐가 보이니?」 바디매오는 이렇게 물으며 지팡이로 왼쪽을 두드렸습니다. 거기에는 저녁 무렵에 늘 부모 없는 어린 소녀가 구걸을 하였습니다. 「네, 저 여기 있어요, 바디매오 아저씨. 남자들이 잔뜩 우리 쪽으로 몰려오고 있어요. 그 사람들 중에 선생님이 한 분 있어요. 사람들이 그분을 예수님이라고 불러요.」 〈예수님이라고?〉 바디매오는 자리에서 펄쩍 뛰었습니다. 그는 지팡이도 짚지 않은 채 펄쩍 뛰었고 동냥그릇이 뒤집어졌습니다. 그는 동전들이 굴러가든 말든 상관하지 않았습니다. 바디매오는 목소리가 들려오는 쪽을 향해 뛰어갔습니다. 그리고 있는 힘을 다해 이렇게 외쳤습니다. 「다윗의 자손이신 예수님, 당신은 저를 도와주실 수 있습니다. 저에게 자비를 베풀어 주십시오!」

그때 힘센 남자들의 손이 오른쪽 왼쪽에서 그를 붙잡았습니다. 누군가가 손으로 그의 입을 막으려 했습니다. 그러나 그는 그것을 뿌리치며 더 큰 소리로 외쳤습니다. 「예수님, 다윗 왕의 후손이시여, 당신은 저를 도와주실 수 있습

니다! 자비를 베풀어 주십시오!」 바디매오는 길 한가운데에 몸을 던져 무릎을 꿇었습니다. 갑자기 그의 주위가 조용해졌습니다.

손 하나가 그의 어깨를 만졌고 이런 목소리가 들렸습니다. 「일어나시오, 맹인이여, 기뻐하시오! 예수께서 당신을 부르십니다.」 바디매오는 당장 일어섰습니다. 그는 다 떨어진 회색 천으로 땀과 먼지가 뒤범벅이 된 얼굴을 닦고는 길가에 던져 버렸습니다. 그리고나서 그는 손을 뻗었습니다. 「예수님, 거기 계십니까?」 「그렇다, 내가 여기 있다.」 예수님이 대답하셨습니다. 「내가 너를 위해 무엇을 도와주기를 원하느냐?」 「선생님, 제가 다시 볼 수 있게 해 주십시오.」 라고 눈먼 사람이 대답했습니다. 그때 예수님이 말했습니다. 「눈을 크게 떠라! 네 주위를 둘러보아라! 너의 믿음이 너를 구하였습니다.」

바디매오는 눈을 떴습니다. 그는 예수님을 보았습니다. 그는 많은 사람들을 보았습니다. 그는 자기 주위의 집들과 나무들, 정원을 둘러보았습니다. 그리고 다시 예수님을 쳐다보았습니다. 「당신은 구원자이십니다. 예수님, 다윗의 후손이시여! 당신은 나의 왕이십니다.」

그리고 바디매오는 예수님과 제자들 곁에 머물렀습니다. 그는 그들을 따라 예루살렘으로 갔습니다. 그들은 함께 유월절을 축하하기 위해 커다란 도시로 올라갔습니다.

마가복음 10장 46~52절

예수님이 예루살렘에 가시다

구부러진 길을 따라 앞서 가던 제자들이 그 자리에 멈추어서 있었습니다. 예수님과 함께 그들을 뒤따르던 다른 제자들도 멈추어 섰습니다. 「예루살렘이다! 예루살렘!」 타대오가 이렇게 외쳤습니다. 저 멀리에 나타난 도시 예루살렘을 그는 생전 처음 보았습니다. 그는 손을 눈썹 위에 대고 올려다보았습니다. 그곳 기혼 골짜기의 다른 편에는 탑들이 높이 솟아 있고 둥근 지붕들이 빛나고 있었습니다. 「성전이다, 성전!」 그는 기뻐 소리쳤습니다. 그는 도시가 세워진 언덕의 우람한 장벽을 가리켰습니다. 그 벽들은 높았고 하얗게 보였습니다. 금으로 된 장식이 빛났습니다. 「벌써 50년 동안 성전이 지어지고 있어.」 제자 한 명이 말했습니다. 「헤롯 왕이 성전을 짓기 시작했지.」 그는 길가에 앉으며 덧붙였습니다. 「그놈의 헤롯! 그놈의 헤롯!」 베드로는 발을 굴렀습니다. 「그는 아주 잔인한 통치자였어! 유대 인의 왕이 되고 싶었지만 그의 친구는 로마 인들이었지. 권력을 부리고 우상을 섬기는 로마 인들 말이야! 성전 옆 안토니아 언덕의 탑들을 좀 보게. 저 언덕을 보면 나는 겁이 난다네.」

예수님과 제자들이 감람산에서 쉬는 동안 많은 사람들이 거리를 오갔습니다. 어떤 사람들은 먼 곳에서부터 왔고 옷에는 먼지가 잔뜩 묻어 있었습니다. 그들은 지쳐 있었습니다. 그러나 모든 사람들이 저 위쪽에 빛나는 성전이 모습을 드러내면 환호하였습니다. 모두가 예루살렘에서 유월절을 지내러 가는 길이었습니다.

그때 예수님이 타대오와 야곱에게 손짓을 하셨습니다. 「저쪽 길가에 있는 작은 마을에 가보거라. 첫번째 집을 보면 어린 나귀가 줄에 매여 있을 것이다. 그 나귀는 내 것이니 너희는 그저 이렇게 말하여라. 〈우리의 선생님이신 예수께서 그 짐승이 필요하십니다!〉라고 말이다. 그러면 그 나귀를 내어줄 것이다.」 타대오는 〈그 농부가 예수님을 압니까〉 라고 묻고 싶었습니다. 또 그는 저 멋진 예루살렘을 바라볼 수 있는 그 자리에 그냥 머물러 있고 싶었습니다.

그러나 그는 예수님 말씀을 따랐습니다. 그는 야곱과 함께 길을 나섰습니다.

〈예수님은 나귀를 어디에 쓰시려는 거지?〉 그는 생각했습니다. 「예수님은 나귀가 왜 필요하실까?」 그는 나귀를 찾아내서 다시 예수님께로 돌아가는 길에 야곱에게 물었습니다. 옛 책을 많이 읽은 야곱은 멈추어 서서 나귀에게 팔을 얹으며 말했습니다. 「사가랴가 쓴 예언서에 보면 이렇게 씌어 있네. 〈기뻐하라, 예루살렘이여. 너의 왕이 너에게로 오는도다. 그는 정의로운 왕이로다. 그는 가난하지만 힘센 왕이다. 그는 어린 나귀를 타고 예루살렘에 올 것이다.〉」 타대오는 이제 왜 예수님께 그 짐승이 필요한지를 알게 되었습니다.

그는 예수님께 나귀를 끌어다 드렸고 외투를 벗어 나귀의 등에 덮었습니다. 그리고 예수님이 나귀에 타시는 것을 도와 드렸습니다. 「정의로운 왕 예수님이 예루살렘으로 가신다! 가난하지만 힘있는 예수님이!」 사람들은 이렇게 말할 것입니다. 「수백 년 전에 예언자들이 약속했던 그 왕이 드디어 오셨구나!」

많은 순례자들이 정말로 예수님을 알아보고 몰려왔습니다. 「그분이 가셔야 한다! 양탄자 위로 나귀를 몰고! 예루살렘으로! 예수님이 왕이시다!」 이렇게 순례자들은 외쳤습니다. 어떤 사람들은 얼른 외투를 벗어 길에 펴놓았습니다. 또 어떤 사람들은 나뭇가지를 꺾어 길에 놓기도 하였습니다. 남자들과 여자들, 아이들이 예수님을 앞장서며 혹은 뒤따르며 환성을 올렸습니다. 그들은 이렇게 큰 소리로 노래했습니다.

호산나! 우리의 왕이시여!
다윗의 왕이시여.
찬미 받으소서.
당신은 하나님으로부터
우리 가난한 사람들에게 오셨도다.
호산나, 우리를 도우소서!

예루살렘에 벌써 오랫동안 외침과 노랫소리가 들려왔습니다. 많은 사람들이 집 밖으로 나왔습니다. 그들은 예수님을 따르는 사람들에게 다가와 물었습니다. 「대체 무슨 일이오? 나귀에 탄 저 사람은 누구인가요?」 예수님을 따라 예루살렘의 문으로 밀려들던 사람들이 대답했습니다. 「예수님이시오. 갈릴리의 나사렛에서 오신 예언자 예수님이시오. 자리를 비켜 주시오!」

예루살렘 사람들은 고개를 흔들었습니다. 많은 사람들이 그때까지 한번도 예수님에 대해 들은 적이 없었습니다. 그러나 아이들은 행렬을 따라갔습니다. 아이들은 〈호산나〉라고 외치기도 하였습니다. 「호산나, 우리의 왕이시여, 다윗의 자손이시여!」 이 찬양의 노래가 아이들의 마음에 들었습니다. 아이들은 예수님이 나귀를 타고 성전 앞뜰에 도착했을 때도 계속 노래를 부르고 있었습니다.

그러나 갑자기 예수님을 따르던 사람들이 모두 성전 앞뜰의 가장자리로 밀려났습니다. 아이들은 무서웠습니다. 그들은 기둥 뒤로 숨었습니다. 예수님이 나귀에서 내렸습니다. 예수님은 성난 얼굴이었고 목소리는 크고 엄격했습니다. 사람들은 한 번도 예수님의 그런 모습을 본 적이 없었습니다. 제자들도 깜짝 놀랐습니다.

성전 뜰 안에는 상인들과 비둘기 장사, 환전상들이 탁자를 놓고 있었습니다. 예수님은 그들 가운데 서 계셨습니다. 「여기서 나가라!」 예수님이 소리치셨습니다. 「성전은 나의 집이다. 내 집은 기도하는 집이어야 한다. 장사하는 집이 되어서는 안 된다. 나가거라, 이 강도들아! 너희는 강도들이다. 너희는 축제에 오는 사람들 모두에게 너무 많은 돈을 요구하고 있지 않느냐!」 그러고 나서 예수님은 상인들의 탁자를 엎으셨습니다. 새장과 동전들이 땅바닥을 굴렀습니다. 조금 전까지 큰 소리로 외치던 상인들이 아무 말도 하지 않았습니다. 어떤 이들은 돈통을 옆구리에 끼고 달아났습니다. 모든 사람들이 예수님을 뚫어지게 바라보았습니다.

성전의 문 앞에 제사장 두 사람이 나타났습니다. 그들은 고개를 흔들었습니다. 그러고 나서 회당을 지키는 사람이 와서 성전 안뜰을 정리하려고 했습니다. 환전상들이 동전을 주워 모으는 동안 순례자들이 속삭였습니다. 「돈을 바꿀 수 없다면 이제 우리는 성전에 바칠 헌금을 어디서 만들지?」 다른 사람들이 조용히 말했습니다. 「예수님 말씀이 맞아. 우리는 성전에서 기도를 해야 하지 돈을 내야 하는 것은 아니야! 환전상들은 강도들이야! 정말 예수님 말씀이 맞아.」

상인들과 환전상들 중 몇 사람은 거기 남아 있었습니다. 그들은 주먹을 불끈 움켜쥐었고 탁자를 다시 일으켜 세웠습니다. 어린 양 한 마리 또는 비둘기 한 쌍을 희생 제물로 바치려던 농부들은 사람들 가운데서 자기가 가지고 온 동물들을 찾아내어 꼭 껴안고 서로 이야기했습니다. 「나귀를 타고 온 저 이상한 왕이 하는 말이 맞을까?」 그들은 예수님에 대해 더 많이 알고 싶어했습니다.

그러는 동안 예수님은 제자들과 함께 성전 안뜰에서 벗어나 예루살렘을 떠나셨습니다. 예수님 일행은 걸어서 베다니 마을까지 갔고 거기서 묵었습니다.

예수님이 예루살렘을 떠난 뒤, 곧 가야바라는 대제사장의 관저에 제사장들이 모였습니다. 그들은 무슨 일이 일어났는지 모두 알고 있었습니다. 「이 예수라는 자가 대체 무슨 말을 하는 것인가?」 「그가 무슨 일을 꾸미는 거지? 사람들이 그를 왕이라고 부르며 그를 보고 환호한다. 그는 성전에서 명령을

하는 듯이 행동한다. 그는 위험한 자다. 아주 위험해. 그는 우리의 법률을 진지하게 받아들이지 않는다. 안식일 계명을 지키지도 않는다. 우리는 오래전부터 이런 일들에 대해 들었 디! 그는 정말 위험한 자다!」

제사장들은 결론을 내렸습니다. 「그자를 잡아서 죽여야 한다. 하지만 몰래 해야 한다. 그러지 않으면 이스라엘 백성들이 우리를 싫어할 것이다. 그들은 예수를 좋아하고 있기 때문이다.」

그러나 예수님의 제자들 가운데 한 명인 유다는 가야바의 관저로 들어가는 제사장들을 몰래 따라갔습니다. 그는 문 뒤에서 엿듣고 있었습니다. 그는 대제사장의 집으로 조용히 가서 재빨리 말했습니다. 「예수를 체포할 수 있게 당신들을 도와드리겠습니다. 언제든지 예수가 어디에 있는지 알려 드릴 수 있습니다. 내가 예수를 따르는 일행이기 때문입니다. 그렇게 한다면 당신들은 내게 무엇을 주겠소?」 제사장들은 갑자기 유다가 나타나자 처음에는 크게 놀랐습니다. 그러나 그의 말을 듣고 난 뒤 그들은 기뻐했습니다. 그들은 유다에게 은전 30개를 주겠다고 약속했습니다.

유다도 예루살렘을 떠났습니다. 그는 베다니로 가서 예수님과 다른 제자들과 함께 머물렀습니다.

마태복음 21장 1~17절, 26장 3~5절, 14~16절

죽임을 당하심

베다니

시몬은 베다니에 있는 자기 집을 청소하고 잔칫집처럼 꾸몄습니다. 그의 아내와 아이들은 요리를 하고 빵을 구웠습니다. 「예수님이 오시네, 병든 이를 고치시는 예수님이.」 시몬은 몇 번이나 이렇게 말했습니다. 그는 오늘 예수님과 제자들이 집에 손님으로 오신다는 것이 자랑스러웠습니다. 예수님이 그의 나병을 고쳐 주신 후 그는 이날을 기다려 왔습니다.

집 앞 큰길은 소란스러웠습니다. 유월절까지는 이틀밖에 남지 않았던 것입니다! 예루살렘에서 유월절을 지내려는 사람들이 계속 문을 두들겼습니다. 「우리가 자고 갈 자리가 있습니까? 돈은 후하게 드리지요!」 사람들은 이렇게 외쳤습니다. 그러나 시몬은 그럴 때마다 이렇게 대답했습니다. 「오늘 저녁 우리 집은 꽉 찼으니, 더 가보십시오.」

마침내 예수님과 열두 제자들이 문 앞에 도착했습니다. 일행은 피곤해 보였고, 배고프고 목말라 보였습니다. 시몬은 팔을 벌려 그들을 맞아들였고 먼지로 더러워진 발을 씻겨 주었습니다. 시몬은 손님들을 위해 바닥에 방석을 준비해 놓았습니다. 곧 모두가 둥글게 앉아 식사를 하였습니다. 「드세요, 어서 드세요.」 시몬은 꿀이 든 빵이 담긴 바구니와 구운 고기, 야채를 담은 그릇을 한 사람 한 사람에게 건네며 말했습니다.

시몬은 깜짝 놀랐습니다. 〈아니 저 여자가 갑자기 들어와 뭘 하는 거지? 문을 두들기기나 했나? 베다니에서 농사짓는 아낙은 아닌데!〉 그 여자는 남자들 가운데 똑바로 서서 사람들 얼굴을 하나하나 주의 깊게 바라보았습니다. 그러더니 그녀는 예수님에게로 다가갔습니다. 시몬이 여자를 말리려 했습니다. 「예수님을 그냥 놔두시오. 그분은 피곤하시오. 쉬게 놔두시오.」 그러나 그 낯선 여자는 벌써 예수님 곁에 있었습니다. 그 여자는 옷자락 속에서 값진 장식을 한 유리병을 하나 꺼냈습니다. 모두가 말을 멈추고 그 여자가 병에 든 기름을 예수님의 머리에다 붓는 것을 바라보았습니다. 「향유예요, 귀한 향유 냄새가 나요.」 시몬은 어떤 여자가 자기 뒤에서 말하는 것을 들었습니다. 시몬은 생각했습니다. 〈향유라니, 부자들이 죽은 다음에 바르는 값진 기름을 말하는 것인가?〉

모든 사람이 예수님과 그 여자를 바라보았습니다. 아무도 음식을 먹지 않았습니다. 향유 내음이 온 집안에 퍼졌습니다. 예수님의 제자들은 어찌된 영문인지 묻는 듯한 눈길로 집주인을 바라보았습니다. 하지만 시몬은 그냥 눈을 내리깔고 있었습니다. 그 낯선 여자가 들어오는 것을 시몬은 막을 수가 없었습니다.

그러자 제자들이 그 여자에게 욕을 하기 시작했습니다. 「당신 미쳤소? 이 향유를 팔면 적어도 100데나리온은 받을 수 있을 텐데. 아니, 300데나리온이나 400데나리온을 받을 수 있을지도 모르지!」 사람들이 모두 떠들며 한마디씩 했습니다. 그들은 화가 났습니다. 어떤 사람들은 일어서서 말했습니다. 「그 돈으로 가난한 사람들을 도와줄 수도 있었을 텐데. 당신은 그렇게 생각이 없소? 이렇게 낭비를 하다니!」

그때 예수님이 일어서셨습니다. 모든 사람이 향유로 반짝이는 예수님의 머리를 보았습니다. 「이 여자를 가만히 놔두시오. 이 여자를 슬프게 하지 마시오. 나에게 좋은 일을 한 것이오. 가난한 사람들은 언제나 여러분과 함께 있고 여러분은 그들을 도울 수 있을 것이오. 그러나 나는 여러분 곁에 그리 오래 있지 않을 것이오. 이 여자는 향유로 나의 죽음을 준비한 것이오. 고맙소.」

「그렇습니다. 죽은 사람에게 하듯이 기름을 부어 드렸습니다.」 시몬이 속삭였습니다. 「예전에 왕에게 하듯이 예수님께 기름을 부어 드렸습니다.」 제자 한 명이 좀더 큰 소리로 말했습니다. 그러나 곧 다시 조용해졌습니다. 그 여자는 시몬의 집을 떠나 어두운 밤 속으로 사라졌습니다. 기름 등잔이 방 안에서 깜박거렸습니다.

나중에 예수님이 말했습니다. 「온 세상 어디서나 사람들이 나에 대해 말하는 곳마다 그 여자가 한 일도 알려질 것이다. 그 여자는 내가 곧 죽으리라는 것을 알고 있었기 때문이다.」

예수님의 말을 모든 제자들이 다 이해하지는 못했습니다. 그들은 그 말을 믿지 않으려 했습니다. 「그분은 아직 젊어. 돌아가시지 않을 거야.」 한 제자가 말했습니다. 〈그분은 왕이 되실 거야. 왕관을 쓴 진짜 왕 말야. 그래서 그 여자가 기름을 부어 드린 거지〉라고 말하는 제자도 있었습니다. 하지만 대부분의 제자들은 그들의 선생이신 예수님을 생각하면 두려운 마음이 들었습니다. 그들은 성전에서 제사장들의 사나운 눈길을 보았습니다. 그들은 율법학자들도 예수님에게 벌을 내릴 것을 알고 있었습니다. 예수님은 안식일에도 병든 이들을 고쳐 주셨습니다. 계명을 지키지 않은 것입니다. 그리고 그들은 하나님이 보내신 왕을 원치 않았습니다!

마태복음 26장 6~13절

최후의 만찬

「선생님과 저희가 먹을 유월절 음식을 어디에 차리면 좋을까요?」 제자들이 예수님께 이렇게 물었습니다. 그들은 겁이 났습니다. 그들은 예루살렘이 위험하다는 것을 알고 있었습니다. 제자들은 제사장들의 사나운 눈빛을 잊지 않았습니다. 예수님이 성전 앞뜰에서 탁자들을 뒤엎어 버리신 후 겨우 며칠밖에 지나지 않았습니다.

그러나 예수님은 조용해 보였습니다. 예수님은 제자 두 명을 시내로 보내며 이렇게 말했습니다. 「성 안에 들어가면 어깨에 물동이를 이고 가는 사람을 만날 것인데 그 사람을 따라가거라. 그리고 그 사람이 큰 집으로 들어갈 것이다. 그 집 주인에게 이렇게 말하여라. 〈우리 선생님이 우리를 보내시며 이렇게 말하라 하셨습니다. 나의 때가 가까웠으니 내가 오늘 너의 집에서 제자들과 함께 유월절 음식을 나누고 싶다.〉 그러면 집주인이 너희에게 2층에 있는 큰 방을 보여 줄 것이다. 거기에 우리가 먹을 음식을 준비하여라.」

제자들은 물동이를 이고 가는 사람을 찾았습니다. 그들은 집주인을 찾았습니다. 모든 것이 예수님이 말씀하신 그대로였습니다. 예수님이 하시는 일은 늘 그러했습니다. 제자들도 이제 더 이상 놀라지 않았습니다. 예수님과 제자들이 앉을 방석까지도 벌써 준비되어 있었습니다. 그러나 그들은 〈나의 때가 가까이 왔습니다〉라고 하신 예수님의 말씀을 곰곰이 생각해 보았습니다. 〈예수님이 또다시 당신의 죽음에 대해 말씀하신 것인가? 그래서 그분이 오늘 벌써 우리와 함께 유월절 음식을 드시려는 걸까? 왜 이렇게 서두르시는 거지?〉 「대부분의 순례자들은 내일이나 되어야 유월절 음식을 먹는데.」 두 제자 중 한 명이 말했습니다. 다른 한 사람은 말이 없었습니다. 그는 작은 등잔에 기름을 채웠습니다. 그들은 함께 음식을 준비했습니다. 누룩을 넣지 않은 빵과 쓴맛이 나는 약초를 준비했고 구운 양고기와 포도주도 준비했습니다.

날이 저물자 예수님이 제자들과 함께 조용히 예루살렘 시내의 길을 걸어 그 집까지 가셨습니다. 모든 사람들이 성대하게 차려진 식탁에 둘러앉았습니다. 제자들이 예수님을 바라보았습니다. 이제 예수님이 매년 유월절에 하는 이야기를 들려주실 것입니다. 그 이야기는 맨 처음의 유월절을 매년

새로이 기억나게 하였습니다. 유대 인들이 옛날 이집트에서 마침내 해방되어 고향으로 돌아갈 수 있게 되었을 때 유월절을 축하했었습니다. 제자들은 그 이야기를 알고 있었지만 예수님의 말씀에 귀를 기울였습니다.

예수님의 목소리는 슬펐습니다. 그들이 모두 식탁 한가운데에 놓여 있는 그릇에서 음식을 먹고 있는 동안 예수님이 조용히 말했습니다. 「너희 중 한 사람이 내가 어디에 있는지 적들에게 말할 것이다. 한 명이 나를 배반할 것이다.」

제자들은 깜짝 놀랐습니다. 〈우리는 예수님의 친구인데. 우리가 예수님을 적에게 내주다니 있을 수 없는 일이야〉 하고 그들은 생각했습니다. 그들은 근심하며 예수님을 쳐다보았습니다. 그리고 서로 얼굴을 바라보았습니다. 제자들은 저마다 〈예수님, 저는 아니겠지요?〉 하고 물었습니다. 이런 물음에 예수님은 매번 고개를 흔드셨습니다. 그러다가 갑자기 예수님이 말했습니다. 「지금 나와 함께 그릇에 손을 넣은 사람이 바로 그 사람이다. 그 사람이 나를 배신할 것이다.」 모두가 예수님의 팔과 유다의 팔을 바라보았습니다. 두 사람의 손이 거의 닿을 뻔했습니다. 그러자 유다가 다른 제자들처럼 〈예수님, 저는 아니지요?〉라고 묻자 예수님이 〈아니다, 네가 그 사람이다〉라고 대답하셨습니다.

그러고 나서 예수님이 빵을 드셨습니다. 그리고 〈하나님, 빵을 주셔서 감사합니다〉라고 기도하셨습니다. 「하나님, 이것은 당신의 빵입니다.」 예수님은 빵을 나누어 제자들에게 한 조각씩 주며 말했습니다. 「이것을 받아 먹어라! 이는 내 몸이다.」

그러고 나서 예수님은 큰 잔을 들고 기도하셨습니다. 〈하나님, 이 포도주를 주셔서 감사합니다.〉 「하나님, 이것은 당신의 포도주입니다.」 예수님은 포도주 잔을 제자들에게 돌리시며 말했습니다. 「너희는 모두 이 잔을 받아 마셔라. 이것은 나의 피다. 나는 죽을 것이다. 그러나 하나님은 너희와 함께 계실 것이고 너희와 새 계약을 맺으실 것이다. 하나님은 너희 모두의 죄를 용서하실 것이다.」

제자들은 천천히 빵을 먹었습니다. 그리고 포도주를 마셨습니다. 그들은 슬프기도 했고 기쁘기도 했습니다. 그들은 슬펐습니다. 예수님이 그리 오래 그들과 함께 머무르지 않을 것임을 알고 있었기 때문이었습니다. 그들은 기뻤습니다. 예수님이 그들 곁에 아주 가까이 계시고 자기들을 사랑하신다

는 것을 느꼈기 때문에 기뻤습니다.

자리에서 일어섰을 때 그들은 사실을 깨달았습니다. 지금 그들이 태어났을 때부터 매년 축하해 왔던 유월절 음식을 먹은 것이 아니라 예수님과의 마지막 식사를 한 것임을.

그들은 다같이 음식을 먹은 그 집을 떠났습니다. 그들은 어둠 속에서 담을 따라 걸어 예루살렘 성문에 이르렀습니다. 그들은 또다시 시드론 골짜기를 내려가서 반대편에 있는 감람산으로 올라갔습니다. 열한 명의 제자들만이 예수님을 따라갔습니다. 유다는 예수님을 떠났습니다.

마태복음 26장 12~30절

겟세마네

「저희들이 선생님을 지켜 드리겠습니다. 저희들이 언제나 선생님 곁에 있겠습니다.」 제자들은 이렇게 말하며 예수님 곁에 머물렀고 예수님과 함께 감람산으로 올라가 겟세마네 동산으로 갔습니다. 「저는 언제나 선생님 곁에 머물겠습니다.」 예수님과 가장 가까이 있던 베드로가 말했습니다. 그는 어두워서 예수님이 고개를 흔드시는 것을 보지 못했습니다. 그러나 예수님의 말씀이 들렸습니다. 「너희는 모두 오늘 밤 나를 버릴 것이다. 그리고 너, 베드로는 〈나는 이 예수라는 사람을 모릅니다〉라고 세 번이나 말할 것이다. 그렇다, 내일 새벽에 닭이 울기 전에 너는 나를 세 번 배반할 것이다.」 베드로는 깜짝 놀라서 말했습니다. 「아닙니다. 아닙니다. 저는 주님을 버리지 않을 것입니다.」 다른 제자들도 말했습니다. 「아닙니다, 저희들은 주님을 정말 지켜 드릴 것입니다.」

예수님은 서 계셨습니다. 예수님은 〈여기 앉아 있거라. 내가 기도하는 동안 기다리고 있어라〉 하고 말씀하셨습니다. 예수님은 베드로와 야고보, 요한만 데리고 가셨습니다. 「내 마음이 슬프다. 나는 무섭다. 너희가 필요하다. 내 곁에 있어다오. 내가 기도하는 동안 깨어 있어 다오.」 예수님의 목소리가 떨렸습니다.

예수님은 혼자서 좀더 나아가 땅에 엎드려 기도하셨습니다. 「아버지, 아버지!」 세 제자들은 예수님이 이렇게 외치시는 소리를 들었습니다. 그러고 나서 그들은 잠이 들었습니다. 그들은 어쩔 수가 없었습니다. 그러나 예수님이 돌아오

셨습니다. 예수님은 제자들을 흔들어 깨우셨습니다. 「너희는 단 한 시간도 나와 함께 깨어 있을 수 없단 말이냐? 나를 혼자 두지 말아라. 내 곁에서 깨어 기도하라.」

예수님께서 다시 가셨습니다. 「아버지의 뜻대로 하소서.」 제자들은 예수님의 음성을 들었습니다. 그들은 예수님이 자기들과 함께 기도하셨을 때 이 말을 들은 적이 있었습니다. 지금 이 말은 무엇을 의미하는가? 하나님의 뜻은 무엇인가? 제자들은 깨어 있으려고 했습니다. 그들은 예수님을 도와드리고 싶었습니다. 그러나 또다시 잠이 들고 말았습니다.

예수님이 두 번째로 제자들에게 돌아오셨을 때 그들은 깨어 있지 않았습니다. 예수님은 제자들을 또다시 깨우지 않으셨고 몇 걸음 더 나아가 땅에 엎드리셨습니다. 그리고 다시 한 번 이렇게 기도하셨습니다. 「하나님, 좋으신 아버지. 당신이 원하신다면 저는 죽을 준비가 되어 있습니다. 당신의 뜻대로 하소서.」 제자 중 아무도 예수님의 기도를 듣지 못했습니다.

예수님은 제자들에게 가까이 가서서 힘주어 말했습니다. 「일어나거라. 이제 나의 때가 왔다. 이제 그들이 나를 잡으러 올 것이다. 보아라! 배신자가 가까이 와 있구나!」

사람들의 목소리와 무기 부딪히는 소리가 들려왔습니다. 제자들이 모두 자리에서 뛰쳐 일어났습니다. 칼과 몽둥이가 횃불에 비쳐 번쩍였습니다. 예수님에게 다가오는 저 사람들은 누구일까? 로마의 군인들일까? 대제사장의 종들일까?

그중 한 명이 예수님에게 다가갔습니다. 그는 칼을 차고 있지 않았습니다. 「선생님, 안녕하십니까?」 그는 이렇게 인사하면서 제자들이 돌아오면 늘 하듯이 예수님에게 입을 맞추었습니다. 제자들이 그 사람의 목소리를 알아들었습니다. 〈저자는 유다다. 유다야!〉 그는 예수님을 껴안았습니다. 유다가 이렇게 예수님을 배신한 것이었습니다! 이제 무장한 남자들이 사람들 중 누가 예수님인지를 알았습니다. 그들은 예수님에게 달려들어 예수님의 손을 등 뒤로 묶었습니다. 예수님이 잡히셨습니다.

예수님이 조용히 말했습니다. 「강도를 잡을 때처럼 칼과 몽둥이를 빼어들다니! 내가 날마다 성전에 있었는데 너희는 왜 그때 나를 잡지 않았느냐? 너희는 그때 나를 쉽게 잡아서 끌고 갈 수 있었을 텐데.」

제자들은 처음에는 예수님 곁에 서 있었고 귀 기울여 들었

습니다. 그러나 그들은 무기가 점점 더 분명하게 다가오는 것을 보았습니다. 그들은 유다의 뒤에 서 있는 군인들의 무서운 얼굴을 보았습니다. 그들은 무서웠습니다. 제자들 중 아무도 감히 예수님 곁에 있으려 하지 않았습니다. 예수님이 말씀하신 대로 제자들은 예수님을 버렸습니다. 제자들은 사방으로 흩어져 어둠 속으로 달아났습니다.

예수님은 끌려가셨습니다. 군인들은 예수님을 대제사장 가야바의 관저로 예수님을 데려갔습니다. 거기에 제사장들과 율법학자들이 모여 있었습니다.

마태복음 26장 30~57절

229

대제사장의 관저에서

베드로만이 예수님을 가야바의 관저로 데려가는 사람들을 멀리서 따라갔습니다. 관저의 안뜰에는 불이 피워져 있었습니다. 대제사장의 종들이 칼과 몽둥이를 내려놓고 불을 쬐고 있었습니다. 그들은 다른 종들과 조용히 이야기를 하고 있었습니다. 베드로는 기둥 뒤에 숨어서 그들이 하는 이야기를 엿들었습니다. 그는 예수님에게 무슨 일이 생기는지 알려고 했습니다.

제사장들과 율법학자들 그리고 다른 높은 사람들이 계속 안뜰을 지나 관저 안으로 들어갔습니다. 베드로는 한 여종이 말하는 것을 들었습니다. 「이제 곧 원로들의 회의가 열릴 거야. 내가 사람 수를 세어 보았더니 71명이나 되었어. 이런 한밤중에 회의를 하다니! 이런 건 정말 처음이야. 아주 중요한 일이 있는 게 틀림없어.」

예수님을 거기까지 끌고 온 남자 종들이 웃으며 말했습니다. 「우리는 무엇 때문인지 알고 있어. 저기로 들어간 예수라는 자는 재판을 받을 거야. 그들이 예수를 죽이려고 해. 그들은 예수를 겁내지!」「겁낸다고?」 한 여자 종이 물었습니다. 「그 남자가 힘이 세?」 남자 종들이 또 웃었습니다. 「그래, 힘이 세지. 하지만 네가 생각하는 것과는 달라. 사람들이 그러는데, 병든 사람을 낫게 한다는군. 그리고 백성들이 그를 존경하고 그의 말에 귀를 기울인대. 어쩌면 제사장들이 질투를 하는 건지도 모르지.」「그래.」 다른 종이 말했습니다. 「그는 백성들을 혼란스럽게 했어. 그가 성전 앞뜰에서 탁자를 뒤엎는 걸 보지 못했어? 나는 보았거든. 그때 제사장들의 성난 눈빛을 잊을 수가 없어!」「그 남자가 정말 그렇게 위험한 걸까?」 다른 여종이 물었습니다.

모두 조용히 둘러앉아 있었습니다. 베드로도 기둥 뒤에서 조용히 기다렸습니다. 원로의회의 회의실에서 사람들이 말하는 소리가 들려오기 했지만 무슨 말을 하는 건지 알아들을 수는 없었습니다. 여러 겹의 휘장이 쳐져 있어서 회의실과 밖에 있는 사람들을 가로막고 있었습니다.

그런데 갑자기 제사장들 중 한 사람이 나타났습니다. 그는 바삐 홀에서 나왔습니다. 「이리 오너라! 금실로 수놓은 가야바 님의 옷을 한 벌 더 가져오너라! 가야바 님이 화가 나서 옷을 찢어 버리셨다. 저 예수라는 자가 무슨 말을 하는지 아

느냐? 자기가 하나님의 아들이라는 것이다! 하나님의 아들! 자기가 하늘의 구름을 타고 다시 올 거라고 한다. 말도 안 되는 소리. 하나님의 아들이라니!」 제사장는 다시 급히 안으로 들어갔습니다. 종들은 놀라서 서로 얼굴을 쳐다보았습니다. 회의실에서부터 안뜰까지 큰 소리가 들려왔습니다. 「그자는 죽어야 합니다. 사형에 처해야 합니다!」

대제사장의 새 옷을 가지러 가려고 종 하나가 일어서자 베드로가 불을 쬐려고 다가갔습니다. 여종 하나가 옆에서 베드로를 보고 물었습니다. 「당신은 예수님과 함께 다니던 사람이 아니오?」 베드로는 일어나서 고개를 흔들며 중얼거렸습니다. 「무슨 말을 하는 건지 모르겠소.」 그는 다시 기둥 뒤로 가서 앉았습니다.

베드로가 거기 있는 것을 본 다른 여종이 자기 친구에게 물었습니다. 「저기 좀 봐. 나사렛 예수와 같이 다니던 사람 아냐?」「그만두시오.」 베드로가 말했습니다. 「나는 그 사람을 모르오. 맹세하겠소.」

그러나 다른 종들이 그의 말을 들었습니다. 그들은 베드로를 둘러싸고 말했습니다. 「너 틀림없이 그들과 한 패지. 확실해. 너도 갈릴리 사람이지. 네 말씨가 예수랑 같은데!」 베드로는 펄쩍 뛰었습니다. 그는 화를 내며 주위를 둘러보았고 이렇게 소리질렀습니다. 「이놈들아, 쓸데없는 소리 그만두지 못해! 그 사람을 모른다니까!」

그가 이렇게 말하는 순간 첫닭이 우는 소리가 크고 분명히 들렸습니다. 그때 베드로는 〈닭이 울기 전에 너는 나를 세 번이나 모른다고 할 것이다〉라고 하신 예수님의 말씀이 떠올랐습니다. 베드로는 기겁을 해서 종들 사이를 헤치고 대문 쪽으로 뛰어갔습니다. 그는 뛰고 또 뛰었습니다. 예루살렘을 나가서 비로소 그는 나무 아래에 엎드렸습니다. 그는 눈물에 젖은 얼굴을 더러운 외투 자락 사이에 묻었습니다. 베드로는 울었습니다. 자신이 예수님을 모른다고 말했기 때문이었습니다.

가야바의 집에 아침이 밝아 오기 시작했습니다. 비밀스레 쳐진 휘장 뒤에서 갑자기 말소리가 들려왔습니다. 불가에서 잠들어 있던 종들이 벌떡 일어났습니다. 그때 예수님이 보였습니다. 사람들이 예수님을 밀고 당기며 안뜰로 오고 있었습니다. 사람들이 그를 조롱했습니다. 「하나님의 아들이라고?

하하하. 이 사기꾼아. 그럼 네가 남과 다르다는 것을 우리에게 증명해 보일 수 있느냐?」 그들은 예수님의 얼굴에 침을 뱉었습니다. 그들은 예수님을 때렸습니다. 그리고 그들은 종들에게 외쳤습니다. 「팔을 묶어라. 밧줄로 묶어서 당장 안토니아 성으로 끌고 가거라. 로마 사람들이 우리의 주인이다. 그들만이 범죄자를 죽일 수 있다. 이자는 로마 법정에 서야 한다!」 종들은 머뭇거렸습니다. 〈로마 법정이라니? 가야바에게는 로마 사람들이 적이 아닌가?〉

종들이 쇠사슬을 가져왔습니다. 「끌고 가라.」 대제사장이 몰아세웠습니다. 「앞으로 가라! 빌라도가 오늘 예루살렘에 있다. 그가 재판을 하는 날이다. 서둘러라!」

종들이 예수님은 밧줄로 묶어 큰길로 끌고 갔습니다.

마태복음 26장 57~75절

본디오 빌라도

로마 총독인 본디오 빌라도는 안토니아 성 안을 왔다 갔다 하고 있었습니다. 때때로 그는 발코니의 기둥들 사이로 아래쪽을 살펴보았습니다. 거리는 사람들로 가득 차 있었습니다. 그날 아침의 거리는 매우 혼잡했습니다. 유월절을 지내려고 나라 안의 모든 사람들이 예루살렘으로 온 것 같았습니다. 장사하는 사람들이 외치는 소리가 들려왔습니다. 총독은 성 앞의 광장을 내려다보았습니다. 거기엔 아직 사람이 없었습니다.

하인이 본디오 빌라도의 뒤편에 신들의 조각상들을 세워 놓았습니다. 로마 황제 디베료의 입상도 덮개를 벗겨놓았습니다. 본디오 빌라도는 재판관 자리에 앉아 있다가 곧 다시 일어섰습니다. 도시에 모인 많은 사람들 때문에 그는 불안했습니다. 그는 예루살렘의 질서와 치안을 책임지고 있었기 때문에 그날 거기에 있었습니다. 군인들이 황제의 초상화 앞에서 허리를 굽혀 절을 하였습니다. 그러나 그들이 황제에게 정말 충성스러운 것이었을까요? 그들 대부분은 진짜 로마 사람이 아니었습니다.

갑자기 성 앞 광장이 사람들 소리로 시끄러워졌습니다. 한 무리의 사람들이 성문 앞으로 가까이 왔습니다. 군인들이 문 옆과 기둥과 창문 뒤에 서 있었습니다. 「각하.」 군인 한 명이 와서 다시 재판관 자리에 앉아 있는 빌라도에게 절을 했습니다. 「각하, 대제사장의 종들이 죄수 하나를 끌고 왔습니다.」 「조심하십시오, 각하.」 젊은 군인 하나가 말했습니다. 「저는 그 사람을 압니다. 나사렛 사람 예수입니다. 백성들이 그를 좋아합니다.」

벌써 빠른 걸음으로 들어오는 가야바의 종들이 보였습니다. 그들은 얼굴을 얻어맞고 등 뒤로 손이 묶인 어떤 사람을 빌라도 앞으로 끌고 왔습니다. 종들은 그 남자를 잡아 찢기라도 할 듯이 팔다리를 꽉 잡고 있었습니다. 묶여 있는 남자를 따라온 제사장들이 빌라도 앞에 한 줄로 섰습니다. 「그는 죄인입니다.」 첫번째 제사장이 말했습니다. 「그는 우리의 계명을 지키지 않았습니다.」 두 번째 제사장이 말했습니다. 「그리고 이자는 자기가 우리의 왕이라고 합니다. 그렇게 말했습니다!」 네 번째 제사장이 외쳤고 모두가 절을 했습니다.

빌라도는 붙잡혀 온 사람을 재판관의 자리 앞으로 오게 했습니다. 그리고 밧줄을 풀어 주게 했습니다. 빌라도가 물었습니다. 「네가 유대 인의 왕이냐?」 그러자 예수님이 대답하셨습니다. 「그것은 너의 말이다!」 그러고 나서 조용해졌습니다.

〈유대 인의 왕이라니! 아니야, 그런 것은 원래 있을 수가 없어.〉 빌라도는 생각했습니다. 우리 로마 사람들이 여기서 가장 높은 지위에 있어! 그러고 나서 그는 제사장들과 율법학자들이 예수를 고발하는 소리를 들었습니다. 「그는 위험한 자입니다! 아주 위험한 자입니다! 그를 죽이시오!」

빌라도는 그의 앞에서 고발을 당해 서 있는 사람을 쳐다보았습니다. 빌라도가 물었습니다. 「원로들이 저렇게 너를 고발하고 있는데 할 말이 있느냐? 말해 보아라!」 그러나 예수님은 아무 말도 하지 않았습니다. 〈왜 이 남자는 아무 말도 하지 않는 거지? 범죄자처럼 보이지는 않는걸?〉 빌라도는 확신이 없었습니다. 〈군인 한 명이, 백성들이 이 예수라는 자를 좋아한다고 말하지 않았던가? 어떻게 해야 할까?〉

빌라도는 성 앞 광장에 점점 더 많은 사람들이 모여드는 것을 보았습니다. 사람들은 큰 소리로 외치고 있었습니다. 빌라도는 점점 더 불안해졌습니다. 군인 하나가 와서 말했습니다. 「총독 각하, 밖에 서 있는 백성들이 계속해서 외치고 있습니다. 그들은 각하께 명절 때처럼 죄인을 놓아 줄 것을 요구하고 있습니다.」 빌라도는 다시 예수를 쳐다보았습니다. 그는 제사장들과 율법학자들의 딱딱하게 굳은, 엄한 얼굴을 보았습니다. 성 앞 광장에서 외치는 소리는 점점 더 커졌습니다.

그러자 갑자기 빌라도가 자기 앞에 서 있는 사람들에게 등을 돌려서 발코니로 걸어갔습니다. 그는 잡혀 온 예수라는 자를 앞으로 내세웠습니다. 두 명의 군인이 나팔을 불었습니다. 순식간에 사방이 조용해졌습니다. 모든 사람이 빌라도를 올려다보았습니다. 모든 사람이 그의 말에 귀를 기울였습니다. 「내가 유대 인의 왕이라는 이 예수라는 자를 어떻게 해야겠느냐? 유월절을 맞이하여 놓아주기를 바라느냐?」 그는 사람들이 만족하리라고 생각했습니다. 그들이 예수를 좋아한다고 들었기 때문이었습니다

그때 아래에 모여 있던 사람들 가운데 한 사람이 소리쳤고 뒤이어 계속해서 여기저기서 외치는 소리가 들렸습니다. 「아

니오! 바라바를 풀어 주시오! 바라바를 풀어 주시오.」 외치
는 사람들은 제사장들과 율법학자들이었습니다. 그러고 나
서 아주 많은 사람들이 외쳤습니다. 「바라바, 바라바를 풀어
주시오!」 그들은 빌라도가 다시 한 번 군인들에게 나팔을 불
게 할 때까지 외치는 것을 멈추지 않았습니다. 다시 조용해
지자 빌라도가 큰 소리로 물었습니다. 「그러면 유대 인의 왕
이라고 하는 이자를 어떻게 해야 하겠는가?」 그는 자기 옆에
있는 예수를 가리키며 물었습니다. 그러자 사람들이 외쳤습
니다. 「그자를 십자가에 못박으시오! 십자가에 못박으시오!」
빌라도는 깜짝 놀랐습니다. 〈이자가 무슨 나쁜 짓을 저질렀
는가?〉 하고 그가 묻자 사람들은 대답하지 않았습니다. 그들
은 귀 기울여 듣지 않았습니다. 다만 점점 더 큰 소리로 외치
기만 했습니다. 「십자가에 못박으시오! 십자가에!」

빌라도는 많은 백성들이 모인 것이 두려웠습니다. 그는 안
토니오 성 안으로 들어갔습니다. 〈유대 인의 왕이라고?〉 그
는 생각했습니다. 〈확실히 그는 위험해, 우리 로마 인들에게
도!〉 빌라도는 다시 발코니로 가서 말했습니다. 「바라바를
놓아주겠다.」 이렇게 해서 살인범인 바라바가 풀려났습니다.
백성들은 환호성을 올렸습니다. 예수님은 군인들에게 붙들
린 채 서 있었습니다. 「그를 십자가에 못박아라!」 빌라도가
말했습니다.

모든 일이 아주 빨리 진행되었습니다.

예수를 고발한 제사장들과 율법학자들은 사라졌습니다.
군인들은 주홍색 옷을 예수님의 어깨에 걸쳐 주었습니다. 그
들은 가시로 왕관을 엮어서 예수님의 머리에 씌웠습니다. 그
들은 예수님에게 왕의 옷을 입힌 것이었습니다. 그들은 예수
님 주위를 돌며 춤을 추었습니다. 그들은 절을 하며 말했습
니다. 「유대 인의 왕 만세!」 그러고 나서 그들은 웃으며 예수
님의 얼굴에 침을 뱉었고 자주색 옷이 찢어지도록 채찍으로
예수님의 몸을 때렸습니다.

「이제 그를 십자가에 못박아야 한다.」 군인들이 이렇게 말
하며 예수님을 좁은 골목을 지나 성 밖으로 끌고 갔습니다.
예루살렘 시외의 골고다 산에서 그들은 예수님을 십자가에
못박을 것이었습니다.

본디오 빌라도는 혼자 성 안에 남았습니다. 성 앞은 다시
조용했습니다. 〈왜 예수라는 자는 대답을 하지 않았을까.〉

빌라도가 생각했습니다. 〈왜 그는 자기 자신을 변호하지 않
았을까? 그가 정말 잘못을 저질렀을까? 물론 유대 인의 왕
은 로마 황제에게 위험할 수 있을 것이다. 하지만 그런 왕
이?〉 빌라도는 고개를 흔들었습니다. 빌라도는 그가 그날 저
녁 예루살렘을 떠나 자기의 성이 있는 가이사랴로 갈 수 있
게 되어 기뻤습니다.

마가복음 15장 1~20절

235

골고다

혼잡한 골목길에서 어떤 여자가 앞으로 나아가려 애쓰고 있었습니다. 나귀와 짐을 든 사람들은 그 여자와 반대 방향으로 가고 있었습니다. 사람들이 모두 서둘렀습니다. 「이 길이 골고다로 가는 길인가요?」 그 여자가 계속해서 물었습니다. 「사람들이 예수님을 벌써 끌고 갔나요?」 그 여자는 계속해서 물었지만 소용이 없었습니다. 마침내 길가에서 짐을 지키고 있던 한 노인이 대답했습니다. 「저 앞을 보시오, 저기에 사람들이 아주 많이 모여 있지요? 사람들 사이에 솟아오른 나무가 보이시오? 저것이 예수의 십자가를 만들 나무라오. 그가 직접 골고다로 십자가를 지고 가야 한다오.」

그 여자는 흠칫 놀랐습니다. 그러나 여자는 다시 계속해서 걸어갔습니다. 이제 그 여자는 안토니아 성 앞에 모여 있던 사람들이 지르던 소리를 자신이 잘못 들은 게 아니라는 걸 깨달았습니다. 〈십자가! 십자가에 못박으시오!〉라고 사람들은 외쳤습니다. 그 여자는 안토니아 성의 발코니에 로마 총독 본디오 빌라도 옆에 서 계신 예수님의 모습을 보았습니다.

그 여자는 사람들을 헤치고 계속해서 앞으로 나아갔습니다. 가끔씩 예수님 가까이에 다가갈 수 있었지만 다시 한편으로 밀려나고 말았습니다.

그 여자가 절망해서 크게 소리질렀습니다. 예수님이 쓰러졌기 때문이었습니다. 그 여자는 피로 얼룩진 예수님의 얼굴과 채찍을 맞아 생긴 붉은 줄무늬를 보았습니다. 그러나 빌라도의 군인들은 예수님을 다시 일으켜 세웠습니다. 그때 군인들이 농부 한 사람을 붙잡았습니다. 「야, 너 거기 서! 이 예수라는 자의 십자가를 대신 지고 가거라! 우리는 로마의 군인들이다. 그것은 우리가 할 일이 아니야.」

그 여자는 예수님과 군인들을 눈앞에서 놓쳐 버렸습니다. 나중에 예루살렘 성벽 밖에서야 비로소 그녀는 좀더 빨리 따라갈 수가 있었습니다.

어느새 그녀는 골고다 언덕에 도착하였습니다. 그 여자는 제자리에 얼어붙은 듯 서 있었습니다. 언덕에 십자가 세 개가 서 있었습니다. 가운데 십자가에 예수님이 못박혀 계셨습니다. 그 여자는 고통으로 일그러진 예수님의 얼굴을 보았습니다. 가까이 다가가자 예수님의 머리 위에 못박아 놓은 판자가 보였습니다. 거기에는 〈유대 인의 왕〉이라고 씌어 있었습니다.

그 여자의 옆에서 제사장들과 율법학자들이 큰 소리로 말했습니다. 「그렇지, 저기에 왜 그가 십자가에 못박혔는지 그 이유가 써 있군. 그는 자기가 유대 인의 왕이라고 했잖아. 참 대단한 왕이로군! 훌륭한 말을 하고 병자들을 고쳤다는데 정작 자기 자신을 구하지는 못하는군!」 지나가던 다른 사람들도 조롱했습니다. 「두 강도들 사이에 매달려 있네.」 그들은 이렇게 말하며 왼쪽과 오른쪽의 십자가들을 가리켰습니다. 정말 예수님 옆에 두 명의 강도가 십자가에 매달려 있었습니다.

그 여자는 더 이상 참을 수가 없었습니다. 그 여자는 조롱하는 사람들과 군인들의 말을 더 이상 듣고 싶지 않았습니다. 그 여자는 작은 바위 뒤에 무릎을 꿇었습니다. 거기서 그 여자는 기다렸습니다. 그 여자는 예수님의 제자들이 오기를 기다렸습니다. 〈제자들은 어디에 있는 거지? 다른 때는 늘 제자들이 예수님 곁에 있었는데!〉 그 여자는 몇 번이나 가운데 십자가를 올려다보았습니다.

그 여자가 기다리는 동안 갑자기 날이 어두워졌습니다. 한낮이었는데 태양이 그 빛을 잃었습니다. 이상한 어두움이 골고다 언덕에서 기다리던 사람들을 둘러쌌습니다. 아무도 말을 하지 않았습니다. 그 여자는 손으로 더듬으며 십자가 곁으로 좀더 다가갔습니다. 그 여자는 예수님을 보고 싶었습니다.

그러고 나서 그 여자는 예수님의 목소리를 들었습니다. 예수님이 어둠 속을 향해 크게 외치셨습니다. 「나의 하나님, 나의 하나님, 왜 당신은 나를 버리십니까?」 그리고 예수님은 비명을 지르셨습니다. 예수님의 고개가 옆으로 기울었습니다. 예수님이 돌아가셨습니다.

그 여자는 손으로 얼굴을 가리고 울었습니다. 그리고 그 여자의 곁에서 지켜보고 있던 로마 군 대장이 이렇게 말하는 것을 들었습니다. 「이 사람이 정말 하나님의 아들이었구나.」 그 여자는 놀라서 눈을 떴습니다. 그리고 그 대장의 얼굴을 보았습니다. 그 여자는 이제 그를 두려워하지 않았습니다. 「그래요. 당신 말이 맞아요. 예수님은 하나님의 아들이십니다. 나

는 예수님을 오래전부터 알고 있습니다. 나도 예수님처럼 갈릴리에서 왔습니다. 나는 막달라 사람 마리아입니다.」

마리아는 계속 서 있었습니다. 로마 군 대장도 기다렸습니다.

나중에 다시 세상이 환해지자 두 남자가 예수님의 몸을 십자가에서 내렸습니다. 그들은 예수님을 고운 베로 쌌습니다. 막달라 출신 마리아는 그 사람들이 누군지 몰랐습니다. 그들은 예수님과 함께 갈릴리를 돌아다니던 일행이 아니었습니다. 그 여자는 두 남자에게 감히 말을 걸지 못했지만 그들이 하는 일을 유심히 보았습니다.

그러고 나서 마리아는 십자가 근처에서 기다리던 또 다른 여자들을 발견했습니다. 「우리는 예수님을 어디에 모시는지 알고 싶습니다.」 여자들은 이렇게 말하며 두 남자들을 따라갔습니다. 그들은 예루살렘 성벽을 따라가서 동산을 지나갔습니다. 여자들은 그들이 예수님을 바위를 파서 만든 무덤에 모신 다음 큰 돌을 굴려 무덤 입구를 막는 것을 보았습니다.

여자들은 슬퍼하며 예루살렘으로 돌아갔습니다. 막달라 출신 마리아는 그들이 예수님을 어디에 묻는지 주의깊게 기억해 두었습니다.

마가복음 15장 20~47절

예수님의 부활

예수님이 살아나시다

유월절 다음 날 막달라 마리아는 새벽에 동산에 있는 무덤으로 돌아갔습니다. 아직 날이 밝지 않았습니다. 마리아는 예수님 가까이에 있고 싶었습니다. 그녀는 울었습니다. 그녀는 남자들이 무거운 돌로 입구를 막아 놓은 바위무덤을 찾아갔습니다.

그런데 아침해가 뜰 무렵 마리아가 무덤 가까이에 갔을 때 그 돌은 찾아볼 수가 없었습니다. 바위무덤은 거기에 있었다지만 돌은 치워져 있었습니다. 누군가가 돌아가신 예수님을 훔쳐 간 것일까? 마리아는 허리를 굽혀 예수님이 어디 계신지 알려고 무덤 안을 들여다보았습니다. 거기에는 예수님의 몸을 쌌던 베옷이 있었습니다. 갑자기 마리아는 빛나는 옷을 입은 두 사람을 보았습니다. 그들은 예수님이 누워 계셔야 할 그 자리에 앉아 있었습니다. 〈천사일까?〉 마리아는 놀랐습니다. 「여인이여, 왜 울고 있는가?」 그들이 물었습니다. 마리아는 대답했습니다. 「사람들이 예수님의 몸을 가져가 버렸습니다. 그들이 예수님을 어디에 모셨는지 모르겠습니다.」

그러고 나서 그 여자는 몸을 돌렸습니다. 그 여자의 뒤에 한 남자가 서 있었습니다. 그가 말했습니다. 「여인이여, 왜 울고 있습니까?」 마리아는 그 남자를 몰랐습니다. 마리아는 그가 동산지기라고 생각하고 이렇게 말했습니다. 「당신이 이 무덤에 모셔져 있던 분을 다른 곳에 옮겼습니까? 어디로 모시고 갔는지 말해 주세요. 그분을 모시고 가겠습니다.」 그때 그 남자가 그 여자의 이름을 다시 불렀습니다. 「마리아!」 그제서야 마리아는 그를 알아보았습니다. 그분의 목소리는 예전과 같았습니다. 그분은 예수님이셨습니다. 〈나의 주님,〉 마리아는 기뻐서 말했습니다. 마리아는 예수님에게 다가가려고 했습니다. 그녀는 예수님이 다시 거기에 계셔서 행복했습니다. 마리아는 예수님의 팔짱을 끼고 싶었습니다. 그러나 예수님이 말했습니다. 「마리아, 나를 만지지 말라!」 그래서 마리아는 물러섰습니다. 〈왜 예수님이 나를 멀리하시는 거지?〉 그러나 예수님은 계속 말했습니다. 「마리아, 나의 친구들에게 가서 내가 하늘에 계신 아버지께로 간다고 말하여라. 그분은 너희 아버지이시기도 하다. 나는 나의 하나님에게로

간다. 그분은 또한 너희 하나님이시다.」

그때 마리아의 놀라움은 기쁨으로 바뀌었습니다. 이제 마리아는 예수님이 돌아가시지 않았다는 것을 알았습니다. 그리고 자기가 예수님을 처음으로 본 사람이라는 것, 다른 사람들에게 자기가 본 것을 이야기해야 한다는 것, 그것이 아주 중요한 일이라는 것을 알았습니다.

막달라 마리아는 마음이 가벼워졌고 힘이 났습니다. 마리아는 예루살렘 시내로 길을 떠났습니다. 그 여자는 예수님의 친구들을 찾았습니다. 예수님을 아는 모든 사람들에게 제자들이 어디 있는지 물었습니다.

예루살렘 뒷골목에 있는 낡은 집 2층 방에 제자들이 모여 있었고 문을 다 걸어 잠그고 있었습니다. 마리아가 문을 두들겼습니다. 계속해서 또 두들겼습니다. 마침내 기쁨에 넘친 마리아의 맑은 목소리가 문과 담을 넘어갔습니다. 빗장이 하나 풀렸습니다. 그리고 겁에 질린 얼굴들이 마리아에게 보였습니다. 마리아는 안으로 들어갔습니다. 그리고 곧 안에서 문이 다시 잠겼습니다. 밖에서는 아무런 소리도 들을 수 없어, 그 집에 아무도 살지 않는 것 같았습니다.

나중에 막달라 마리아는 다시 큰길로 나왔습니다. 마리아가 예루살렘을 떠나서 북쪽으로 걸어가고 있을 때 해가 벌써 중천에 떠 있었습니다. 그 여자의 뒤편에서 도시의 지붕들이 빛났습니다. 바위들 틈새에 작고 노란 꽃들이 피었습니다. 봄이 와 있었습니다.

막달라 마리아는 노래를 흥얼거렸습니다. 〈그래, 예수님이 살아 계셔. 그분은 돌아가시지 않았어.〉 마리아는 몇 번씩이나 이렇게 혼잣말을 했습니다.

하지만 제자들은 계속해서 그 집에 숨어서 기다렸습니다. 나중에서야 부활하신 예수님이 그들에게도 나타나셨습니다. 예수님은 제자들에게 〈너희에게 평화가 있기를!〉 하고 말했습니다. 그들은 십자가에 못박히셨던 예수님의 손에 난 상처를 보았습니다. 이제 그들은 예수님이 살아 계시다는 것을 믿었습니다. 그들도 기뻐서 어쩔 줄을 몰랐습니다.

요한복음 20장 11~23절

엠마오

예루살렘에서 나오는 길에서 두 남자가 걷고 있었습니다. 그들은 흙먼지가 이는 길을 성큼성큼 걸어갔습니다. 저녁 전까지 엠마오라는 동네에 가려고 했습니다. 두 남자 중 한 명은 글로바라는 엠마오 사람이었습니다. 가끔씩 두 사람은 걸음을 멈추고 이마에 흐르는 땀을 닦으며, 얼마 전에 겪은 일들을 이야기했습니다. 「나는 그분이 우리를 로마 인들로부터 해방시켜 주실 거라고 생각했다네. 난 그분이 다윗 왕이나 솔로몬 왕처럼 힘센 왕이 되기를 바랐네.」 글로바는 한숨을 쉬었습니다. 「그런데 그자들은 예수님이 살인자라도 되는 것처럼 십자가에 못박아 버렸지. 그것도 순식간에 말이야.」 글로바의 친구도 눈에 눈물이 어렸습니다. 「이제 본디오 빌라도는 다시 저 아래 호숫가 호화저택에 앉아 있겠지. 틀림없이 거기 있을 거야!」 계속 걸어가면서 글로바는 친구에게라기보다는 자기 자신에게 이렇게 물었습니다. 〈우리가 속은 걸까? 예수님이 정말 하나님의 아들이셨을까?〉

그들이 길가의 바위에 걸터앉아 예수님의 죽음과 예수님

의 예루살렘 입성, 안토니오 성 앞에 모였던 사람들의 외침에 대해 계속 이야기를 나누는 동안, 또 다른 사람 하나가 걸어왔습니다. 〈함께 가도 될까요?〉 하고 그 낯선 사람이 물었습니다. 「얼굴이 슬퍼 보이는군요. 무엇에 대해 그렇게 얘기를 나누고 있었습니까?」 글로바는 놀라서 그 낯선 사람을 쳐다보았습니다. 「당신도 예루살렘에서 오는 길인가 본데 요즘 예루살렘에서 일어난 일을 모른단 말이오? 사람들이 나사렛 예수님을 어떻게 했는지를? 그분은 우리의 친구이셨고 위대한 예언자이셨소.」 글로바의 목소리가 커졌습니다. 「그분은 힘이 있고 또 용기 있는 분이셨소.」 그의 친구가 덧붙였습니다. 「그분은 또한 설교자였고 놀라운 치유자이셨소. 그분의 능력은 하나님에게서 온 것이었고 우리는 그걸 느꼈습니다. 우리는 그분이 구원자이자 왕이기를 바랐습니다. 우리는 그분이 이스라엘 백성을 구원해 주실 것이라는 희망을 품고 있었습니다.」

세 사람은 흙먼지 길을 계속해서 나란히 걸어갔습니다. 그들이 조용히 길을 걷던 중에 글로바가 의기소침한 목소리로 이렇게 물었습니다. 「당신은 정말 듣지 못했습니까? 원로들이 나사렛 예수님을 빌라도에게 넘겨 준 일이며, 빌라도가 예수님을 잔인하게 십자가에 못박아 죽인 사실을? 불과 사흘 전 일인데……」 갑자기 그 낯선 사람이 두 친구의 말을 가로막았습니다. 「당신들은 왜 슬퍼합니까? 모세의 율법서와 예언서를 읽어 보지 않았습니까? 여러분 모두를 구원하러 온 그리스도가 고난을 겪고 죽으리라는 것이 거기에 씌어 있지 않습니까? 그가 고난을 겪은 후에 다시 하나님의 영광을 차지할 것이라고 씌어 있지 않았습니까?」

세 사람은 계속 걸어갔습니다. 글로바와 그의 친구는 낯선 사람이 하는 말을 듣고 놀랐습니다. 그는 마치 선생처럼 말을 했고 그들은 그의 말이 쉽게 이해가 되었습니다.

곧 그들은 엠마오에 도착했습니다. 해가 졌는데 그 낯선 사람이 더 멀리 가려 하자 글로바가 말했습니다. 「우리 집에서 묵어 가십시오. 저의 손님이 되어 주십시오. 곧 춥고 어두워 질 것입니다.」 그러자 그 남자가 집 안으로 들어갔습니다. 세 사람은 모두 배가 고팠습니다. 그들은 식탁에 앉았고 글로바의 아내가 서둘러 빵과 올리브, 포도주와 과일을 차려내었습니다.

그러자 그 낯선 남자가 둥글고 큰 빵을 손에 들고 마치 자기가 그 집의 주인이라는 듯이 감사 기도를 드렸습니다. 글로바는 놀랐습니다. 그러고 나서 그 남자가 빵을 떼어 사람들에게 나누어 주었습니다. 모두가 그를 쳐다보았습니다. 그러자 갑자기 새로운 눈이 뜨인 것만 같았습니다. 그들은 그 사람이 예수님이라는 것을 알아보았습니다. 예수님이 살아계셨습니다. 그분이 그들 곁에 아주 가까이 계셨습니다. 그러나 그들이 예수님을 알아보자마자 예수님은 사라지셨습니다. 마치 주인처럼 조금 전까지 앉아 계시던 그 자리는 비어 있었습니다.

식탁에 앉아 있던 사람들은 모두 당황해서 서로를 쳐다보았습니다. 「왜 우리는 길에서 예수님을 알아보지 못했을까?」 글로바가 친구에게 물었습니다. 「집에 오는 길에서 그분이 우리에게 말씀하셨을 때 알았어야 했는데. 그때 내 마음이 진정되었어. 본디오 빌라도까지도 잊었다니까. 회당에서 선생들이 말할 때는 결코 예수님이 우리에게 성경을 설명해 주셨을 때처럼 그렇게 잘 이해한 적이 없었어.」 글로바의 친구가 고개를 끄덕였습니다.

두 남자는 곧 식탁에서 일어났습니다. 그들은 어깨에 외투를 걸치고 한밤중에 길을 떠났습니다. 글로바의 아내가 깜깜해서 위험하다고 말하려 했습니다. 그러나 그의 아내는 아무 것도 그 두 사람을 말릴 수 없다는 것을 알았습니다. 그들은 손에 작은 등불 하나를 들고 먼 길을 걸어 다시 예루살렘으로 돌아갔습니다.

그 사이에 제자들도 부활하신 예수님을 만났습니다. 그들은 모두 예수님이 살아 계시다는 것을 알게 되었습니다. 그분은 다시 살아나셨습니다. 그리고 예수님과 함께 삶은 계속될 것입니다.

예수님의 제자들과 친구들은 함께 모여서 음식을 먹을 때면 언제나 엠마오에 갑자기 나타나셨던 예수님 이야기를 했습니다. 「그때 그 사람들이 예수님을 알아보지 못했지. 그리고 나서 그분이 사라지셨어. 하지만 그래도 그분은 그들 곁에 계셨던 거야.」 「그리고 그분은 우리가 빵을 나누어 먹을 때 우리와 함께 계시지. 우리가 그분에 대해 이야기를 할 때에도 말이야. 그래, 예수님은 우리 곁에 계셔. 그분은 살아 계신 거야.」 그들은 사람들에게 예수님에 대해 이야기할 때, 사람들과 음식을 나누어 먹을 때 이 놀라운 이야기를 함께 있는 모든 사람들에게 전해 주었습니다.

누가복음 24장 13~35절

이상한 시기

네 사람이 예수님에 대한 이야기를 썼습니다. 그들은 마태, 마가, 누가 그리고 요한이었습니다. 우리는 그들을 복음을 쓴 사람들이라고 부릅니다. 복음이란 예수님에 대한 기쁜 소식이라는 뜻이며 이것이 그들에게 가장 중요한 것이었습니다.

복음을 쓴 사람들은 부활하신 예수님이 제자들에게 계속해서 나타나신 것을 복음의 마지막 부분에 썼습니다. 그들은 제자들이 놀랐다는 것과 기뻐했다는 것을 썼습니다. 또 그들은 예수님이 갑자기 예수님의 친구들과 식탁에 앉아 빵과 생선을 드셨다는 것을 이야기합니다. 그들은 예수님이 십자가에 못박혔을 때 입은 자신의 상처를 제자들에게 보여 주셨다는 것을 이야기합니다. 예수님은 갑자기 그들 곁에 계셨고 갑자기 다시 사라지셨습니다.

참으로 이상한 시기였습니다. 제자들은 그 다음에 어떻게 살았을까요? 「너희는 온 세상으로 퍼져 가거라.」 예수님은 그들에게 이렇게 말씀하셨습니다. 「모든 민족들에게 나와 하나님 나라에 대해 전하여라! 사람들을 나의 제자로 만들고 세례를 주어라!」
그러나 제자들은 자신이 없었습니다. 그들은 함께 모여 있었고 예루살렘에서 기다렸습니다.

나중에 예수님의 제자들은 기쁨에 넘쳐 예수님에 관해 소식을 전하고 예루살렘에서 여러 나라로 떠나가게 되었는데 이 이야기를 누가가 썼습니다. 예수님에 관한 기쁜 소식을 전하는 사람들을 제사장이라고 부르기 때문에 그의 책은 제사장들의 이야기라고 불립니다. 이 제사장들의 이야기가 이 책의 마지막 부분에 이어집니다.

하늘로 올라가신 예수님과 성령 강림절

예수님의 제자들이 다 함께 예루살렘 시내를 지나가고 있었습니다. 그들은 몇 번이나 예수님의 삶과 죽음 그리고 부활에 대해서 이야기를 나누었습니다. 요한이 말했습니다. 「사십 일이 지났어.」 야곱이 고개를 끄덕였습니다. 「그래, 오늘이 꼭 사십일 째야.」 제자들은 그동안 하루하루 날짜를 세어왔습니다. 「사십일 전에 예수님이 다시 살아나셨지.」 또 다른 제자가 말했습니다.

그때 갑자기 예수님이 제자들 곁에 나타나셨습니다. 「같이 가자.」 예수님이 제자들에게 말했습니다. 「나와 함께 감람산으로 가자.」 예전처럼 제자들은 예수님을 따라갔습니다. 그들은 예루살렘을 떠났습니다.

그러나 예루살렘의 어떤 집에 예수님을 따르던 또 다른 여자와 남자들이 기다리고 있었습니다. 예수님의 어머니이신 마리아도 거기에 계셨습니다. 마리아는 예수님만을 생각했습니다. 「예수님이 다시 살아나셨어요. 하지만 이제 그분은 완전히 달라지셨지요.」 여자들 중 한 명이 말했습니다. 「혹시 그분이 다시 우리 곁으로 오실지도 모르지요?」 그들은 계속 기다렸습니다. 그들은 제자들이 오기를 기다렸습니다.

드디어 제자들의 목소리가 들려왔습니다! 요한, 야곱, 베드로, 마태, 빌립과 다른 제자들의 목소리였습니다! 제자들이 곧 그들 가운데로 왔습니다. 「우리들은 감람산으로 올라갔습니다. 예수님이 갑자기 우리들 곁에 오셨고 우리는 그분과 함께 갔습니다. 그러나 지금 예수님은 하늘에 계십니다! 그래요, 우리 눈앞에서 그분은 높이 올라가셨습니다. 그리고 구름에 싸여 보이지 않게 되셨습니다. 이제 우리들은 예수님이 하나님과 함께 하늘에 계신다는 것을 압니다.」 여자들은 제자들이 하는 말을 이해하지 못했습니다. 「그런데도 당신들은 기쁩니까? 왜 울지 않습니까?」

제자들이 계속 말했습니다. 「너희는 사람들에게 나의 이야기를 전하는 제사장이 되어야 한다. 너희는 예루살렘에서 나에 대한 이야기를 전해야 한다. 그리고 온 세상으로 나아가야 한다. 예수님은 우리에게 이렇게 말씀하셨습니다. 이제 우리는 무슨 일을 해야 할지 알게 되었습니다.」 다른 제자가 이어서 말했습니다. 「그리고 예수님은 두 손을 올리시고 우

리를 축복하시며 말씀하셨습니다. 나는 너희에게 나의 능력을 준다. 성령을 너희에게 보내 줄 것이니 너희는 강한 제사장이 될 것이다.」 「예수님이 더 이상 보이지 않았는데도 계속해서 우리가 구름을 쳐다보고 있었는데 흰옷을 입은 사람 둘이 나타났습니다.」 빌립이 이야기했습니다. 「그들은 천사들이었습니다. 그래요. 천사들이었어요.」 그들이 말했습니다. 「왜 너희는 여기에 서서 하늘만 쳐다보고 있느냐? 너희 친구들에게 돌아가라. 그리고 기뻐하라. 성령이 너희를 도와주실 것이다. 예수님이 나중에 다시 오실 것이다. 그분은 갑자기 오실 것이다. 어떤 사람도 어떤 천사도 그분이 며칠 몇 시에 오실지 모른다.」

이제 제자들이 여자들 곁에 앉았습니다. 그들은 함께 기도했습니다. 그들은 하나님께 감사하며 이렇게 청했습니다. 「하나님, 저희에게 당신의 성령을 보내 주소서, 곧 보내 주소서. 저희의 힘이 이렇게 약합니다. 저희에게 당신의 능력이 필요합니다.」

유월절 이후 50일이 되던 날 예루살렘에는 오순절 축제를 지냈습니다. 밀을 추수하며 지내는 명절이었습니다. 다른 유대 인들처럼 예수님의 친구들도 이 명절을 준비하였습니다. 그들은 함께 먹고 마시고 기도를 드렸으며, 함께 모이는 집을 아름답게 장식했습니다. 또 갓 구운 빵을 성전에 바쳤습니다. 「열흘이 지났어. 그래, 열흘 전에 예수님을 마지막으로 뵈었지. 지금 그분은 아버지와 함께 하늘에 계시지.」 그들은 계속 예수님에 대한 이야기를 하고 있었습니다.

그런데 갑자기 바람소리가 그들이 있던 집 안을 가득 채웠습니다. 그것은 마치 심한 폭우가 쏟아질 때처럼 하늘에서 폭풍이 불어오는 것 같았습니다. 그리고 밝은 빛이 비추기 시작했고 그 빛이 갈라졌습니다. 여자와 남자 한 사람 한 사람에게 불꽃이 내려앉았습니다. 하지만 그들은 두렵지 않았습니다. 「불길은 우리를 태우지 않았습니다.」 그들이 이렇게 말했습니다. 「불꽃이 내리며 우리의 마음에 새로운 힘이 생겼습니다. 그 힘은 우리 중 아무도 알지 못하던 것이었습니다.」 그리고 그들은 그것이 예수님이 약속하신 성령이라는 것을 느꼈습니다.

명절을 맞아 거리에는 사람들이 꽉 차 있었습니다. 온 나라에서 그리고 외국에서도 유대 인들이 예루살렘으로 왔습

니다. 그들은 성스러운 도시 예루살렘에서 오순절 축제를 지내고 싶어했기 때문이었습니다.

예수님의 친구들이 모여 있던 집 앞에 점점 더 많은 사람들이 와서 보고는 놀랐습니다. 「여기서 바람 부는 소리 들었어?」 사람들이 물었습니다. 「대체 이게 무슨 소리지?」 사람들은 호기심이 생겨 대문 사이로 들여다보았습니다. 「여기 모여 기도하는 사람들은 그 예수라는 자의 친구들이군요. 그들이 무어라고 말하는지 좀 들어 봅시다.」

맨 앞에 서 있던 여자가 물었습니다. 「참 이상하군요. 이 사람들은 갈릴리가 고향인데 왜 외국어로 말하는 거죠?」 멀리 이집트에서 살다가 예루살렘으로 여행을 온 유대 인이 놀라서 말했습니다. 「우리 나라의 말이 들리는데 이 사람들이 어디서 이집트 말을 배운 걸까?」 로마 사람 하나가 놀라서 소리쳤습니다. 「이 사람들이 어떻게 갑자기 라틴 어로 말하는 거지? 라틴 어로 하나님을 찬양하고 있네. 하지만 이 사람들은 라틴 어를 배우지 않았는데.」 「기적이다, 기적이 일어났다.」 대문에서 사람들이 소리쳤습니다. 여러 나라 말이 뒤섞인 소리만을 들었을 뿐 한마디도 알아듣지 못한 다른 사람들은 이렇게 놀려 대었습니다. 「저 안에 있는 사람들은 말도 안 되는 소리를 엉망으로 하는 거야. 아마 명절이라고 포도주를 너무 많이 마셨나 보군!」

갑자기 집 안에서 쩌렁쩌렁한 목소리가 울렸습니다. 「저건 베드로야.」 맨 앞에 서 있던 한 여자가 말했습니다. 베드로가 말하는 소리가 밖에 있는 사람들에게 들려왔습니다. 「유다 동포와 예루살렘에 사는 모든 분들에게 말합니다. 여러분에게 무슨 일이 일어났는지 설명해 드리겠습니다. 우리는 외국어로 말했지만 하지만 우리 중 아무도 술에 취하지 않았습니다. 지금은 겨우 아침 아홉 시입니다. 술에 취한 것이 아니라 하나님의 성령이 우리에게 오신 것입니다.」

성령이라고? 주위가 조용해졌습니다. 모든 사람들이 귀를 기울였고 베드로가 계속 말했습니다. 「우리는 모두 나사렛 예수님의 친구들입니다. 여러분 중에서 많은 사람이 그분을 알고 있지 않습니까? 그분은 병든 이를 고쳐 주셨고 가난한 이를 도와주셨습니다. 그분은 우리가 기다리던 메시아이셨고 우리를 도와주는 분이셨고 우리의 왕이셨습니다. 유월절 전에 그분은 십자가에 못박혀 돌아가셨습니다. 그러나 그분은 다시 살아나셨습니다. 우리는 그분을 보았습니다. 이제

그분은 하늘에서 하나님 곁에 계십니다. 예수님께서 우리에게 성령을 보내 주셨습니다.」

듣고 있던 사람들 중 몇 사람은 깜짝 놀랐습니다. 그 사람들은 십자가에 달렸던 예수님을 기억했습니다. 제자들이 예수의 죽음을 막을 수 있었던 것일까요? 그는 정말 유대 인의 왕이었을까요?

많은 사람들이 베드로와 제자들에게 물었습니다. 「그러면 우리는 어떻게 해야 합니까?」 「여러분도 예수님을 따르는 사람이 될 수 있습니다. 새로운 삶을 시작할 수 있습니다. 여러분이 저지른 모든 잘못을 용서해 달라고 하나님께 기도하십시오. 세례를 받으십시오. 세례를 받으면 여러분에게도 성령이 내리실 것입니다. 세례의 물로 모든 악이 여러분에게서 떠나갈 것입니다.」

〈세례라고?〉 어떤 이들은 고개를 흔들었습니다. 요단 강에서 세례를 주던 세례자 요한에 대해서 이야기하는 사람들도 있었습니다. 그건 벌써 오래전 일이었습니다. 많은 사람들이 세례를 받으려고 했습니다. 「세례를 받으면 성령을 받게 됩니다. 세례를 받으면 우리도 예수님의 사람들이 됩니다.」 이렇게 사람들은 말했습니다. 이날 3천 명의 사람들이 세례를 받았습니다. 이들은 모두 예수의 제자가 되기를 바랐습니다.

세례를 받은 사람들은 차례로 집을 돌아가면서 서로 만났습니다. 사람들은 모여서 예수에 대해 이야기를 나누었습니다. 사람들은 거듭해서 말했습니다. 「예수님은 부활하셨다. 예수님은 살아서 우리 곁에 계시다. 그게 가장 중요한 거지.」 사람들은 함께 기도하고 함께 식사를 했습니다. 사람들은 교회에서도 매일 만났습니다. 사람들은 서로 형제자매인 것처럼 지냈고, 가난한 사람들과 과부들을 도와주었습니다. 또 돈과 음식도 서로 나누었습니다.

사도행전 1장, 2장

베드로

한 거지가 성전 안뜰로 들어가는 문 옆에 앉아 있었습니다. 그는 마비된 다리와 발을 외투 속에 감추고 있었습니다. 성전에서 기도하기 위해 그곳을 지나가는 사람들은 모두 그를 알고 있었습니다. 그는 매일 거기에 앉아 있었습니다. 매일 그의 친척들이 그가 구걸을 할 수 있도록 그를 그곳에 데려다 놓았습니다.

오늘은 베드로와 요한도 오후 기도를 하기 위해 성전으로 갔습니다. 거지가 손을 내밀며 말했습니다. 「돈 좀 주세요, 다리가 움직이지 않습니다! 돈 좀 주세요, 도와주세요!」 거지는 계속 같은 말을 되풀이했습니다. 그는 그곳을 지나가는 사람들의 수많은 손을 바라보았습니다. 아주 가끔씩 손 하나가 다가와 그에게 동전을 던져 주곤 했습니다.

베드로가 그 앞에 섰습니다. 「나를 보시오, 내 얼굴을 보시오! 내 손에는 아무것도 없소. 은화도 없고 금화도 없소. 그러나 나는 당신에게 내가 가진 것을 주겠소! 나사렛 예수 그리스도의 이름으로 말합니다. 일어나 걸으시오!」

베드로는 오른손을 내밀어 그 남자를 잡아 당겼습니다. 그러자 그 앉은뱅이 남자는 갑자기 가느다란 다리와 오그라든 발에 힘이 생기는 것을 느꼈습니다. 그는 땅바닥을 디디고 똑바로 섰습니다. 그는 놀라서 처음에는 한쪽 다리를, 그리고 나서는 다른 쪽 다리를 움직여 보았습니다. 그는 조심스럽게 걸어 보았습니다. 이제 그가 걷고 있었습니다!

그리고 나서 그는 펄쩍펄쩍 뛰어 보았고 성전 안뜰을 온통 껑충껑충 뛰며 돌아다녔습니다. 그는 하나님을 찬양하는 노래를 불렀습니다. 그는 사람들 한가운데에서 노래를 불렀고 사람들이 자기를 유심히 쳐다보고, 어떤 사람들은 화를 낸다는 것을 알아차리지 못했습니다. 당연히 모든 사람들이 그를 알았고 서로 이렇게 말했습니다. 「저 남자는 늘 성전 문 옆에서 구걸을 하고 있었잖아. 무슨 일이 일어난 거지?」

그러나 그는 조용해졌습니다. 그는 성전에서 베드로와 요한을 찾아다녔습니다. 그는 그들 곁에 있고 싶었습니다.

저것은 베드로의 목소리가 아닌가? 그렇습니다, 저기에 그가 서 있습니다. 모두가 그를 쳐다보고 있습니다. 그는 연설을 하고 있습니다. 그리고 그는 지금 예전에 다리가 마비되었던 남자를 가리키며 말합니다. 「이 사람을 보십시오. 이 사람은 예전에는 걷지 못했습니다. 그러나 내가 그를 건강하게 한 것이 아닙니다. 예수 그리스도의 이름으로 그의 병이 낳았습니다. 그렇습니다. 십자가에서 돌아가신 예수 그리스도의 이름으로 말입니다. 그러나 내가 말합니다. 예수님은 다시 살아나셨습니다. 그분은 돌아가시지 않았습니다. 나에게 병을 고칠 수 있는 힘을 주시는 분은 바로 그분이십니다. 그분은 우리에게 성령을 보내 주셨습니다.」

많은 사람들이 귀 기울여 들었습니다. 예수님을 기억하는 사람들이 말했습니다. 「그래, 예수님도 병자들을 고쳐 주셨었지.」「예수는 죽었어.」 다른 사람들이 조용히 말했습니다. 그러나 성전을 지키는 대장과 제사장들은 화를 냈습니다. 「그 예수라는 자의 이야기가 이제 다시 퍼지는 거야? 간신히 조용해졌는데. 이 사람들이 지금 또다시 그자의 부활에 대해 말을 하고 다니다니. 안 돼. 정말 안 될 말이야.」 그들은 베드로와 요한을 잡아서 감옥에 가두었습니다.

다음 날 아침 두 사람은 대제사장 앞으로 끌려갔습니다. 그들은 곧 다시 풀려났습니다. 그들은 범죄를 저지른 것이 아니었습니다! 그러나 대제사장은 그들에게 이렇게 명령했습니다.「예수에 대해 이야기하지 말고 그의 이름으로 아무것도 하지 말라! 백성들은 그를 잊어야 한다! 예수에 대해 더 이상 말하지 말라!」

그러나 베드로와 요한은 제사장들과 그들의 위협, 그들이 내리는 벌을 무서워하지 않았습니다. 그들은 도시와 시골로 다니며 말했습니다.「예수 그리스도는 우리에게 가장 중요한 분이십니다. 우리가 어떻게 침묵할 수 있겠습니까? 우리가 어디에 있든 우리는 그분에 대해 이야기할 것입니다.」

많은 사람들이 그들의 이야기에 귀 기울였습니다.

베드로와 그의 친구들은 두 번째로 감옥에 끌려 갔습니다. 제사장들은 예수를 믿는 사람들이 기적을 일으키는 것에 대해 화를 냈습니다.「왜 예수에 대해 말하기를 멈추지 않는 것인가? 그들이 어떻게 병자들을 고치는 힘을 갖고 있는가?」제사장들은 그들을 질투했습니다.

이번에는 천사 하나가 밤중에 제사장들을 데리고 감옥에서 나갔습니다. 감옥 문이 열렸고 경비병들은 자고 있었습니다. 제사장들은 다음 날 아침 제사장들이 또다시 성전에서 사람들을 가르치고 있는 것을 보고 어찌된 일인지 알 수가 없었습니다.

그들은 다시 한 번 명령했습니다.「예수에 대해 더 이상 가르치고 다니지 말라.」이번에는 베드로와 다른 제사장들이 매를 맞았습니다. 그런데도 그들은 예수님에 대해 이야기하기를 멈추지 않았습니다.「그분은 여러분이 기다려 온 우리의 구원자이며 메시아이십니다.」그들은 매질을 당한 것을 오히려 자랑스럽게 여겼습니다.「예수님을 위해서라면 우리는 기꺼이 매를 맞을 것입니다. 우리는 그분에 대해 이야기를 할 것이고 그분을 위해서라면 고난을 겪을 것입니다.」그들은 대제사장에게 이렇게 말했습니다.「우리는 사람에게 복종하기보다는 하나님께 복종해야만 합니다.」

그리고 나서 베드로는 또다시 붙잡혔습니다. 헤롯 아그립바라는 왕이 이스라엘을 다스리고 있었습니다. 그와 이름이 같은 할아버지 헤롯 왕이 예수님이 태어나셨을 때 이스라엘의 왕이었습니다. 헤롯 아그립바 왕이 베드로를 감옥에 가두었습니다.

왕은 점점 더 많은 사람들이 예루살렘에서 예수를 믿는 사람들의 모임에 속하고 자기들을 그리스도 교도라고 부르는 것을 보았습니다.「위험한 무리들이야. 내 마음에 들지 않는다.」헤롯는 성전의 제사장과 친구였습니다.

「이번에는 그렇게 쉽게 빠져 나갈 수 없을 거다.」군인들이 말했습니다. 16명의 경비병들이 베드로를 지키고 있었습니다. 그들은 오로지 그 일만 했습니다. 가장 어둡고 튼튼한 감옥에 베드로가 몸이 묶인 채 갇혀 있었습니다. 밤에는 그를 묶은 쇠사슬이 두 명의 군인들에게 연결되었고 그들은 오른쪽과 왼쪽에서 자고 있었습니다. 문 앞에는 밤낮으로 경비병들이 지키고 서 있었습니다.

예루살렘의 그리스도 교도들은 베드로가 갇혀 있다는 것을 알고 있었습니다. 그때는 유월절이었고 며칠 후면 베드로가 법정에 끌려 갈 것이었습니다. 친구들은 베드로가 걱정되었습니다.〈헤롯 왕이 그를 죽이지 않아야 할 텐데! 요한의 동생인 야곱이 벌써 왕에게 잡혀 죽고 말았다!〉

그리스도 교도들 모두가 한자리에 모였습니다. 그들은 베드로를 위해 기도했습니다. 그들은 밤새도록 깨어 계속 기도를 드렸습니다. 그들이 모인 집의 문을 굳게 잠그고 아무도 보거나 듣지 못하게 했습니다.

등잔 불빛에서 기도하고 있는 동안 그들은 누군가가 대문을 두드리는 소리를 들었습니다. 처음에는 나지막하게 들렸습니다. 그 소리는 계속되었고 점점 더 커졌습니다. 그들은 놀랐습니다.「가서 누구냐고 물어보아라, 로데야!」그들은 어린 여종을 내보냈습니다. 사람들은 아무 말도 하지 않고 여종이 돌아올 때까지 기다렸습니다.「베드로 선생님이 문 앞에 서 계십니다. 제가 그분의 목소리를 알아들었습니다.」로데는 너무 기쁘고 흥분되어 문 여는 것도 잊고 급히 안으로 달려들어가 사람들에게 말했습니다.

아무도 그 말을 믿지 않았습니다.「너 미쳤구나. 도저히 그럴 수가 없어. 헤롯 왕이 죄수들을 얼마나 잘 지키는지 우리가 다 알고 있는데.」「혹시 베드로가 아니라 천사가 아닐까?」

또다시 문 두드리는 소리가 났습니다. 그 소리가 점점 더

커져서 남자들이 문을 열러 갔습니다. 정말 거기에 베드로가 서 있었습니다.

그때 모든 사람들이 흥분해서 저마다 한마디씩 했습니다. 그들은 기뻤습니다. 「조용히 하시오, 그러지 않으면 사람들이 우리를 찾아낼지도 모르오.」 베드로가 분명히 말하며 손을 올렸습니다.

그리고 베드로는 이야기하기 시작했습니다. 가라앉은 목소리로 말하긴 했지만 사람들은 그가 하는 말을 잘 알아들을 수 있었습니다. 「나는 두 명의 군인들 사이에서 쇠사슬에 몸이 묶인 채 깊이 잠들어 있다가 갑자기 깨었습니다. 감옥 안이 아주 환해졌고 누군가가 옆구리를 찌르며 깨우는 것 같은 느낌이었습니다. 그렇습니다. 거기에 한 남자가 서 있었습니다. 〈어서 일어나 나를 따라오시오〉라고 그가 말했습니다. 그때 내 몸에서 쇠사슬이 떨어졌습니다. 나는 일어서서 첫번째 문을 지나고 두 번째 문을 지나 거리로 통하는 철문을 지났습니다. 굳게 잠겼던 문은 마치 저절로 열리는 것 같았습니다. 그리고 그 남자가 나를 시내로 데리고 갔습니다. 마치 꿈을 꾸고 있는 것 같았습니다. 그런데 갑자기 내가 혼자였습니다. 갑자기 내가 거리에 서 있었고, 빛을 비추고 문을 열어 준 그 남자가 천사였다는 것을 알게 되었습니다! 그렇습니다. 하나님의 천사가 나를 풀어 주었습니다.」

사람들이 모두 긴장하여 귀 기울였습니다. 그들은 기뻤습니다. 그들은 베드로가 뒷문으로 나가는 동안 하나님께 감사하였습니다. 그는 좁은 골목길을 지나 시내의 다른 쪽으로 갔고 거기에 숨어 지냈습니다. 다음날 그는 예루살렘을 떠나 바닷가의 큰 도시인 가이사랴로 갔습니다. 헤롯 왕이 그를 찾았으나 군인들 중 아무도 그를 찾아내지 못했습니다.

베드로는 그 다음에도 몰래 예수님에 대해 가르치고 다녔습니다. 많은 사람들이 그의 이야기에 귀를 기울였습니다. 그들은 베드로가 예수님과 함께 어떤 체험을 했는지 알고 싶어했습니다. 오순절에 생긴 일과 감옥에서 풀려나게 된 일에 대해 그는 몇 번이나 이야기해야만 했습니다.

베드로는 감옥에서 세 번 풀려났습니다. 〈하나님이 나를 지켜 주시는구나. 예수님은 아직도 내 곁에 계신다.〉 베드로가 혼잣말을 했습니다. 〈그 분은 세 번이나 나를 위험에서 구해 주셨는데 나는 그분이 돌아가시기 전에 세 번이나 그 분을 모른다고 했구나.〉 그 일 때문에 베드로는 아직도 슬펐습니다. 그는 이 이야기도 사람들에게 했습니다.

사도행전 3~5장, 12장

256

빌립

사마리아는 팔레스티나의 산지에 있는 로마 도시였습니다. 사마리아는 아우구스투스 황제를 위해 새로 세워진 도시였고 도시 한가운데에 커다란 광장이 있었습니다.

사마리아의 광장에 많은 사람들이 둥글게 모여 있었습니다. 남자들과 여자들 그리고 아이들이 한 남자를 놀라서 쳐다보고 있었습니다. 「내가 가장 위대하고 가장 잘나지 않았소?」 그가 큰 소리로 물었습니다. 그는 팔을 높이 들어 마치 날아가려는 듯이 움직였습니다. 관중들이 박수를 치며 〈브라보〉를 외쳤습니다. 「시몬, 당신은 마치 하나님 같아!」 다른 사람들은 고개를 흔들었습니다. 「저건 바보 같은 마술일 뿐이야. 오래 연습한 거지. 그걸 가지고 잘난 척하는 거야.」 「만세, 만세!」 아이들이 소리쳤습니다. 그들은 마술사 시몬을 보고 기뻐했습니다.

그러나 갑자기 두 남자가 사람들 사이를 뚫고 지나갔습니다. 그들은 소년 하나를 데리고 있었는데 그 소년은 이리저리 몸을 흔들며 큰 소리를 지르고 있었습니다. 「저 사람은 미쳤어! 병이 난 거야! 병자들을 낫게 한다는 그 설교자는 어디에 있는 거야? 왜 아무도 우리에게 길을 가르쳐 주지 않는 거야?」 두 남자는 지쳐서 그 자리에 서 있었습니다. 이제 아무도 더 이상 마술사를 쳐다보지 않았습니다. 〈아니야, 마술사 시몬은 병자들을 건강하게 해줄 수 없어!〉 그들은 알고 있었습니다.

한 여자가 병든 아이 곁으로 다가왔습니다. 「빌립 선생님을 찾고 있나요? 그래요, 그분이 병자들을 고쳐 주셨습니다. 이리 오세요, 길을 가르쳐 드리지요!」 그 여자는 소년을 데리고 있는 남자들을 옆길로 이끌고 갔습니다. 「빌립 선생님은 메시아에 대해 설교하십니다. 그분은 예수님을 믿는 분이시지요. 그 사람들은 자기들을 그리스도 인이라고 합니다.」 「그 사람이 도와줄 수 있을까요? 이 아이를 낫게 할 수 있을까요?」 두 남자가 걱정스럽게 물었습니다. 여자가 고개를 끄덕였습니다. 「그렇습니다. 그분은 벌써 많은 병자들을 고쳐 주셨습니다. 십자가에 못박혀 돌아가신 나사렛 예수님처럼요. 사람들은 빌립가 예수님의 친구였고 그분을 따라다녔었다고 합니다.」

마침내 그들은 병자와 함께 어떤 집 마당으로 들어섰습니

다. 남자와 여자들이 한 남자를 둘러싸고 있었습니다. 그는 하나님 나라에 대해 설교를 하고 있었습니다. 그리고 예수님에 대해 이야기를 하고 있었습니다. 저 사람이 틀림없이 빌립일 것이다! 많은 사람들이 아픈 소년을 데리고 온 남자들을 따라왔습니다. 그들이 모두 마당으로 밀려들었습니다. 그리고 그들은 빌립이 그 소년을 낫게 하는 것을 보았습니다.

소년을 데리고 온 남자들과 그들을 따라온 여자와 남자들이 빌립에게 세례를 받았습니다. 그들도 예수님을 믿는 사람들의 모임에 속하고 싶어했고 그리스도 인이 되고 싶어했습니다.

갑자기 마술사 시몬이 빌립 주위를 둘러싼 사람들을 밀면서 앞으로 나왔습니다. 그리고 큰 소리로 말했습니다. 「당신이 말하는 예수님이 능력이 있다고 생각합니다. 나도 세례를 받고 싶습니다.」 그래서 그는 빌립에게 세례를 받았습니다.

나중에 베드로와 요한도 예루살렘에서 사마리아로 왔습니다. 사마리아의 그리스도 교도들은 그들에 대해 들어서 알고 있었습니다. 사람들은 기뻐하며 유명한 두 제사장들 앞에 무

릎을 꿇었습니다. 베드로와 요한은 무릎을 꿇은 사람들의 머리에 손을 얹고 말했습니다. 「성령이 여러분에게 오셔서 여러분을 강하게 해주실 것입니다.」 그러자 사람들이 기뻐하며 다시 일어섰습니다. 사람들은 새로운 힘이 생겨서 강해지는 것을 느꼈습니다.

마술사 시몬은 그것을 눈여겨 보았습니다. 그는 베드로와 요한 앞에 가서 절을 했습니다. 그는 제사장들에게 가까이 다가가 귓속말로 이렇게 말했습니다. 「제사장인 당신들은 권능을 가지고 있어서 사람들에게 성령을 줍니다. 말해 주시오, 나도 그런 권능을 가지려면 얼마를 내야 합니까? 나도 사람들의 머리에 손을 얹고 싶소. 나도 성령을 전하고 싶소. 말해 주시오, 얼마면 되겠소? 내가 돈을 내겠소.」 시몬은 손에 든 은화를 흔들어 소리를 들려주었습니다. 그러자 베드로가 마술사를 옆으로 밀었습니다. 「당신은 하나님의 선물을 돈으로 살 수 있다고 생각하오? 이 못된 사람아! 당신은 마술로 돈을 벌었던 것처럼 성령으로도 돈벌이를 하려는 것이 아니오?」 베드로가 큰 소리로 말해서 모든 사람이 그 말을 들었습니다.

시몬은 깜짝 놀랐습니다. 그는 두려웠습니다. 그는 곰곰이 생각하고 나서 말했습니다. 「제사장님, 제가 잘못 생각했습니다. 죄송합니다. 제가 벌을 받지 않게 저를 위하여 주님께 기도를 드려 주십시오.」

그리고 나서 시몬은 사람들 사이로 사라져 버렸습니다. 아무도 그가 가는 곳을 바라보지 않았습니다.

베드로와 요한 그리고 빌립은 사마리아를 떠났습니다. 그리스도 인들은 한참 동안 예루살렘으로 가는 길을 따라갔고 그들에게 손을 흔들었습니다.

얼마 후 예루살렘에서 하나님의 천사 하나가 빌립에게 나타나서 말했습니다. 「여기를 떠나 예루살렘에서 가자로 내려가는 시골길로 가라. 하나님이 거기서 너를 필요로 하신다.」 빌립은 놀랐습니다. 그가 대답도 하기 전에 천사는 다시 사라졌습니다.

그러나 그는 길을 떠났습니다. 그는 천사가 말한 길을 찾았습니다. 그 길은 산간의 사막 한가운데 있었습니다. 그곳은 인적이 드물고 뜨거웠습니다.

빌립은 곧 바퀴가 구르는 소리를 들었습니다. 그 소리는 점점 더 가까이 왔습니다. 장식을 한 두 마리 말이 끄는 화려한 마차 한 대가 나타났습니다. 마부의 피부는 검은색이었고 머리에는 터번을 두르고 있었습니다.

빌립은 마차 안을 들여다보고 바로 알았습니다. 〈천사가 마차 안에 앉아 있는 이 지체 높은 분을 만나게 하려고 나를 여기까지 오게 한 것이구나.〉 빌립은 마차 옆에서 따라 걸었습니다. 높으신 분은 빌립을 보지 못했습니다. 그는 큰 소리로 두루마리로 된 책을 한 권 읽고 있었습니다. 빌립이 들어보니 그는 계속 똑같은 부분을 읽고 있었습니다. 그것은 이사야 예언서였습니다. 빌립은 그 예언서를 알고 있었습니다.

〈지금 읽으시는 것을 아시겠습니까?〉 하고 빌립이 물었습니다. 그 지체 높은 분은 몸을 움찔하고 겁을 내며 빌립을 쳐다보았습니다. 그리고 나서 그는 웃으며 물었습니다. 「나를 도와줄 수 있겠소?」 빌립이 마주 웃으며 고개를 끄덕였습니다. 「그러면 마차에 타서 내 옆에 앉으시오.」 얼굴 색이 검은 그 지체 높은 분이 말했습니다. 「나는 에디오피아 여왕의 재무담당자입니다. 유대의 하나님을 경배하려고 멀리서 예루살렘으로 여행을 왔습니다. 그리고 이 책을 샀습니다. 예언

자가 여기에 쓴 것이 무슨 뜻인지 나에게 설명해 주시오.」

그들은 다시 한 번 예언서를 함께 읽었습니다. 거기에는 이렇게 씌어 있었습니다. 〈도살장으로 끌려가는 양처럼, 털 깎는 자 앞에서 잠잠한 어린 양처럼 그는 입을 열지 않았다.〉 「여기서 예언자는 누구에 대해 말하는 것이오?」 재무 담당관이 물었습니다. 「자기 자신에 대한 것이요, 아니면 다른 사람에 대한 것이요?」

그때 빌립이 이야기하기 시작했습니다. 그는 도살장에서 죽어 가는 어린 양처럼 죽임을 당한 예수님에 대해 이야기했습니다. 그리고 계속해서 예수님에 대해 이야기했습니다. 예수님이 하신 이야기, 예수님이 병자들을 낫게 하신 이야기를 했습니다. 그리고 예수님이 다시 살아나셨다는 것을 이야기했습니다. 재무 담당관은 아주 유심히 들었습니다. 빌립은 예수님의 친구들에게 가득히 내린 성령에 대해서도 이야기했고 예수님을 믿은 사람들의 세례에 대해서도 이야기했습니다.

재무 담당관은 빌립을 쳐다보았습니다. 「이제 이 책에 씌어 있는 말이 무슨 뜻인지 알겠습니다. 감사합니다. 예수님에 대한 당신의 이야기는 정말 놀랍군요.」 그는 한숨을 쉬었습니다. 「나도 그리스도 인이 되고 싶습니다.」 마차가 계속 굴러가는 동안 그가 나직이 말했습니다.

갑자기 재무 담당관이 마차를 멈추었습니다. 그는 흥분해서 저쪽 편을 가리키고 빌립의 얼굴을 바라보며 말했습니다. 「저기에 물이 있습니다, 물이! 시냇물입니다! 내게 세례를 주지 않으시겠습니까? 지금 당장 말입니다. 그러면 내가 예수님의 사람이 될 것입니다.」

두 사람은 마차에서 내렸습니다. 그들은 물속으로 들어갔습니다. 빌립은 예수님의 이름으로 그 낯선 사람에게 세례를 주었습니다.

재무 담당관은 고맙다는 인사를 하려고 했지만 빌립은 갑자기 사라져 버렸습니다. 재무 담당관은 발길을 멈추었다가 다시 마차에 탔습니다. 「오늘은 모든 것이 참 멋지군.」 그는 미소를 지었습니다. 그리고 기뻤습니다. 그는 자기가 읽은 책을 손에 꼭 쥐었습니다.

그리고 그는 돌아갔습니다. 그가 다시 에디오피아에 도착하기까지는 여러 날이 걸렸습니다.

사도행전 8장

259

사울과 밝은 빛

상인들이 마차를 타고 다마스쿠스의 문을 통과했습니다. 사람들은 다마스쿠스에서 많은 물건들을 사고 팔았습니다. 크고 화려한 가게들이 〈곧은 거리〉라는 이름의 동네에 늘어서 있었습니다. 그 동네에는 부자들과 유대 인들 그리고 이교도들이 살았습니다. 다마스쿠스는 시리아의 커다란 상업 도시였고 예루살렘에서 여행을 하면 닷새 걸리는 곳이었습니다.

다마스쿠스의 작은 골목에 아나니아라는 사람이 살았습니다. 그는 예수님을 믿는 사람들 중 하나였습니다. 그는 그리스도 인이었습니다. 아나니아는 홀로 자기 집 지붕에 올라가 기도를 드렸습니다. 그때 그는 어떤 목소리를 들었습니다. 아나니아는 〈예수님, 당신이십니까?〉라고 묻고는 귀를 기울였습니다. 「그렇다, 아나니아야. 네가 필요하다. 곧은 거리에 사는 유다의 집으로 가면 손님이 한 사람 있을 것이다. 그 손님은 다소 사람 사울이다. 그는 앞을 보지 못하는 사람이다. 아나니아야, 그에게 가서 사울의 얼굴에 손을 얹고 내가 너를 보냈다고 하여라. 그러면 그가 다시 볼 수 있을 것이다.」 아나니아는 그 말씀을 잘 들었습니다. 그리고 놀라서 말했습니다. 「주님, 당신은 제게 불가능한 일을 하라고 하십니다! 저는 그 사울이라는 자에 대해 아주 무서운 이야기만을 들었습니다. 예루살렘에서 그는 주님을 믿는 많은 남자와 여자들을 체포했다고 합니다. 사울이라는 자는 모든 그리스도 인들의 적입니다. 그자는 여기서도 그리스도 인들과 싸우려고 합니다. 그는 예루살렘의 대제사장으로부터 주님의 사람이 되고자 하는 이들을 모두 이곳 회당에 잡아들여도 좋다는 허락을 받았습니다. 아닙니다, 예수님, 나의 주님, 저는 그 사울이라는 자에게 가지 않겠습니다. 그자에 대해 무서운 이야기를 아주 많이 들었습니다.」 「겁내지 말고 사울에게 가거라, 아나니아야.」 예수님의 목소리가 들렸습니다. 「내가 사울을 뽑았다. 그는 유대 인과 이방인 그리고 왕들에게 나에 대해 이야기하게 될 것이다. 그는 달라질 것이다. 그는 일생 동안 나를 위해 일할 것이다.」

아나니아는 한숨을 쉬었습니다. 그러나 그는 길을 떠났습니다. 아나니아는 주님이신 예수님의 말에 따르고자 했습니다! 그는 곧은 길에 있는 유다의 집으로 들어갔습니다. 그리고 곧 그 집에서 멍하니 허공을 바라보고 앉아 있는 낯선 사람을 찾아냈습니다. 그와 동시에 부자인 그 집주인 유다가 아나니아에게 다가와 속삭였습니다. 「저 사람이 사흘 전부터 눈이 멀었습니다. 그는 먹지도 않고 마시지도 않습니다. 두 남자가 예루살렘에서부터 함께 와서 그를 나에게 데리고 왔습니다. 그런데 나는 그를 도울 수가 없습니다.」 아나니아는 눈먼 사울에게 다가갔습니다. 그는 놀랐습니다. 사울은 아주 좋은 외투를 입고 있었습니다. 아나니아는 손을 뻗어 그 눈먼 사람의 얼굴을 만지며 말했습니다. 「사울 형제, 예수님께서 나를 당신에게 보내셨습니다. 당신은 다시 볼 수 있게 될 것이며 성령을 가득히 받게 될 것입니다.」

그때 굳어 있던 사울의 얼굴이 달라졌습니다. 그는 주위를 둘러보았습니다. 그는 다시 볼 수 있었습니다! 「마치 내 눈에서 비늘이 떨어진 것 같습니다.」 그는 놀라서 이렇게 말하며 아나니아의 얼굴을 바라보았습니다. 「예수님이 당신을 보내셨지요. 제가 알고 있습니다.」

유다의 집에 있던 남자와 여자들은 옆방과 기둥 뒤에서 이 소리를 들었습니다. 완전히 눈이 먼 손님이 그 집에 온 이후 그들은 그를 관찰했습니다. 그는 아무하고도 말을 하지 않았습니다. 그리고 거의 움직이지도 않았습니다. 그러나 이제는 모든 것이 달라졌습니다. 그 낯선 사람은 주위를 둘러보았습니다. 이야기를 하고 먹고 마셨습니다. 남자 하인과 여자 하인들이 가까이 다가갔습니다. 그들은 사울과 아나니아 주위에 둥글게 섰습니다. 그들은 그 사람이 이야기하는 것을 더 잘 알아듣고 싶었습니다.

그리고 그들은 이상한 이야기를 듣게 되었습니다. 「저도 유대 인입니다.」 사울이 말했습니다. 「나는 사울 왕의 자손입니다. 그래서 유대 인이신 부모님이 내 이름을 사울이라고 지어주셨습니다. 하지만 태어났을 때부터 바울이라는 로마 이름도 있었습니다. 우리는 대 로마 제국의 시민이기도 합니다.」 듣고있던 사람들은 아무 말도 하지 않았습니다. 다마스쿠스도 로마 제국에 속한 도시였습니다. 그러나 모든 사람이 힘있는 로마 사람들을 무서워했습니다.

사울은 이야기를 계속 했습니다. 「부모님은 나를 예루살렘에 있는 가말리엘이라는 유명한 선생님에게 보냈습니다. 나는 그 선생님에게서 성경과 조상의 율법을 모두 배웠습니다.

나는 바리새파 사람이 되었고 예수를 따른다는 그리스도 인들에 대해 들었습니다. 그리고 그들에게는 예수님이 모든 율법보다 더 중요하며 가장 중요한 분이라는 것을 알게 되었습니다. 그래서 화가 났습니다. 〈그들은 위험하다. 이 그리스도 인들은 나쁜 자들이다〉라고 생각했고 예수를 믿는 남자와 여자들을 박해했습니다. 그들에게 채찍질을 하고 잡아서 감옥에 집어 넣었습니다. 내 말이 사실이라는 것을 대제사장과 온 의회가 알고 있습니다! 그리고 나는 다마스쿠스로 여행을 했습니다. 여기서도 그리스도 인들을 찾고자 했습니다. 그들을 잡아서 예루살렘으로 끌고 가려 했습니다. 여기에 대제사장이 다마스쿠스의 유대 인에게 보내는 편지가 있습니다. 그들은 그리스도 인들을 찾아내어 끌고 갈 수 있도록 나를 도와주어야 한다는 내용입니다.」

사울은 힘들게 숨을 쉬었습니다. 방 안이 조용했습니다. 사람들은 놀랍고 두려워 서로 얼굴을 쳐다보았습니다. 그중에는 십자가에 못박혀 돌아가셨다가 부활하신 예수님에 대해 이미 알고 있는 사람들이 있었고, 또 그리스도 인이 된 사람들도 있었습니다.

바울은 대제사장의 편지를 외투 속에서 꺼냈습니다. 그는 사람들에게 그 편지를 가리켜 보이고 찢어 버렸습니다. 유대 인 몇 명이 놀라서 소리를 질렀습니다. 그러나 사울은 계속 이야기했습니다. 「내가 다마스쿠스 가까이에 이르렀을 때 갑자기 하늘에서 번개 같은 밝은 빛이 나에게 내리비쳤습니다. 내가 땅에 쓰러졌을 때 이런 음성이 들렸습니다. 〈사울아, 사울아, 네가 왜 나를 박해하느냐?〉 나는 〈나에게 말을 거는 당신은 누구십니까?〉라고 물었습니다. 그러자 그 음성이 대답했습니다. 〈나는 네가 박해하는 나사렛 예수다.〉 내 주위에

같이 있던 사람들도 그 빛을 보았지만 그분의 음성을 듣지는 못했습니다. 〈주님, 제가 어떻게 해야 하겠습니까?〉 내가 이렇게 물었더니 예수님이 대답해 주셨습니다. 〈다마스쿠스로 들어가거라. 그러면 거기서 네가 무엇을 해야 할지 알게 될 것이다.〉 그러고 나서 내가 일어났습니다. 나는 계속 걸어가려 했지만 아무것도 보이지 않았습니다. 그 눈부신 빛 때문에 눈이 멀었기 때문이었습니다. 그래서 같이 가던 사람들이 나를 여기 이 유다의 집으로 데려왔습니다.」

사울은 고개를 숙였습니다. 「이제 내가 어떻게 해야 할까?」 그는 조용히 말했습니다. 모든 사람이 바닥에 흩어진 편지 조각들을 쳐다보았습니다. 아나니아가 그의 곁으로 다가갔습니다. 그는 사울의 어깨에 손을 얹고 말했습니다. 「하나님이 당신을 뽑아 예수님에 대해 전하게 하셨습니다. 하나님은 당신이 보고 들은 모든 것을 전하기를 원하십니다. 사울, 나와 함께 갑시다. 나에게 세례를 받으시오. 세례를 받으면 모든 잘못이 당신에게서 떨어져 나갈 것입니다. 나와 함께 갑시다. 사울, 내가 당신에게 세례를 주겠소. 당신도 예수님의 제사장이 될 것입니다.」

사울은 세례를 받았습니다. 그는 그때부터 다마스쿠스의 그리스도 인들 집에서 함께 살며 회당에서 설교를 했습니다. 「예수님은 하나님의 아들이십니다.」 「예수님은 나를 그분의 권능으로 가득 채워 주셨습니다.」 그는 이렇게 계속 말했습니다. 그리고 사울은 예수님에게 기도를 드렸습니다.

회당에서 이 말을 들은 많은 유대 인들은 혼란에 빠졌습니다. 사람들이 물었습니다. 「이게 대체 어떻게 된 일이야? 저 사람은 예루살렘에서 그리스도 인들을 채찍으로 마구 때리고 잡아간 사울이 아닌가?」 어떤 사람들은 사울의 말을 믿지 않았습니다. 어떤 사람들은 그의 말을 믿었습니다. 그들은 예수님에 대해 더 많은 이야기를 듣고 싶어했습니다.

그러나 경건한 유대 인들은 이렇게 말했습니다. 「이제 이 사울이라는 자가 그리스도 인이 되었다. 그는 더 이상 제대로 된 유대 인이 아니다. 그가 퍼뜨리고 다니는 그 새로운 가르침은 위험한 것이다.」 그들은 회당에 모였습니다. 그들은 머리를 맞대고 이렇게 결론 내렸습니다. 「그자를 죽이자. 그는 죽어야만 한다.」

그러나 사울은 친구들을 통해 유대 인들이 이런 계획을 갖고 있다는 것을 알았습니다. 그는 가능한 한 빨리 다마스쿠스를 떠나야 한다는 것을 알았습니다. 그리고 유대 인들이 성문을 모두 지키고 있다는 것도 알았습니다. 하지만 예수님의 제자들이 그를 도와주었습니다. 그들은 한밤중에 그를 커다란 바구니에 넣었습니다. 그들은 바구니를 튼튼한 밧줄로 묶어서 성벽 아래로 내렸습니다. 사울은 도망칠 수 있었습니다. 그는 혼자서 예루살렘을 향해 갔습니다.

하지만 그는 곧 예루살렘에서도 도망쳐야 했습니다. 거기서도 그리스도 인들이 박해를 받았습니다.

사울은 자기의 고향인 다소로 돌아갔습니다. 그때부터 그는 로마 이름을 사용했습니다. 그는 사울이라는 이름을 쓰지 않고 바울이라는 이름을 썼습니다.

사도행전 8장, 9장, 22장

바울이 다닌 곳

첫번째 여행

나중에 바울은 안디옥에 있다가 바나바와 함께 아주 멀리 여행을 떠났습니다. 그는 여러 도시에서 설교를 했습니다. 그는 계속해서 예수님에 대해 이야기했습니다. 죽임을 당하신 예수님에 대해, 다시 살아나신 예수님에 대해, 하나님의 아들이신 예수님에 대해 그리고 사람들에게 기쁨을 주시는 예수님에 대해.

바울과 바나바는 가는 곳마다 안식일에 회당에 갔습니다. 그들은 함께 예배를 드렸습니다. 성경을 읽고 난 다음 그들은 늘 손님으로 회당에서 이야기했습니다. 그래서 여러 도시의 많은 사람들이 그들의 이야기를 들었습니다. 그리고 이야기를 들은 사람들은 바울이 무언가 새로운 것을 이야기한다는 것, 그들이 오랫동안 기다렸던 메시아에 대해 설교한다는 것을 알게 되었습니다. 「그분 메시아는 우리의 삶 전체를 바꾸어 놓을 것입니다.」 바울과 바나바는 이렇게 말했습니다. 「우리는 다음 안식일에도 바울의 이야기를 듣고 싶습니다.」 사람들은 이렇게 유대 인 공동체의 회장에게 부탁했습니다.

바울이 설교를 하는 곳에서는 어디서나 예수님을 믿는 사람들이 커다란 가족처럼 함께하였고 많은 사람들이 예수님의 이름으로 세례를 받았습니다. 사람들은 공동체를 형성하였고 만나서 예배를 드렸습니다. 그들은 예수님에 대해 이야기했고 자신들을 그리스도 인이라고 불렀습니다.

그러나 바울에게 위험한 일이 계속 일어났습니다. 유대의 선생들이 질투를 했습니다. 「우리 유대 인 공동체에서 사람들이 빠져나간다. 그들은 그리스도 인이라는 새로운 무리에 들어가고 싶어한다.」 그들은 이렇게 불평했습니다. 한번은 그들이 바울에게 돌을 던져 그를 죽이려 했습니다. 바울은 스데반을 생각했습니다. 그는 스데반이 돌에 맞아 죽은 것을 기억했습니다. 스데반이 예수님에 대해 가르쳤기 때문이었습니다. 그때 바울은 그 모습을 보고 있었고 스데반에게 미안해 했습니다. 그리고 이제 바울이 돌에 맞게 되었습니다. 그는 땅바닥에 쓰러졌습니다. 모든 사람이 그가 죽었다고 생각했습니다. 하지만 그는 다시 일어났습니다. 그리고 바나바와 함께 다른 곳으로 갔습니다.

빌립보에서

바울은 두 번째, 세 번째 여행을 했습니다. 실라, 누가, 디모데가 늘 그와 함께 다녔습니다. 바울은 이 도시에서 저 도시로, 이 나라에서 저 나라로 다녔습니다. 그는 커다란 무역선을 타고 먼 곳에 있는 여러 도시로 갔습니다. 그리고 몇 주씩 걸려 여러 나라를 지나 아시아의 끝까지 가기도 했습니다.

어느 날 밤 그의 꿈에 그리스 사람 한 명이 나타나 이렇게 말했습니다. 「바울 선생님, 바다를 건너 우리에게 와주십시오!」 바울은 하나님이 자기를 유럽에서도 필요로 하신다는 것을 알았습니다. 그래서 바울은 친구들과 함께 그리스로 배를 타고 가서 빌립보라는 도시에 도착했습니다.

바울은 빌립보에서 유대교의 회당을 찾지 못하다가 성문 밖에서 유대 인이 기도하는 곳을 찾았습니다. 강가에 있는 그곳에서 바울은 예수님에 대해 가르쳤습니다.

그리고 나서 그는 친구들과 함께 강가에 모여 있는 유대 여자들에게로 갔습니다. 그들은 예수님에 대한 이야기를 더 듣고 싶어했습니다. 리디아라는 여자가 바울에게 다가왔습니다. 그 여자는 바울이 말해 주는 모든 것을 알고 싶었습니다. 리디아는 집에 가서 값비싼 주홍색 옷감을 팔아야 한다는 것을 잊어버렸습니다. 리디아는 바울이 이야기하는 놀라운 일들을 귀담아들었습니다. 그 여자의 마음이 열렸습니다. 갑자기 리디아는 깨달았습니다. 예수님이 그녀의 주님이시고 그녀를 도와주시는 분이시라는 것을. 리디아는 바울에게 세례를 받았습니다. 리디아의 여자친구들과 가게에서 리디아를 도와주는 여자 하인들도 세례를 받았습니다. 「저희 집으로 오십시오! 오셔서 음식을 드시고 저희 집에 머물러 주십시오!」 리디아는 바울과 그의 친구들에게 말했습니다. 「우리는 같은 주님을 믿습니다. 우리는 하나의 공동체를 이루고 있습니다.」 바울은 리디아의 집에 손님으로 머물렀습니다.

빌립보에는 바울의 적들도 있었습니다. 바울은 실라와 함께 붙잡혀서 채찍질을 당했고 감옥에 갇혔습니다. 그런데 한밤중에 큰 지진이 일어나 감옥을 온통 뒤흔들어 감옥문이 모두 열리고 죄수들을 묶어 두었던 쇠사슬이 다 풀리고 말았습니다. 감옥을 지키던 간수가 잠을 깨었습니다. 그는 깜짝 놀랐습니다. 그는 죄수들이 하나도 없다고 생각하고 칼을 빼어

자살하려고 했습니다. 그러나 등불 아래서 그는 바울과 실라를 발견했습니다. 그는 참 이상한 사람들이라고 생각했습니다. 〈저들은 내가 잠들기 전에 노래를 부르던 사람들이 아닌가? 한밤중에 감옥에서 노래를 부르다니?〉「무엇이 당신들을 그토록 기쁘게 했습니까?」그가 물었습니다. 그때 바울과 실라가 예수님에 대해 이야기했습니다. 한밤중에 간수가 죄수들을 자기 집에 초대했습니다. 그는 바울과 실라가 채찍으로 맞은 상처를 치료해 주었고 좋은 음식을 대접하였습니다. 그리고 온 가족과 함께 한밤중에 세례를 받았습니다.

바울과 그의 친구들은 빌립보를 떠나 계속 다녔습니다. 바울은 나중에 빌립보를 다시 찾고 싶어했습니다.

바울은 빌립보 사람들에게 편지를 썼습니다. 「나는 내 가장 소중한 친구인 디모데를 여러분에게 보냅니다. 그가 여러분을 도와줄 것입니다. 내가 곧 다시 오겠습니다!」빌립보에 있는 그리스도 인들은 바울이 보낸 편지를 읽었습니다. 「이 편지는 설교 같아.」 어떤 사람이 말했습니다. 〈한 편의 시 같아〉라고 말하는 사람도 있었습니다. 그들은 예배를 드리는 중에 바울이 보낸 편지 중 한 부분을 노래했습니다.

예수 그리스도 ── 그분은 하나님과 같은 분이셨네
하지만 그분은 노예처럼 가난하셨지.
그분은 사람이 되셨고
십자가에서 돌아가셨네.
하지만 하나님은 그분을 위대하게 하셨고
그분을 높이 올리셨네.
그분은 우리의 주님이시다.

아이들도 귀 기울여 들었습니다. 그리고 함께 노래 불렀습니다. 그들은 묻고 또 물었습니다. 아이들은 예수님에 대한 가르침과 노래를 모두 다 이해하지는 못했습니다. 하지만 함께 듣고 함께 노래하기를 원했습니다. 「그리스도는 우리의 주님이시다.」 아이들은 그 말이 무슨 뜻인지 알았습니다.

사도행전 13장, 16장, 빌립보서 2장 5~11절

아테네와 고린도에서

바울은 그리스의 수도인 아테네에도 갔습니다. 그는 화려한 성전과 제단, 거리 곳곳에 서 있는 빛나는 우상들을 보고 놀랐습니다. 그리스의 선생들은 〈이 바울이라는 자가 우리가 모르는 새로운 신에 대해 이야기해 줄 수 있을까?〉 하고 물었습니다. 그들은 새로운 이야기를 듣고 싶어했습니다. 「우리와 함께 가서 이야기를 들려주시오.」 그들은 이렇게 말하며 사람들이 많이 모여 있는 광장으로 바울을 데리고 갔습니다.

그러나 바울은 다른 연설가들처럼 금으로 만든 우상을 보여 주지 않았고 신들에 대한 흥미진진한 이야기를 하지도 않았습니다. 그가 부활하신 예수님에 대해 이야기하자 아테네 사람들은 웃기만 했습니다. 그들은 〈대체 그게 무슨 말이야?〉라고 했습니다. 아주 적은 수의 사람들만이 그리스도 인이 되었습니다.

바울은 아테네에 오래 머물지 않았고 일행과 함께 다른 곳으로 떠났습니다.

그는 고린도라는 큰 항구 도시에 도착했습니다. 그는 거기서도 유대 인 공동체를 찾았습니다. 그리고 그는 아굴라와 그의 아내 브리스길라를 만났습니다. 그들도 바울처럼 천막을 만드는 일을 했기 때문에 바울은 그 집에서 함께 살면서 일을 하였습니다. 그들은 함께 천막천을 꿰맸고 염소털로 여행용 담요를 짰습니다. 바울은 그 집에 1년 6개월 동안 살았습니다. 그가 작업장에 앉아 일을 할 때면 늘 사람들이 찾아왔습니다. 그중에는 지체 높은 상인들도 있었고 항구의 일꾼들이나 시장의 아줌마들도 있었습니다. 그들은 바울이 예수님에 대해 이야기한다는 것을 알고 있었습니다. 죽음보다 강하신 예수님에 대해 말입니다. 그들은 계속 바울에게 갔습니다. 그들 중 많은 사람이 그리스도 인이 되었습니다.

바울은 안식일마다 아굴라와 브리스길라와 같이 회당에 가서 설교를 했습니다. 그러나 유대 인들은 서로 싸웠습니다. 바울을 욕하는 사람들도 있었습니다. 그들 중 많은 사람들은 그리스도에 대해 아무것도 알고 싶어하지 않았습니다. 그래서 그리스도 인들은 회당 바로 옆에 사는 유스도라는 사람의 집에 모였습니다.

바울을 총독에게 고소한 유대 인들이 있었습니다. 그러나 바울은 예수님에 대해 가르치는 것을 그만두지 않았습니다.

어느 날 밤 바울은 꿈에서 예수님의 목소리를 분명히 들었습니다. 「겁내지 말아라. 잠자코 있지 말고 전도를 계속하여라.」 그 말이 바울을 강하게 만들었습니다. 바울은 〈나는 유대 인들을 위해서만 전도를 하지 않겠다〉고 다짐을 했습니다. 그리고 그는 큰 소리로 이렇게 말했습니다. 「이제부터 나는 이교도들에게도 가겠습니다. 지금까지 큰 성전에서 아프로디테 여신만을 섬겼던 사람들에게도 예수님에 대해 이야기하지 않을 이유가 있습니까?」 이 말을 듣고 고개를 흔드는 사람들도 있었고 그 말이 옳다고 여기며 계속 그의 이야기에 귀 기울이는 사람들도 있었습니다.

바울이 고린도를 떠날 때 아굴라와 브리스길라가 그를 따라갔습니다.

바울은 고린도에 있는 그리스도 인들에게도 편지를 썼습니다. 그는 그들에게 용기를 주려고 했습니다. 그리고 그들이 서로 평화롭게 살기를 바랐습니다. 부유한 상인들과 가난한 항구의 일꾼들, 여종들과 지체 높은 시민들 모두가 말입니다.

그는 고린도 사람들에게 이렇게 썼습니다. 「여러분은 한 몸에 딸린 부분들처럼 하나입니다. 여러분 모두는 서로 아주 다릅니다. 키가 큰 사람과 작은 사람이 있고 가난한 사람과 부유한 사람, 유대 인과 그리스 인, 노예와 자유인이 있습니다. 그러나 세례를 통해 그리고 예수님을 통해 여러분은 한 몸처럼 연결되어 있습니다. 여러분은 다 함께 그리스도의 몸을 이루고 있으며 한 몸에 속해 있습니다.」

고린도의 그리스도 인들은 바울이 쓴 편지를 읽었습니다. 그들은 그 뜻을 곰곰이 생각했습니다. 그들은 바울이 보낸 사랑의 노래를 여러 번 읽어 보았습니다. 그리스도 인들은 이 노래를 지금까지 계속 부르며 다른 사람들에게 전해 주고 있습니다. 「사랑이 제일 중요한 것입니다. 사랑은 다른 어떤 것들보다 더 위대합니다.」 그의 노래는 이렇게 끝납니다. 「언제까지나 사라지지 않을 것은 믿음과 희망 그리고 사랑입니다. 사랑은 이중에서 가장 위대합니다.」

사도행전 17, 18장, 고린도전서 12, 13장

에베소에서

그후 바울은 3년 동안 에베소라는 부유한 도시에서 살았습니다. 순례자들이 멀리서부터 찾아와서 아데미 여신에게 기도를 드렸습니다. 「아데미 여신은 마치 위대한 어머니와 같다.」 사람들이 말했습니다. 「여신은 생명이 있는 모든 것을 보호해 준다. 샘이 솟아나게 하고 나무를 자라게 하고 우리에게 아이들을 선물해 준다.」 순례자들은 커다란 아데미 입상 앞에 무릎을 꿇고 경배를 하였습니다. 이상한 것은 그 여신의 모습이었습니다. 여신은 가슴이 많았고 그것은 풍요의 상징이었습니다. 아데미 여신의 신당은 항구 근처에 있었습니다. 그 성전은 엄청나게 커서 기둥이 127개나 있었는데 전세계에서 온 여행자들이 그것을 보고 놀랐습니다.

바울은 이렇게 화려한 도시에서도 예수님에 대해 이야기했습니다. 점점 더 많은 사람들이 모여 바울이 하는 이야기를 들으려 했습니다. 「예수님이 병자들을 건강하게 하셨대. 그리고 귀신들을 쫓으셨대.」 어떤 사람들은 에베소에 도착하면 항구에서부터 벌써 이런 이야기를 들었습니다. 많은 사람들이 아데미 여신의 신당으로 가지 않고 바울의 이야기를 들으러 갔습니다.

그러나 데메드리오라는 은 세공장이가 갑자기 소란을 일으켰습니다. 그는 은으로 여신 아데미의 신당 모형을 만들어 많은 직공들에게 일을 시켰고 돈을 많이 벌었습니다. 여행자들은 아데미 여신과 화려한 신당을 보고 난 후 기념품으로 그 모형을 샀습니다. 데메드리오가 자기 직공들과 다른 많은 사람들을 한자리에 불러 놓고 말했습니다. 「여러분, 바울이라는 자에 대해 들었습니까? 말도 안 됩니다! 그는 우리의 아데미 여신을 경배하지 않습니다! 그는 사람의 손으로 만든 것은 신이 아니라고 주장합니다. 이대로 가다가는 아무도 아데미 여신을 경배하지 않을 것입니다. 그러면 아무도 우리의 신당 모형을 사지 않게 될 것입니다!」 이 말을 들은 직공들이 격분하여 소리쳤습니다. 「데메드리오의 말이 맞다, 에베소의 아데미 여신 만세!」

그리고 나서 그들은 바울의 친구인 가이오와 아리스다고를 붙들어 가지고 시내에 있는 극장으로 끌고 갔습니다. 점점 더 많은 사람들이 그리로 몰려들었습니다. 「대체 무슨 일이야?」 「바울이라는 자는 어디에 있어?」 극장에 모인 사람들이 갑자기 이렇게 저마다 떠들다가 모두 함께 외쳤습니다. 「에베소의 위대한 여신 아데미 만세!」 사람들이 큰 소리로 외쳐서 온 시내에 울렸습니다. 사람들은 두 시간 동안이나 똑같은 말을 되풀이해 외쳤습니다. 「에베소의 위대한 여신 아데미 만세!」

마침내 에베소의 시장이 무대에 올라와서 손을 쳐들었습니다. 사람들이 조용해졌습니다. 시장이 큰 소리로 말했습니다. 「에베소 시는 위대한 여신 아데미를 모시는 도시입니다. 우리 모두는 아데미 여신의 입상이 사람의 손으로 만든 것이 아니라 그 화려한 모습 그대로 하늘에서 떨어진 것임을 알고 있습니다. 그러나 여러분이 극장으로 끌고 온 사람들은 우리 신당의 물건을 훔친 일도 없고 우리의 여신을 모독한 일도 없습니다. 그러니 조용히 하시고 이제 집으로 돌아가십시오. 이렇게 불법으로 소동을 일으킨 것에 대해 우리를 다스리는 로마 사람들이 벌을 내릴지도 모릅니다!」 그러자 에베소 사람들이 모두 흩어졌습니다. 갑자기 시내가 조용해졌습니다.

바울은 에베소를 곧 떠났습니다. 많은 사람들이 세례를 받았고 그리스도에 대한 가르침을 들었습니다.

나중에 바울은 에베소의 그리스도 인들에게도 편지를 썼습니다. 「여러분은 비록 유대 인이 아니었지만 예수님에게 속한 사람들입니다. 여러분은 예수님 보시기에 이방인들이 아니라 하나님의 성스러운 집에 속한 사람들입니다. 그리스도는 모퉁이 돌이시며 가장 중요한 분이십니다. 여러분도 하나님의 집, 하나님의 영이 깃든 집을 짓기 위한 돌들입니다.」

에베소의 그리스도 인들도 바울이 쓴 편지를 소리내어 읽었습니다. 그들은 오랫동안 깊이 생각했습니다. 많은 사람들에게 바울이 쓴 편지의 내용은 수수께끼와도 같았습니다. 그

러나 그들은 바울이 말한 성전이 기적이 아니라는 것을 알고 있었습니다. 거기에는 기둥도 없었고 아데미 여신의 입상도 없습니다. 하나님을 위한 성전은 눈에 보이지 않지만 아주 위대한 성전입니다. 우리 모두는 그 성전의 한 부분입니다.

사도행전 19장 , 에베소서 2장 11~21절

바울의 로마 여행

항구 도시인 가이사랴에서 커다란 돛단배가 로마를 향해 떠났습니다. 바울은 그 배의 갑판에 앉아 있었습니다. 쇠사슬이 그의 곁에 놓여 있었습니다. 바울은 죄수였습니다. 그러나 로마 군 대장 율리오는 바울에게 호의를 베풀어 쇠사슬을 풀어 주었습니다.

「당신은 왜 붙들렸소? 왜 사람들이 당신을 로마 황제에게 데려가려고 합니까? 무슨 잘못을 하였소?」 선원들이 바울에게 자꾸만 물었습니다. 「이 사람은 범죄자같이 보이지 않는데.」 그들은 바울이 하는 이야기에 귀를 기울였습니다.

시간이 지나자 배에 타고 있던 모든 사람들이 바울은 정말로 나쁜 짓을 하지 않았다는 것을 알게 되었습니다. 그는 유대 인이었습니다. 그는 유대 인들에게 예수님에 대해서 이야기했고, 그분이 십자가에 못박혀 돌아가시고 다시 살아나신 일도 이야기했습니다. 선원들은 예루살렘의 유대 인들이 바울을 거의 죽일 뻔한 것을 알게 되었습니다. 그는 2년 동안 가이사랴에 있는 로마의 성 안 감옥에 갇혀 있었고 로마 사람들의 감시를 받았습니다. 이제 그는 황제 앞으로 중이었습니다. 그건 그가 스스로 원한 일이었습니다. 「나는 로마 시민입니다. 그러니 로마 황제만이 나를 판결할 수 있습니다.」

함께 배를 타고 가던 사람들은 누구나 이렇게 말했습니다. 「우리는 당신의 죄가 무엇인지 모르겠군요.」 바울은 그리스도와 그리스도 인들의 공동체에 대해 이야기했습니다. 또한 그는 자기가 예전에 그리스도 인들을 박해했던 것과 예수님이 눈부신 빛으로 나타나셨던 일에 대해서도 이야기했습니다. 「예루살렘의 대제사장들은 하나님이 죽은 사람을 살려내셨다는 것을 믿으려 하지 않았습니다. 그들은 예수님을 믿는 사람들이 위험하다고 생각했습니다. 그래서 그들이 나를 박해하는 것입니다. 그들은 그리스도 인 모두를 박해합니다!」

그 여행은 오래 걸렸습니다. 배는 여러 항구 도시에 멈추었습니다. 사람들이 짐을 실은 자루를 내리기도 했고 싣기도 했습니다. 무라라는 도시에서 바울은 다른 죄수들과 함께 다른 배에 타게 되었습니다.

가을이 다가와 해가 짧아졌습니다. 바울은 선원들에게 말

했습니다. 「이제 곧 큰 폭풍이 불어 올 것입니다. 바다로 나가지 마십시오. 위험할 것입니다.」 그러나 사람들은 바울의 말을 듣지 않았습니다. 그들은 로마 방향으로 계속 항해를 했습니다. 부드러운 남풍이 불었습니다.

그러나 갑자기 무서운 폭풍이 몰아쳤습니다. 배는 집채만 한 파도에 밀려 올라갔고 바람의 채찍을 맞았습니다. 배가 이리저리 흔들렸습니다. 방향을 잡을 수가 없었고 폭풍 때문에 배에서 널빤지가 떨어져 나갔습니다. 물이 배 안으로 들어갔습니다. 그래서 선원들은 자루와 상자 등 배에 실었던 거의 모든 것을 바다에 내던졌습니다. 그래서 배는 더 이상 가라앉지 않았습니다. 그러나 폭풍은 계속 불었습니다. 하늘은 검은색이거나 회색이었고 해도 별도 보이지 않았습니다. 「우리는 이제 죽었다. 이제 희망이 없다.」 남자들이 배 뒤쪽에 앉아서 말했습니다. 그들은 뱃전을 꼭 잡았습니다. 그들은 마비된 것처럼 꼼짝하지 않았습니다.

그때 바울이 그들에게 다가와 몰아치는 폭풍 속에서도 들을 수 있게 큰 소리로 외쳤습니다. 「여러분, 용기를 내십시오. 여러분 중 아무도 죽지 않을 것입니다. 어제 밤 하나님이 나에게 천사를 보내 주셨습니다. 그 천사는 〈바울아, 두려워하지 말라〉고 말했습니다. 그러나 하나님은 나 하나만을 구해 주시지는 않을 것입니다. 여러분 중 아무도 목숨을 잃지 않을 것입니다. 그러니 아직 우리가 가지고 있는 음식을 먹읍시다. 여러분은 오늘까지 2주일 동안이나 아무것도 먹지 않았습니다. 살려면 기운을 차려야 합니다.」 그리고 바울은

모든 사람 앞에서 빵을 들어 하나님께 감사의 기도를 드린 다음 떼어서 먹기 시작했습니다. 그러자 사람들도 용기를 냈습니다. 그들은 배 안에서 음식을 가져와 서로 나누어 먹었습니다. 그들은 흔들리는 갑판에서 음식을 먹었습니다. 배에 타고 있었던 사람들은 모두 276명이었습니다.

폭풍은 14일 밤낮으로 계속되었습니다.

다음날 아침 배가 바위에 부딪혀 올랐습니다. 앞쪽에는 해변이 있었습니다. 배의 뒷부분은 깨어졌습니다. 하지만 모두가 살아날 수 있었습니다. 수영할 줄 아는 사람은 수영을 해서 육지로 갔습니다. 나머지 사람들은 부서진 뱃조각을 붙잡고 해변으로 갔습니다. 원래 로마 군 대장은 죄수들이 도망치지 않도록 그들을 모두 죽여야만 했습니다. 그러나 그는 바울을 구해 줄 생각이었습니다. 그래서 그는 죄인들을 모두 살려 주었습니다. 죄인들도 무사히 육지로 올라갔습니다.

그곳은 몰타라는 섬이었습니다. 그곳 사람들이 쓰는 말은 아무도 이해할 수 없는 말이었습니다. 그러나 그들은 난파선에서 살아남은 사람들을 위해 불을 피워 주었고 옷과 음식을 가져다 주었습니다. 폭풍이 가라앉지 않아서 로마 군 대장과 군인들, 선원들과 죄수들은 그 섬에서 석 달 동안 살았습니다. 모든 사람이 바울을 보고 놀랐습니다. 그는 아픈 사람들을 위해 기도했고 손을 얹어 병을 낫게 해주었습니다.

봄이 되어서야 그들은 몰타 섬의 항구에서 겨울을 난 다른 배를 타고 항해를 계속하게 되었습니다.

마침내 그들은 로마에 도착했습니다. 일곱 개의 언덕이 솟아 있는 커다란 도시. 사람들은 널찍한 길과 궁전과 사원 그리고 극장과 넓은 강당이 있다는 로마 얘기를 여러 번 들었습니다. 로마에도 그리스도 인들이 있었습니다. 그들은 바울이 온다는 소식을 들어서 알았습니다. 그래서 바울을 보러 왔습니다.

바울은 로마에 잡혀 온 포로였습니다. 그렇지만 바울은 자유로운 거나 다름없었습니다. 병사 몇이서 바울을 감시할 뿐이었습니다. 바울은 자기 집에서 살았습니다. 또 바울은 로마에 사는 유대 인들을 초대하기도 했습니다. 바울은 하나님의 나라와 예수님에 대해서 이야기했습니다. 로마에서도 바울을 잘 이해하지 못하는 유대 인들이 많았습니다.

하지만 많은 사람들이 바울의 집으로 모여들었습니다. 바

울은 계속해서 예수님에 대한 설교를 했습니다. 바울의 말을 듣고 그리스도 인이 되는 사람들은 점점 많아졌습니다.

바울은 황제 앞으로 나아갈 수 있기를 바랐습니다. 「나는 로마의 시민이다. 그러니 황제가 나를 재판해야 할 것이다.」 바울은 이렇게 말하곤 했습니다. 바울은 2년 동안 기다렸습니다. 그 2년 동안에 바울은 설교를 했습니다.

사도행전 27장, 28장

그 다음 이야기

누가는 바울에 대한 이야기를 끝까지 쓰지 않았습니다. 우리는 바울이 로마로 갔다는 것을 압니다. 로마에는 갈수록 그리스도 인들이 많이 살게 되었습니다. 로마는 그리스도 인들의 중심지가 되었습니다.

당시에 로마는 무자비한 황제 네로가 다스리고 있었습니다. 네로는 자기 마음에 들지 않는 사람은 모조리 죽였습니다. 네로는 자기의 형제와 어머니 그리고 아내까지 죽였습니다. 나중에 네로는 모든 그리스도 인을 죽이라고 했습니다. 네로는 그리스도 인들이 로마에 불을 질렀다고 합니다.

바울은 아마도 로마에서 베드로나 다른 그리스도 인들처럼 감옥에 갇혔을 것입니다. 로마에서 사람들은 황제를 신처럼 섬겨야 했습니다. 하지만 그리스도 인들은 그렇게 하지 않았습니다. 「예수님이 우리의 주님이시다. 우리는 오직 그분과 눈에 보이지 않으시는 하나님께만 기도를 바칠 수 있다.」 이렇게 그리스도 인들은 답했습니다. 그래서 그리스도 인들은 고문을 받고 죽어 갔습니다.

순교자란 자기 믿음을 지키기 위해 고문을 당하고 죽은 사람들을 가리키는 말이었습니다. 바울은 순교자가 되었습니다. 베드로도 마찬가지였습니다.

성경에는 그들의 죽음에 대해서는 씌어 있지 않습니다. 하지만 그리스도 인들은 커다란 도시 로마에서 조용히 숨어 살면서 바울과 베드로의 삶에 대해서 이야기하고 또 이야기했습니다. 이로부터 300년이 지나서야 하나님께 예배를 드리는 일이 허용되었습니다. 그리스도 인들은 로마에 크고 작은 교회들을 많이 지었습니다.

글쓴이 레기네 쉰들러는 1935년에 독일 베를린에서 태어났으며, 취리히와 베를린에서 독일 문학과 역사를 전공한 후
지금까지 종교적이면서 교육학적으로 의미 있는 저술 활동을 해오고 있다. 1985년에 독일 주교위원회가 주는 〈가톨릭 아동도서상〉을
받았고, 같은 해에 취리히 대학의 명예 신학박사 학위와 〈취리히 아동도서상〉 등을 받았다.

그린이 슈테판 자브르젤은 1932년에 프라하에서 태어난 화가이자 일러스트레이터이다. 프라하 필름아카데미에서 애니메이션을,
로마에서 회화를, 뮌헨에서 무대 회화를 공부했으며, 런던에 있는 서유럽 최대 규모의 리처드 윌리엄 애니메이션 스튜디오에서
예술 감독으로 일했다. 그는 어린이를 위한 책에 수많은 그림을 그렸고, 그의 작품은 전세계 20여 개국에서 출판, 소개되었다.

옮긴이 조원규는 서강대학교 독문학과와 같은 대학 대학원을 졸업하고 독일에서 독일 문학과 철학을 전공했다.
「문학사상」에 시를 발표하며 등단했고 시집으로 『아담, 다른 얼굴』, 『그리고 또 무엇을 할까』, 옮긴 책으로는 마르틴 발저(공저)의
『호수와 바다 이야기』, 발트라우트 포슈의 『몸, 숭배와 광기』, 레기네 슈나이더의 『소박함』 등 다수가 있으며,
현재 시 창작과 아울러 한국예술종합학교 등에서 강의를 하고 있다.

성경 이야기

발행일   2004년 1월 20일 초판 1쇄

글쓴이   레기네 쉰들러

그린이   슈테판 자브르젤

옮긴이   조원규

발행인   홍지웅

발행처   주식회사 열린책들   1980년 4월 16일 등록(제13 - 50호)

주 소   서울특별시 종로구 통의동 35 - 23

전 화   (02) 738 - 7340

팩 스   (02) 720 - 6365

www.openbooks.co.kr

한국어 판권 (C) 주식회사 열린책들 2004, *Printed in Korea*.

ISBN 89-329-0540-1 03230

이 책은 실로 꿰매어 제본하는 정통적인 사철 방식으로 만들어졌습니다.
사철 방식으로 제본된 양장본은 오랫동안 보관해도 책이 손상되지 않습니다.